"NE PARLONS PAS AFFAIRES, VOULEZ-VOUS ?"

"A votre aise," répliqua Megan.
"Je pensais simplement que les Autrichiens possédaient le sens de l'efficacité."

"Vous devez confondre avec les Allemands," fit Kurt d'un air amusé. "On dit que, la première fois qu'il vous rencontre, un Autrichien vous demandera votre nom, puis il vous questionnera sur les derniers livres que vous avez lus...du reste, cette anecdote n'a rien de flatteur pour nous !"

Megan sourit. Elle sentait que le whisky commençait à faire son effet. Gênée, elle prétexta : "Je n'ai rien mangé depuis ce matin, c'est ce qui doit me tourner la tête !"

Kurt rit doucement et se rapprocha d'elle : il venait de remarquer que les seins de Megan s'étaient tendus sous son bustier moulant.

Mortifiée, elle se détourna aussitôt. Mais déjà, les longs doigts fermes de Kurt brûlaient sa peau laiteuse et nacrée...

SONATE POUR LA VIE

Harlequin présente...

 ## HARLEQUIN SEDUCTION!

Sa toute nouvelle collection de romans aux merveilleuses histoires d'amour!

Depuis longtemps, vous nous réclamez d'autres romans vous offrant plus d'action, plus d'exotisme, plus de romantisme encore... Voici enfin la collection que vous attendiez avec impatience : Harlequin Séduction!

Spécialement écrits pour vous, ces romans sont plus épais, plus denses : les intrigues y sont passionnantes, les aventures excitantes, les émotions tumultueuses. Ils vous emmènent aux quatre coins du monde, ils vous racontent l'histoire de femmes d'aujourd'hui, des femmes qui ont de la personnalité!

Mais ne vous y trompez pas... c'est bien d'amour qu'ils parlent, un amour fou, sensuel et dévorant!

HARLEQUIN SEDUCTION vous offre tout ce que vous attendez d'une grande histoire d'amour!

LYNDA WARD
SONATE POUR LA VIE

HARLEQUIN SEDUCTION

PARIS • MONTREAL • NEW YORK • TORONTO

Publié en septembre 1982

ISBN 0-373-45001-X

Dépôt légal 3e trimestre 1982
Bibliothèque nationale du Québec et Bibliothèque nationale
du Canada.

Imprimé au Canada—Printed in Canada

1

D'UN geste brusque, Kurt von Kleist écarta les rideaux de velours acajou qui masquaient la fenêtre de son bureau. Sur la pelouse, de graciles bouleaux au tronc argenté ployaient sous l'assaut du fœhn, ce vent sec et chaud des régions alpines. Plus loin encore, des hêtres et des chênes massifs se dressaient sur la colline ; leur feuillage vert et frémissant, transpercé par les rayons du soleil, semblait extraordinairement lumineux sous la lumière de juillet. Au pied de la colline, à travers la forêt, Kurt apercevait la surface agitée du lac, d'ordinaire si paisible ; des moutons d'écume blanche, formés par le vent, offraient un curieux contraste avec le bleu de l'eau où se reflétait l'azur du ciel autrichien. Mais pour une fois, la beauté sereine de ce paysage familier ne put apaiser le châtelain. Songeur, il réprima un sombre pressentiment. Depuis sa naissance, il avait appris à chérir ce patrimoine légué aux von Kleist de père en fils... Que resterait-il à ses descendants de cet héritage historique, aujourd'hui menacé ?

Sans quitter la fenêtre des yeux, il chercha machinalement dans une poche son étui à cigarettes, avant de se rappeler qu'il l'avait laissé dans sa veste ; celle ci n'était pas loin, jetée sur le dossier du fauteuil qu'il occupait quelques minutes auparavant, alors qu'il essayait vainement de se consacrer à son travail. Avec des mouvements secs, nerveux, inhabituels chez lui, il prit dans sa veste un porte-cigarettes plaqué or et l'ouvrit. Un sourire agacé se peignit sur son visage. L'étui, plein ce matin, était déjà vide. Comme par ironie, il se mit à tousser quand son regard se porta sur les mégots entassés dans le cendrier. Tout en traversant la pièce à longues enjambées, il se souvint des recommandations de son médecin, qui lui avait fortement conseillé d'arrêter de fumer. Puis il décida de méditer plus tard sur les méfaits du tabac.

Il prit alors dans un meuble à tiroirs un paquet de cigarettes brunes, sans filtre. De la main gauche, il déchira l'enveloppe transparente en se servant uniquement du pouce et de l'auriculaire. Soudain il suspendit son geste pour examiner avec contrariété les trois doigts du milieu, à jamais rigides. Au prix d'une longue pratique, il avait réussi à surmonter ce handicap ; or voilà que l'arrivée imminente d'une étrangère lui faisait prendre conscience de sa main abîmée, si différente de l'autre. Après vingt-cinq ans, la cicatrice était pratiquement devenue invisible, réduite à une mince ligne blanche sur la peau bronzée, à la hauteur des articulations. Seule une délicate opération chirurgicale aurait pu restituer leur agilité à ces doigts raides dont les nerfs étaient comprimés. Kurt avait cependant écarté cette possibilité. A l'époque de son accident, quand il avait treize ans, la microchirurgie n'en était qu'à ses premiers balbutiements, sinon le cours de sa vie aurait pu se trouver radicalement changé. Mais maintenant, un quart de siècle plus tard, à quoi bon remédier à cette légère infirmité ? Les dés étaient jetés, s'en plaigne qui voudra !

Et pourtant, qu'allait penser cette Américaine ? Comment réagirait-elle ? Remarquerait-elle seulement ce handicap ? Et dans ce cas, aurait-elle la grossièreté d'émettre un commentaire ? C'était peu probable. Malgré tout, Kurt avait découvert à ses dépens à quel point certaines personnes pouvaient être choquées par la moindre imperfection motrice. Si elle nourrissait de tels préjugés, songea-t-il amèrement, elle devait être assez bornée et il aurait du mal à la persuader d'accepter sa proposition...

Après avoir allumé sa cigarette, il en tira une longue bouffée. Il regrettait maintenant de ne pas en savoir davantage sur cette femme.

Il jeta un coup d'œil à sa montre. Il était presque une heure de l'après-midi. Dans quelques instants, Karl arriverait sur la place du village où devait l'attendre l'Américaine. Kurt se reprocha une fois de plus d'avoir approuvé sans réfléchir les dispositions prises par Gabrielle pour le voyage de l'étrangère. Il aurait été plus simple d'envoyer le chauffeur la chercher à l'aéroport de Salzbourg, distant de cinquante kilomètres. Mais les événements s'étaient singulièrement précipités. Au moment où il avait été contacté par son agent aux Etats-Unis, après des mois de silence, Kurt négociait l'achat d'une petite collection privée d'œuvres de Braque et de Matisse. Débordé, il avait alors délégué ses pouvoirs à Gabrielle.

Après l'envoi des télégrammes et des billets, il s'était demandé, mais trop tard, si l'Américaine ne s'offusquerait pas de devoir prendre un car jusqu'à Kleisthof-im-Tirol ; peut-être s'était-elle sentie traitée comme une parente pauvre... Il avait en tout cas insisté pour lui offrir un billet d'avion en première classe, de Los Angeles à Salzbourg. Gabrielle avait observé d'un ton acide qu'une « vulgaire coureuse d'héritages » pouvait bien se contenter de voyager en deuxième classe, mais il n'avait pas cédé. Depuis la mort d'Erich, le comportement de cette inconnue avait certes été déroutant, mais l'on ne pouvait l'accuser d'être intéressée.

« A quoi pouvait bien ressembler la veuve d'Erich ? » se demandait Kurt. Quel genre de femme avait pu séduire son jeune frère ? Le mariage avait duré près de deux ans, jusqu'au décès d'Erich, et pourtant, il ignorait tout de sa belle-sœur. A en croire une lettre plutôt délirante envoyée par son frère, c'était une femme très grande, brune, au corps sculptural, un peu plus âgée que son époux ; elle devait donc avoir la trentaine.

Le front de Kurt se rembrunit. Erich avait passionnément aimé sa femme, et elle n'avait rien trouvé de mieux que de le quitter pour un autre. Une fois veuve, elle s'était cependant conduite de manière irréprochable. La lettre qu'elle avait envoyée à Kurt pour l'informer de la mort de son époux était peut-être guindée et distante, mais il n'y avait rien d'étonnant à cela étant donné les circonstances. Elle n'avait pas demandé d'argent, et lui, pensant qu'Erich ne l'avait pas laissée dans le dénuement, n'en avait pas proposé.

Plus tard, il avait découvert qu'elle avait vendu le précieux violon de son mari pour régler les lourdes dettes accumulées de son vivant. Kurt en avait conclu qu'elle ne se faisait pas entretenir par son amant et ne disposait d'aucunes ressources personnelles, car l'on ne se séparait pas aisément d'un authentique Guarneri...

Il avait alors essayé de localiser l'Américaine, sans succès. Elle avait déménagé sans laisser d'adresse. Pensant qu'elle devait vivre avec son amant, Kurt avait abandonné ses recherches. Et puis l'affaire Bachmann était venue tout compliquer : il était à présent impératif de retrouver la trace de cette femme. Il avait donc loué les services d'une agence de détectives new-yorkaise. L'enquête avait abouti, après plusieurs mois d'investigations : Megan Halliday — elle avait repris son nom de jeune fille — travaillait comme pianiste dans un bar élégant de Los Angeles. Par orgueil, ou par sentiment de culpabilité, elle avait renoncé à porter le nom de l'homme qu'elle avait déshonoré. Et dire qu'Erich s'était tellement battu pour avoir le droit de s'appeler « von Kleist » !

Avec un soupir, Kurt s'assit de nouveau à son bureau et se mit à feuilleter distraitement un catalogue de ventes aux enchères. Au bout d'un moment, il dut se rendre à l'évidence : impossible de se concentrer. Il repoussa avec humeur la pile de catalogues qui encombrait sa table et se renversa dans son fauteuil, les jambes négligemment étendues devant lui. En face de lui, accroché au-dessus de la cheminée, le portrait de son père semblait le fixer du regard à travers un rideau de fumée de cigarette. Graf Friedrich Johannes Horst von Kleist, treizième du nom à porter le titre de « comte »... Il avait la cinquantaine à l'époque où ce médiocre tableau avait été peint par un artiste sans grand talent ; et pourtant, le coup de pinceau maladroit du peintre n'avait pu escamoter la beauté altière du patricien : grand et mince, il posait sur le monde un regard d'un bleu perçant, et la structure classique de ses traits semblait accentuée par les ans. Il avait légué à deux de ses trois fils cette admirable ossature de visage si caractéristique des von Kleist. Quand Elizabeth avait découvert ce portrait, elle s'était blottie contre Kurt et lui avait dit en riant : « Maintenant, mon amour, je sais à quoi tu ressembleras dans trente ans. J'envisage notre vieillesse sous un angle plus optimiste... »

Kurt éprouva un douloureux pincement de cœur

comme à chaque fois qu'il pensait à sa femme, aujourd'hui disparue. Son regard embué se porta de nouveau sur le portrait de son père. Derrière une façade arrogante, Horst von Kleist, aristocrate jusqu'au bout des ongles, était en réalité désespéré par le monde dans lequel il vivait. C'était un homme d'un autre siècle. Riche, de haute naissance, il tenait pour acquis les privilèges que lui conférait son nom. Mais la structure sociale dans laquelle il avait été élevé avait commencé à s'effriter quand il était encore enfant, à l'aube de la Première Guerre mondiale. Il s'était accroché avec obstination à des valeurs caduques et avait tenté de les inculquer à ses enfants, avec des résultats variables.

Aujourd'hui, par une curieuse ironie du sort, le soin de préserver le patrimoine familial avait échu à Kurt, le fils du patriarche qui s'était le mieux intégré au monde moderne, notamment dans ses rapports avec l'argent. Kurt vénérait son héritage, il aimait le château von Kleist, la demeure de ses ancêtres ; et pourtant, paradoxalement, il avait éprouvé le besoin de quitter l'ambiance de musée de la demeure familiale pour se lancer dans le marché européen des œuvres d'art. Il lui incombait maintenant de protéger son patrimoine, et il avait accepté cette lourde tâche par respect pour ses parents disparus. Il se sentait, de plus, responsable de sa fille et des autres membres de sa famille ; mais au fond de lui-même, il avait le sentiment de se battre pour une cause perdue d'avance.

Il renversa la tête en arrière et détailla rêveusement les fresques en trompe-l'œil qui décoraient le plafond. Ces dieux et ces déesses en tenue vaguement militaire étaient attribués au peintre Giambattista Tiepolo, mais Kurt, expert en la matière, ne croyait pas en cette légende. Tout en s'amusant à faire des ronds de fumée, il se remémora des bribes de la saga familiale, apprise par cœur dans son enfance. Certains épisodes particulièrement épiques auraient été dignes d'inspirer à Wagner l'un de ses fantastiques opéras…

En seize cent soixante-trois, le Saint Empereur romain germanique avait fait don du Tyrol à Otto Kleist, ami du prince Eugène de Savoie, pour le récompenser de l'avoir aidé à chasser les Turcs de Vienne. Un de ses petits-fils était devenu archevêque de Salzbourg; plus tard, sous les guerres napoléoniennes, Graf Leopold von Kleist s'était réfugié au château pour se guérir des blessures reçues à la bataille de Leipzig. Au cours des siècles, les von Kleist s'étaient distingués dans le sabre et le goupillon; en dépit des bouleversements politiques et nationaux qui avaient déchiré le pays, ces aristocrates avaient forgé leur âme et leur puissance dans cette terre du Tyrol où ils s'étaient solidement enracinés… Et voici qu'une simple citoyenne américaine venait menacer l'édifice ancestral, telle David défiant le géant Goliath! Kurt commençait sérieusement à se demander si lui, marchand de tableaux avec comme signe particulier une légère infirmité de la main gauche, serait en mesure de lui tenir tête…

— Frau von Kleist, nous sommes arrivés à Kleisthof-im-Tirol, annonça poliment le chauffeur de l'autocar.

Megan se réveilla en sursaut. Ses yeux verts taillés en amande s'écarquillèrent de surprise, puis elle se rappela où elle était.

— *Danke*, bredouilla-t-elle d'une voix ensommeillée. Je… je suis désolée de m'être endormie, je ne m'en suis même pas rendu compte.

Elle se leva de son siège, lissa le pantalon de coton gris clair qui s'était froissé et lui collait à la peau sous l'effet de la chaleur. De longues mèches folles s'étaient échappées de ses cheveux cuivrés, retenus par une barrette en or.

— Je suis navrée de vous retarder, se défendit-elle avec gêne. *Es... es tut mir leid.*

Le chauffeur ne put s'empêcher de sourire avec bonhomie en entendant l'étrangère écorcher sa langue natale. Depuis des années il transportait des touristes de Salzbourg à Innsbruck et avait eu l'occasion de se familiariser avec tous les différents accents anglais et américains. Fort de cette expérience, il avait tout de suite identifié l'origine californienne de sa passagère : elle avait le parler doux et monocorde des gens qui ont grandi à un jet de Frisbee du Pacifique. Elle maîtrisait assez mal l'allemand, en revanche, pour une épouse de l'un des illustres von Kleist ; et puis elle paraissait bien jeune pour être une *Frau* Quelque chose ! A moins qu'il existât une branche de la famille dont il ignorait l'existence, conclut l'Autrichien.

Pendant le trajet, il avait pu observer à loisir, dans son rétroviseur, la jeune Américaine à moitié assoupie. C'était un beau brin de femme, toute fatiguée qu'elle était ! Des reflets ambrés jouaient dans sa chevelure d'un roux flamboyant, entre l'or sombre et le cuivre. Elle avait le teint laiteux, clair comme de l'ivoire, sans la moindre tache de rousseur ; tout maquillage était chez elle superflu, avait estimé le chauffeur en fin connaisseur.

Maintenant, tout en sortant du coffre à bagages la valise de sa passagère, il détaillait avec un vif intérêt le reste de sa silhouette. Le vent plaquait contre son corps son ensemble en toile de style indien, moulant ses formes gracieuses. Elle n'était pas très grande mais avait de longues jambes fuselées, et bien qu'il la trouvât un peu trop mince à son goût, elle avait une belle poitrine ronde et ferme. Réflexion faite, décida-t-il, il n'y avait rien d'étonnant à ce qu'un von

Kleist ait épousé une aussi charmante créature :
n'importe quel jury lui aurait décerné un prix de
beauté. Sans hésitation.

Megan embrassa du regard la place du coquet
petit village autrichien et plissa les yeux, incapable
de supporter sans ciller l'ardeur du soleil de juillet.
Elle s'empressa de mettre ses lunettes de soleil.

— Il fait toujours aussi chaud en cette saison ?
s'enquit-elle en rangeant l'étui dans son sac à main.
Je pensais que cela se rafraîchirait en altitude...

— Nous ne sommes pas tout à fait en haute
montagne, répondit le chauffeur. Et le foehn est un
vent brûlant, chauffé par la pression atmosphérique.
Dans les régions enneigées, il provoque souvent des
avalanches.

— Je vois...

La place était déserte. Un jeune homme en jeans
et aux cheveux longs était lui aussi descendu du car
presque vide ; une jeune fille blonde l'attendait, et
tous deux venaient à présent de disparaître au
détour d'une rue. Megan tressaillit, saisie d'une
appréhension soudaine.

— Vous savez où aller ? lui demanda le chauffeur
en remarquant son agitation.

— Oui, je suis attendue au château von Kleist.

Il fronça le sourcil et hocha la tête, visiblement
impressionné.

— C'est à plusieurs kilomètres d'ici, observa-t-il
aimablement. Avez-vous besoin d'un taxi ?

— Oh non, on doit venir me chercher d'une
minute à l'autre.

— Dans ce cas...

Le chauffeur fut interrompu par deux hommes en
chapeaux tyroliens qui gesticulaient dans le car et
l'interpellaient avec impatience.

— Désolé, je dois repartir, expliqua-t-il à regret.
Vous êtes sûre de pouvoir vous débrouiller ?

— Oui, ne vous inquiétez pas pour moi, affirma courageusement la jeune femme, amusée par la sollicitude toute paternelle qu'elle lisait dans les yeux du chauffeur, tandis qu'il s'installait déjà au volant.

— Au revoir, et bon séjour en Autriche ! lança-t-il en redémarrant.

— Merci. *Auf wiedersehen !*

Megan regarda s'éloigner le gros autocar rouge et blanc. L'assurance qu'elle avait affectée devant le chauffeur s'évanouit comme par enchantement. Elle se retrouvait livrée à elle-même, totalement désemparée. En plein désarroi, elle frissonna de nouveau et croisa instinctivement les bras contre sa poitrine. Le télégramme était pourtant clair : quelqu'un viendrait l'attendre à l'arrêt du car. Or voici qu'elle était seule en terre étrangère, dans une petite ville inconnue... Pour la première fois elle se demanda si elle n'avait pas commis une funeste erreur en venant jusqu'ici.

Lorsqu'elle avait quitté Los Angeles, vingt-quatre heures plus tôt, elle était bien trop excitée par la perspective de son voyage pour se poser des questions. Hormis une brève excursion à Tijuana, de l'autre côté de la frontière mexicaine, la jeune femme n'était jamais sortie des Etats-Unis. Elle avait plusieurs fois effectué l'aller et retour Los Angeles-New York en avion, mais cela n'avait rien de comparable avec le trajet Los Angeles-Munich-Salzbourg, le summum de l'aventure !

L'Autriche ! La patrie de Mozart, le berceau de la valse, de l'opérette et de toute la musique qui lui était si chère ! Elle devrait danser de joie, exulter de bonheur ! Mais au lieu de se réjouir elle se sentait épuisée, assaillie par le même pressentiment qui s'était emparé d'elle ce matin, tandis qu'elle traversait Salzbourg. Assise dans la navette qui la conduisait de l'aéroport au centre-ville, elle avait levé les yeux vers les sinistres tours crénelées de la forteresse qui se découpait sur la colline boisée. Une exclamation effarée lui avait alors échappé, spontanément. Elle appartenait à un monde de plages ensoleillées, de néons et de cornets de glace. Que diable venait-elle faire à l'ombre d'un lugubre château médiéval ?

Déprimée, Megan retira ses lunettes de soleil et se frotta les yeux avec lassitude. Sa montre indiquait une heure de l'après-midi, heure locale. Il était quatre heures du matin à Los Angeles ; c'était à ce moment-là, au petit jour, qu'elle rentrait habituellement de son travail, éreintée d'avoir joué du piano toute la nuit. Dorothy, sa collègue et voisine de palier, devait être en train d'enlever ses hauts souliers à talons pour masser ses pauvres pieds fatigués ; en quittant sa longue robe hawaïenne, elle se promettait pour la énième fois d'abandonner son métier de serveuse et de se recycler dans la dactylo...

Chère Dorothy ! Megan se rappelait la stupéfaction de son amie quand celle-ci s'était exclamée, en la voyant ranger des partitions dans sa valise :

— Qu'est-ce que tu me racontes là ? Tu vas retrouver la famille de ton mari en Autriche ? Je ne savais même pas que tu avais été mariée !

Megan lui avait brièvement expliqué qu'elle avait perdu son époux un an plus tôt. Les yeux de Dorothy s'étaient embués sous le mascara.

— Pardonne-moi, Meg, avait-elle murmuré. Quand tu as eu ta... enfin, quand tu as été malade, j'ai pensé... Mon Dieu, c'est affreux. Mais tu es si jeune !

— J'avais dix-neuf ans lorsque je me suis mariée, avait répondu la pianiste, sachant pertinemment ce que tout le monde avait pensé. Nous avons vécu ensemble deux ans, puis mon mari est mort dans un accident de voiture. Je... je n'aime pas en parler.

Après un lourd silence, Dorothy s'était écriée d'un ton faussement enjoué :

— Un voyage en Europe, c'est fantastique ! Tu as vraiment de la chance ! Combien de temps resteras-tu là-bas ?

— Je n'en sais rien. Les von Kleist veulent me voir pour une affaire de famille...

— Les von Kleist ?

— C'est leur nom. Le mien aussi, du reste, bien que je ne le porte plus depuis longtemps. Ils tenaient tellement à me faire venir qu'ils m'ont offert le billet d'avion aller-retour. Je ne sais pas s'ils auront besoin de moi·longtemps, mais peu importe. J'ai mis un peu d'argent de côté et je pensais jouer les touristes avant de rentrer, si j'ai assez de temps devant moi. Notre cher patron a accepté de me garder ma place pendant un mois.

— Tu m'étonnes ! avait raillé la serveuse. Il n'est pas près de retrouver une pianiste aussi douée que toi, ni aussi jolie ! Et pour le salaire de misère qu'il te verse...

Megan avait ri de bon cœur. Le gérant du « Polynesian Paradise » n'était pas réputé, en effet, pour sa générosité. Elle avait ensuite observé avec un soupir :

— Il y a les pourboires, heureusement.

— Peut-être, mais les clients les plus prodigues ne sont jamais désintéressés ! Tu as remarqué, ce soir, le manège de ce type odieux, avec sa perruque ? Tu sais, celui qui...

Au souvenir de cette conversation anodine, Megan eut un sourire attendri. Dorothy était pour elle une véritable amie ; elle ne posait pas de questions, ne demandait jamais rien en échange de son amitié, n'avait pas de préjugé. Quand la jeune femme avait été embauchée comme pianiste dans ce bar huppé d'Hollywood, elle était encore sous le coup de la mort d'Erich et des événements qui l'avaient précédée. Puis elle avait fait la connaissance de Dorothy Butler, une femme expansive, pleine de vie et de gaieté, qui voyait sereinement approcher la quarantaine. Venue à Hollywood dans l'espoir de devenir star, elle avait divorcé trois fois pour finir serveuse. Son optimisme était à toute épreuve, et peut-être que sans son aide, Megan ne s'en serait jamais sortie... Emplie d'une soudaine gratitude à laquelle se mêlait le mal du pays, elle se promit d'envoyer à son amie de jolies cartes postales d'Autriche.

Instinctivement, elle chercha des yeux une librairie ou un café. Mais le long des rues pavées qui faisaient le tour de la place endormie, toutes les boutiques avaient fermé leurs devantures. Les Autrichiens, à l'instar de leurs voisins Italiens, faisaient sans doute la sieste l'après-midi ! Cette constatation ne fit qu'accroître le sentiment d'isolement de l'Américaine. Si personne ne venait la chercher, comment ferait-elle pour téléphoner ? Elle ne savait même pas à quoi ressemblait un annuaire autrichien, et son vocabulaire allemand, extrêmement limité, ne lui permettrait sans doute pas de communiquer avec une opératrice... Quelle frustration ! A l'aéroport de Salzbourg, tout le monde semblait posséder quelques rudiments d'anglais, et le chauffeur du car s'était fait un plaisir de déployer ses talents de polyglotte. Dans cette petite ville, en revanche, elle aurait certainement du mal à se faire comprendre. Décidément, Erich lui avait nui dans les moindres détails ! Au lieu de l'aider à apprendre sa langue maternelle, comme elle le lui demandait, il se moquait cruellement de son accent, si bien qu'elle avait fini par renoncer... Dans un sursaut de fierté, elle résolut d'attendre encore un quart d'heure avant de chercher une cabine téléphonique ; elle se débrouillerait par ses propres moyens, même s'il lui fallait allumer un feu et envoyer des signaux de fumée !

Fatiguée par son long voyage, pleine de courbatures, elle s'adossa au muret de pierres qui entourait la place. Pour délasser ses muscles engourdis, elle se cambra en arrière, les mains sur les reins, puis étira les bras pour se détendre doucement, la poitrine tendue en avant, sa longue chevelure rousse flottant au vent.

Lorsqu'elle se redressa, elle s'aperçut à sa grande confusion qu'un homme l'observait derrière une vitre, au premier étage d'une maison qui donnait sur la place. Elle rougit comme une pivoine. Elle s'était crue seule, et s'était inconsciemment abandonnée dans une attitude pour le moins provocante. Quand elle releva timidement les yeux vers la fenêtre, le curieux avait disparu.

— *Entschuldigung. Sind Sie* Frau von Kleist ? demanda derrière elle une voix masculine.

Megan se retourna en sursautant de frayeur. Un homme aux cheveux gris et au visage poupin se tenait à ses côtés. « Etait-ce celui qui l'avait observée de la fenêtre ? » se demanda-t-elle avec inquiétude. Mais non, il devait sortir de la longue Mercedes-Benz métallisée qui s'était silencieusement garée le long du trottoir, à son insu. Tout à sa rêverie, la jeune femme n'avait rien entendu. L'Autrichien portait un costume marron de coupe sévère, qui pouvait ressembler à un uniforme ; curieusement, des brins d'herbe étaient collés aux genoux de son pantalon maculé de boue.

— *Sind Sie...* répéta-t-il respectueusement.

— *Ja, ich bin* Megan von Kleist, déclara-t-elle en maudissant son mauvais accent.

Son interlocuteur dut pourtant la comprendre, et croire qu'elle maîtrisait parfaitement l'allemand, car il se lança dans un long discours guttural dont elle ne saisit que quelques bribes : il devait lui expliquer la raison de son retard.

— *Bitte*, l'interrompit-elle poliment, *ich spreche weniger Deutsche*. Parlez-vous anglais ?

— *Nein*, répondit tristement l'Autrichien.

Pendant quelques secondes, ils se dévisagèrent avec embarras. Megan se demanda alors si cet homme n'était pas le mystérieux Kurt von Kleist qui lui avait envoyé son billet d'avion accompagné d'une note laconique. Mais il semblait un peu âgé pour être le frère d'Erich, et sa courte lettre était d'ailleurs rédigée en anglais. Peut-être, après tout, l'avait-il fait traduire par un anglophone ? Rassemblant tout son courage, elle demanda dans un allemand hésitant :

— Excusez-moi, mais quel est votre nom ? Etes-vous Kurt von Kleist ?

Stupéfait par cette question, l'homme resta quelques instants bouche bée avant de bredouiller :

— *Nein, nein, ich bin* Karl Weber, *der...*

La jeune femme perdit de nouveau le fil de la conversation. Elle comprit néanmoins que cet homme était le chauffeur du château, et qu'il était horrifié qu'elle l'ait pris pour son beau-frère. A grand renfort de gestes, il parvint à lui expliquer qu'il avait dû changer une roue en venant la chercher, d'où l'origine de son retard et des taches de boue qui maculaient son impeccable uniforme. Megan poussa un soupir de soulagement ; « mais qui aurait cru qu'une limousine aussi aristocratique fût soumise à des contingences aussi plébéiennes qu'un pneu crevé ? » se demanda-t-elle en s'installant à l'arrière de la Mercedes.

Le chauffeur rangea ses bagages dans le coffre, puis s'installa au volant. Quand il démarra, Megan, mue par une impulsion soudaine, tourna la tête.

Debout devant la maison qui faisait l'angle avec la place, un jeune homme immobile regardait s'éloigner la voiture.

Pendant le trajet, l'Américaine apprécia le confort de la banquette en daim gorge-de-pigeon. Quelle différence avec sa vieille Pinto prête à rendre l'âme ! Elle n'était jamais montée dans un véhicule aussi luxueux ; elle en avait pourtant vu beaucoup, devant les salles de concert où se produisait Erich... Enfin, après qu'elle ait cessé d'accompagner son mari au piano... Car au tout début, elle ne déambulait pas, nerveuse et oisive, dans le grand hall où se pressaient les riches mélomanes venus écouter le jeune et talentueux violoniste. Non, du temps où son nom apparaissait encore dans le programme, en plus petits caractères que celui d'Erich, bien entendu, Megan était trop préoccupée par son trac pour penser au public ou errer dans les coulisses. Avant le lever de rideau, elle s'affairait frénétiquement afin d'épargner tout souci à son mari et lui permettre de se concentrer. Elle lissait cent fois sa longue robe noire, remettait les partitions en place, vérifiait la position du pupitre, demandait au régisseur si le ré bémol du piano avait été accordé.

Erich... Lorsqu'elle repensait à lui maintenant, elle préférait le revoir sur scène, car la pureté intacte de ce souvenir ne ternissait pas l'image qu'elle gardait de lui. En oblitérant le reste, les cauchemars, elle réussissait à conserver son fragile équilibre, si chèrement acquis. Il était là, sur scène, cerné par le rond du projecteur, grand et majestueux, l'éclat de ses cheveux d'or pâle accentué par son élégant habit noir. Pendant quelques secondes il restait figé dans une immobilité absolue ; le public retenait son souffle, comme électrisé par le magnétisme du concertiste. Seule sa femme, assise au piano, savait que la dévorante passion qui couvait dans ses yeux gris, était l'expression de son unique raison de vivre : l'amour de la musique. Et cela excluait tout autre sentiment. Avec une infinie lenteur il portait alors le précieux violon Guarneri à son épaule, caressant amoureusement le manche de sa main gauche. Puis le coude du bras droit se levait, l'archet fendait l'air, les cordes encore muettes vibraient d'une tension presque érotique. Au signal d'Erich, Megan entamait l'introduction du morceau qui ouvrait le récital, sonate ou concerto. Dès qu'elle effleurait les touches d'ivoire, elle se mettait à l'unisson de la passion de son époux, même si celle-ci ne lui était pas directement destinée. Ensemble ils créaient un univers musical sensuel et magique et ne formaient plus qu'un, le temps d'un concert.

C'étaient là les moments bénis de leur vie commune. Pour le reste hélas, la jeune femme pouvait compter sur les doigts de sa main les circonstances qui les avaient rapprochés. Oh, ce n'était pas faute d'avoir essayé ! Avec l'innocence et la naïveté de ses dix-neuf ans, elle avait maintes fois tenté d'émouvoir son mari, d'abord en tant que femme, puis en tant que musicienne. Ses efforts désespérés s'étaient soldés par un cuisant échec.

Leur lune de miel avait été un désastre ; malgré son manque d'expérience, Megan n'avait pas tardé à s'apercevoir qu'Erich la touchait avec la plus complète indifférence, à tel point qu'elle avait fini par lui demander pourquoi il l'avait épousée. En guise de réponse, il avait haussé les épaules avec désinvolture, l'avait traitée comme une enfant capricieuse et boudeuse. Humiliée, blessée au plus profond d'elle-même, elle lui avait alors jeté au visage l'impardonnable accusation... Elle devait aussitôt regretter ses paroles irréfléchies, mais il était trop tard. Erich lui avait rétorqué d'un ton grinçant, plein de mépris : « Eh bien, *Liebling,* si c'est ce que tu penses de moi, rassure-toi : je ne t'ennuierai plus en partageant ta couche — plaisir d'ailleurs tout relatif pour moi. Je t'ai épousée parce que tu es une bonne accompagnatrice, et qu'il m'est commode de t'avoir avec moi. En échange, tu peux continuer à travailler ton piano et tu as l'honneur d'être Frau Erich von Kleist. Si ça ne te suffit pas, je ne te retiens pas : la porte est ouverte. »

Elle ne l'avait pas cru. C'était impossible. Elle s'était dit que si elle s'abaissait à lui faire des excuses, il lui pardonnerait ; ils pourraient alors ranimer ensemble la flamme de cet amour si soudain qui était né entre eux. Mais après avoir essuyé une série d'humiliations, après avoir vu ses avances sans cesse repoussées, Megan avait fini par comprendre qu'Erich avait dit vrai : jamais plus il ne la toucherait. L'évidence crevait les yeux. Il ne l'aimait pas, il ne l'avait jamais aimée.

Et pourtant, pourtant, elle ne l'avait pas quitté à ce moment-là. Sa mère était morte, son père avait disparu de sa vie douze ans plus tôt — elle était seule au monde, sans personne vers qui se tourner. Erich avait d'ailleurs dû tabler sur cet isolement lorsqu'il lui avait demandé sa main, comprit-elle trop tard. A dix-neuf ans, une vie stérile et sans amour auprès d'Erich lui semblait préférable à une existence solitaire. Quelle alternative avait-elle ? Rester vieille fille et donner des leçons de piano à des enfants rétifs ? Devant cette sombre perspective, elle était restée et avait continué d'accompagner Erich en concert et de lui servir de bonne à tout faire. Elle ne vivait que pour ces instants éphémères qui les unissaient sur scène, et ne pouvait s'empêcher d'espérer, d'espérer... contre toute attente.

Personne ne savait que leur vie de couple avait pris fin presque avant d'avoir existé. Quand la jeune femme se remémorait les rares nuits passées dans le lit de son époux, elle avait l'impression d'avoir rêvé. Plus tard, elle devait découvrir que la virilité d'Erich n'était pas en cause, qu'elle avait eu tort de le croire impuissant. Mais plus rien alors n'aurait pu la consoler, ni faire renaître l'espoir dans son cœur meurtri.

Leur intimité musicale n'avait pas duré, elle non plus. Au bout d'un an, il était devenu clair que la virtuosité d'Erich dépassait de loin les capacités d'accompagnatrice de Megan. Lors d'un récital donné dans une petite université de Pennsylvanie, elle avait tellement saccagé une sonate que seule la maestria consommée de son compagnon avait sauvé le morceau. Une fois le rideau baissé, le violoniste, furieux, était allé s'enfermer dans la loge sans même accorder un regard à sa femme. Elle l'avait suivi, confuse et tremblante, mais il avait refusé de lui ouvrir ou de lui adresser la parole. Elle sanglotait encore dans un coin sombre du foyer désert lorsque Herschel Evans, l'imprésario d'Erich, était venu la trouver.

Plein d'une inquiétude paternelle, le vieil homme lui avait gentiment tapoté l'épaule en soupirant :

— Ne prenez pas tout cela au tragique, mon enfant. Nous savons tous que ce genre d'incident devait se produire un jour ou l'autre, et qu'il faudrait alors aviser. Vous êtes une très bonne pianiste, vous avez même beaucoup de talent pour votre âge, mais Erich est un virtuose, un génie ! Allons, il faut regarder les choses en face : vous ne pouvez plus jouer avec lui en concert. Ce n'est pas une disgrâce, c'est une constatation réaliste. Jusqu'à présent, Erich a joué dans des universités ou dans des villes de moyenne importance. Mais il est maintenant prêt à affronter le *vrai* public, à se produire devant les grands critiques... New York, Boston, San Fran-

cisco, seront les étapes de sa prochaine tournée,
dans quelques mois. Ce sera un moment décisif dans
sa carrière. Je n'ai pas besoin de vous rappeler
combien d'argent et d'énergie j'ai déjà investi dans
sa carrière... il est temps maintenant que j'en
recueille les fruits.

— Et vous pensez que je vais tout gâcher?

— Allons ne me faites pas passer pour un croque-
mitaine! Vous m'êtes aussi chère qu'Erich, mais
vous n'avez pas une vocation de concertiste, Megan.
Du moins pas à un niveau aussi élevé. Toute cette
pression vous est néfaste. Lorsqu'Erich vous a amenée chez Lavinia et moi pour la première fois, j'ai
pensé que vous étiez l'une des plus jolies filles que
j'aie jamais vues. Je n'ai pas changé d'avis, mais je
vous trouve pâle, défaite, amaigrie, et vous avez les
yeux cernés. Vous travaillez trop, et ces déplace-
ments incessants vous épuisent. Vous devriez vous
reposer, et peut-être avoir un enfant. Vous seriez
une très bonne mère, Megan, et un heureux événement serait la meilleure façon de fêter la tournée
triomphale d'Erich! Que diriez-vous de Lavinia et
moi comme parrain et marraine?

La jeune femme avait levé sur l'imprésario un
regard douloureux, et son cœur s'était éteint. S'il
savait! Etouffant un sanglot, elle s'était ensuite
blottie contre sa poitrine, comme une enfant...

Megan s'aperçut que les ongles de ses mains
crispées griffaient le cuir de la banquette. Tout à
ses pénibles souvenirs, elle ne s'était pas rendu
compte de l'émotion qui la submergeait. Elle respira
profondément et regarda au-dehors; derrière les
vitres de la Mercedes défilait un paysage grandiose,
agreste et verdoyant. Quelle idée avait eue Erich de

quitter ce pays enchanteur pour se plonger dans la jungle urbaine et frénétique des Etats-Unis ? Mais à quoi bon penser à lui... Il était mort. Son art vivait encore dans les deux enregistrements qu'il avait effectués ; mais son arrogance et sa cruauté, dont elle avait tellement souffert, s'étaient éteintes avec lui, emportées par les flammes qui avaient dévoré sa voiture. D'après le rapport de la police, il avait été tué sur le coup, avant l'explosion du moteur. Ainsi il n'avait pas eu le temps de souffrir.

La route serpentait maintenant à travers bois. Les rayons de soleil perçaient le vert feuillage, dessinant sur l'herbe des motifs de clair-obscur. Megan essayait de profiter de ce dépaysement, mais son esprit lui jouait des tours, vagabondait sur des voies incertaines, prenait la tangente... Elle se sentait groggy, sans doute à cause du décalage horaire ; pour elle, c'était la pleine nuit. Elle n'avait aucune idée de la distance parcourue depuis le village de Kleisthof-im-Tirol, mais il semblait que la Mercedes avait quitté la nationale pour s'engager sur une route secondaire, peut-être un chemin privé. La demeure des von Kleist ne devait plus être loin.

La jeune Américaine ferma les yeux et fit un effort pour se rappeler ce qu'elle savait de la famille d'Erich. C'était absurde, il ne lui avait jamais parlé de ses proches, ni de son pays. Sans doute n'entretenait-il avec eux aucune relation régulière... A la veille de leur premier anniversaire de mariage — le seul, en fait — il avait reçu une lettre d'Autriche. Surpris, il avait dit à sa femme : « C'est une lettre de mon frère, Kurt. » Puis il avait parcouru des yeux les feuillets blancs couverts d'une haute écriture noire, et il était resté songeur, avec dans le regard une expression indéfinissable.

— Ce sont de mauvaises nouvelles ? avait timidement hasardé Megan.

Un sourire cynique avait flotté sur les lèvres d'Erich.

— Cela dépend de quel point de vue on se place... Kurt m'apprend que notre père et notre frère aîné, Wilhem, sont morts à Innsbruck dans un accident de ski.

— Oh mon Dieu! s'était-elle exclamée avec horreur.

Erich avait coupé court à toute manifestation de sympathie.

— Epargne-moi tes condoléances, Megan. Wilhelm s'est toujours éperdument moqué de moi. Quant à mon père... il s'est aperçu trop tard que j'existais, et ne m'a guère manifesté d'affection.

Désarçonnée par une telle dureté, elle avait alors murmuré :

— Veux-tu retourner là-bas pour l'enterrement?

— Les funérailles ont déjà eu lieu. Non, Kurt tenait simplement à m'annoncer quelque chose de... surprenant.

Après avoir laissé tomber un à un les feuillets de la lettre sur la table du petit déjeuner, il avait conclu à mi-voix :

— Dommage... J'avais toujours cru qu'un jour je me rendrais là-bas pour montrer à ce vieillard... Tant pis, ça ne se fera pas.

Effectivement, il ne devait jamais revoir son pays.

Après l'enterrement d'Erich, Megan avait cherché dans ses papiers cette lettre de Kurt, afin de recopier l'adresse de Vienne inscrite sur l'enveloppe ; elle avait ensuite écrit à son beau-frère pour lui expliquer brièvement les circonstances tragiques de la mort de son époux. Cette démarche lui avait été pénible. Comment annoncer à un inconnu qu'il venait de perdre son jeune frère, quand sa famille avait déjà été frappée d'un double deuil ? En plus, Kurt ne comprenait peut-être pas l'anglais... Elle avait donc rédigé une missive froide et distante, se bornant aux faits. Il eût été indécent de s'épancher davantage. Son devoir accompli, elle avait remis à Herschel Evans toutes les possessions d'Erich pour le dédommager au moins partiellement de son dévouement. Puis elle avait pris l'avion pour Los Angeles, dans l'espoir de s'y refaire une nouvelle vie.

Quelques mois plus tard, elle recevait une lettre toute cornée qui avait voyagé à travers le pays et portait la mention « Faire suivre S.V.P. » De multiples cachets attestaient des efforts des services postaux pour retrouver sa nouvelle adresse. La lettre était, en plus, envoyée à Mme Erich von Kleist, alors que la jeune femme avait repris son nom de jeune fille : Megan Halliday. Le contenu la laissa perplexe : un avocat new-yorkais, agissant comme agent de Kurt von Kleist, lui apprenait que sa présence était requise en Autriche pour une affaire pressante relative à la propriété de son mari défunt. La famille von Kleist se proposait de prendre en charge toutes ses dépenses et frais de voyage.

Megan était restée abasourdie par cette nouvelle. D'abord, de quelle propriété s'agissait-il ? Et quel genre d'affaire avait bien pu pousser sa belle-famille à la prier de venir de Californie jusqu'en Europe, alors qu'elle n'était pour eux qu'une étrangère ? Ils ne l'avaient même pas contactée après l'annonce de la mort d'Erich ! La perspective d'un voyage en Europe était toutefois très attrayante, aussi n'avait-elle pas refusé. Et puis, elle avait besoin de vacances...

Elle se retrouvait maintenant dans une élégante limousine conduite par un chauffeur, en route vers... Mais au fait, vers quoi ? Un frisson de terreur la parcourut. Elle s'était embarquée dans cette aventure aussi aveuglément qu'elle s'était jetée dans les bras d'Erich. L'issue de ce voyage serait-elle aussi

désastreuse que celle de sa vie maritale ? Erich avait
dit : « Je veux que tu sois ma femme », et naïvement
elle avait cru entendre : « Je t'aime. » Les von Kleist
lui avaient dit : « Voici votre billet d'avion pour
l'Autriche. » Cela signifiait-il qu'elle serait heureuse
d'être venue ? Megan ne put réprimer un nouveau
tremblement. Elle eut soudain terriblement envie de
se retrouver dans son minuscule appartement de Los
Angeles, d'entendre à travers les minces cloisons les
familières allées et venues de son amie Dorothy.

— Frau von Kleist, répéta patiemment le chauffeur.

Dans un sursaut, la jeune femme se rendit compte
qu'il lui avait adressé la parole et qu'elle ne l'avait
pas entendu.

— Que disiez-vous ? bredouilla-t-elle dans un
allemand approximatif.

— Je vous disais que nous sommes presque
arrivés : dès que nous serons sur la colline, vous
allez découvrir le Schloss, répondit l'Autrichien dans
la même langue.

— *Danke*, Karl.

Megan se pencha en avant pour ne rien perdre de
la vue qui allait s'offrir à elle. La puissante Mercedes
atteignit enfin le sommet du coteau forestier. Là, sur
la colline, s'ouvrait une prairie verdoyante, semée
de trèfle et de fleurs sauvages. Au fond de ce
panorama grandiose se dressait un portail de pierre
surmonté d'un K en fer forgé — comme dans la
séquence d'ouverture du film *Citizen Kane,* songea
la jeune Américaine. Les grilles étaient ouvertes, la
longue limousine pénétra dans la propriété. Megan
étouffa une exclamation d'émerveillement.

Le manoir était niché tel un joyau dans son écrin
de verdure. Le corps principal du bâtiment était
flanqué de deux ailes, ce qui donnait à l'ensemble
une forme de fer à cheval. Tels des bras tendus, les

ailes embrassaient une pelouse centrale qui dévalait doucement la colline vers un lac dont les eaux scintillaient dans le lointain. La façade du château était en pierres de taille d'un blanc crémeux ; de hautes croisées à meneaux, très ouvragées, s'alignaient sur trois étages, serties de moellons d'un brun doré. Et tout en haut, sous le toit pentu et vert-de-gris, Megan distingua une quatrième rangée de fenêtres plus petites.

Karl klaxonna en entrant dans le domaine de ses maîtres, sans doute pour annoncer son arrivée. Une grappe de domestiques se déversa sur les degrés du perron. Lentement, la voiture continua d'avancer pour venir se garer devant le manoir ; au passage, la jeune Américaine put admirer, comme dans un rêve, des buis taillés à la française, et une fontaine rigoureusement classique où des Néréides jouaient avec un dauphin. Le chauffeur arrêta la Mercedes au bas des marches en pierre. La majestueuse porte d'entrée était surmontée d'un blason gravé là encore d'un grand K, et encadré de griffons, ces animaux mythiques à corps de lion et à tête d'aigle.

Megan se fit toute petite sur son siège. Ce château avait été la demeure d'Erich, et il ne lui en avait jamais parlé.

Karl vint lui ouvrir sa portière ; son air solennel contrastait avec son uniforme taché de boue et de brins d'herbe. D'un geste auguste, il indiqua le manoir.

— Voici le Schloss von Kleist, déclara-t-il avec fierté, comme pour achever d'impressionner sa passagère.

2

Frau von kleist souhaiterait vous voir, Frau von Kleist, annonça une jeune bonne vêtue d'une austère robe marron.

Megan hocha la tête, trop intimidée par les lieux pour remarquer cette étrange répétition de noms. Médusée, elle suivit sans mot dire la domestique dans ce qui lui parut être un véritable dédale. Elle longea d'interminables couloirs aux murs couverts de tableaux anciens ; elle crut reconnaître, dans son cadre doré, un portrait de van Eyck aperçu dans un livre d'art. Encore un coude, un autre corridor... Elle était à présent totalement désorientée. Le bruit de ses semelles de bois sur les dalles résonnait curieusement, et augmentait son malaise. Elle ne se sentait décidément pas à sa place dans ce somptueux décor d'un autre âge. Les hautes fenêtres donnaient sur des jardins soigneusement entretenus, et par des portes entrebâillées, la jeune femme découvrit des plafonds ornés de chérubins roses, bleus et dorés.

Elle savait que la famille d'Erich était aisée : le violon que lui avait offert son père venait de la collection d'un célèbre luthier italien. Megan n'avait cependant jamais osé demander à son mari pourquoi sa famille ne l'aidait pas à financer sa carrière, puisqu'elle était si riche. Mais sa connaissance de l'Autriche se limitait aux reportages télévisés sur les Jeux Olympiques d'Innsbruck, et à de vagues souvenirs de *la Mélodie du bonheur ;* elle s'imaginait donc les von Kleist sous les traits d'aimables bourgeois en costumes tyroliens, vivant dans un charmant chalet avec des pots de fleurs et des cœurs découpés dans les volets.

Cette image idyllique et désuète ne correspondait guère à la magnificence qui s'étalait sous ses yeux éblouis !

— Frau von Kleist a demandé à ce que vous soyez immédiatement conduite dans son boudoir, expliqua la jeune bonne en allemand.

Brusquement ramenée à la réalité, Megan enregistra cette fois le nom de Frau von Kleist. Elle se demanda avec appréhension qui pouvait bien être son homonyme. La mère d'Erich ? Non, elle était morte en mettant son dernier fils au monde. Alors une belle-sœur, ou une cousine ? Comment savoir ?

La bonne s'arrêta enfin devant une porte ornée de festons ; elle frappa discrètement, ouvrit et murmura d'un ton plein de respect.

— *Hier ist* Frau Erich von Kleist, Frau von Kleist.

Malgré son émoi, l'Américaine s'émerveilla devant le sérieux de la servante, capable de procéder à des présentations aussi redondantes sans être prise d'un fou rire. Puis elle respira profondément et entra dans le salon.

Après l'obscurité du couloir, la pièce semblait une débauche d'or et de clarté. Des lambris blancs rehaussés de moulures dorées, des soieries chatoyantes aux murs, des fauteuils rococo recouverts d'un velours ambré assorti aux rideaux, un délicat secrétaire de style Louis XV : tout concourait à créer une ambiance élégante et feutrée. Mais passé le premier moment d'ébahissement, Megan décida que ce décor était d'une perfection suspecte, presque écrasante : le styliste aurait dû penser à introduire des éléments plus imaginatifs, comme une statuette de jade ou un grand vase de roses rouges, afin de briser l'harmonie quelque peu empesée de cette symphonie monochrome.

Le regard de la jeune femme se porta alors vers son hôtesse, qu'elle s'attendait presque à voir habillée d'or.

Celle-ci lui tournait le dos, debout devant la fenêtre, dans une pose savamment étudiée. Elle calcula le temps nécessaire pour intimider son invitée sans pour autant faire preuve d'une grossièreté patente, puis elle daigna enfin se retourner, sûre de son effet. Megan comprit aussitôt qu'elle n'avait pas affaire à l'une de ces Autrichiennes joviales et rustiques qu'on voyait dans les films. Cette femme la dominait d'au moins une tête. Elle avait la beauté dure et anguleuse des mannequins hautains des grands couturiers. Son visage soigneusement peint était celui d'une poupée de porcelaine qui refuse sa quarantaine. Ses cheveux châtains, couverts de laque, étaient ramenés en une coiffure élaborée ; et sous des sourcils minutieusement épilés, ses yeux noisette, perçants et inquisiteurs, dévisageaient l'étrangère sans aménité.

Megan eut soudain la désagréable impression de faire figure d'écolière. Elle détailla avec gêne l'élégant tailleur en lin naturel de son hôtesse, et ne put s'empêcher de le comparer avec son ensemble en coton indien, pratique et léger, froissé par les longues heures passées dans l'avion. Elle prit également conscience du négligé de sa coiffure ; d'un geste timide, elle ramena en arrière une mèche folle. Elle vit alors une lueur de triomphe s'allumer dans les yeux de l'Autrichienne.

— Vous êtes la veuve d'Erich ? s'enquit cette dernière dans un allemand rapide.

« Oh, non ! » songea la jeune femme en son for intérieur. « C'est reparti... »

— *Ja,* répondit-elle courageusement, *ich bin* Megan Halli... Megan von Kleist. Vous parlez anglais ?

Sans effort apparent, Frau von Kleist se mit à parler un anglais irréprochable, comme pour humilier davantage son interlocutrice.

— Votre mari étant autrichien, persifla-t-elle avec un mépris non déguisé, je m'attendais à ce que vous ayez appris sa langue maternelle. Mais peut-être n'êtes-vous pas douée pour les langues ?

— Comme nous vivions aux Etats-Unis, Erich n'a pas jugé indispensable de m'apprendre l'allemand, riposta Megan aussitôt. Il connaissait parfaitement l'anglais, vous le savez sans doute.

— Bien sûr. Etant donné leur position, les von Kleist ont toujours estimé qu'il était de leur devoir de maîtriser les principales langues étrangères.

L'Américaine accusa le coup. Elle devait certainement se sentir honorée que les von Kleist aient compté l'anglais parmi les « principales » langues étrangères. Quand elle eut retrouvé sa voix, elle décréta d'un ton faussement assuré :

— Je parle quand même couramment espagnol, et je comprends assez bien le français.

Devant le sourire condescendant de son hôtesse, elle se ressaisit. Le ridicule de la situation lui apparut. Qu'avait-elle à se vanter de ses succès universitaires au lieu de s'enquérir de la raison de sa présence en Autriche ? Malgré sa fatigue, elle se redressa de toute sa hauteur et demanda un peu sèchement :

— Excusez-moi, mais puis-je savoir votre nom, s'il vous plaît ? Je ne sais même pas qui vous êtes.

— Mais je suis Gabrielle von Kleist, voyons, la belle-sœur d'Erich. Je pensais que vous le saviez.

— Erich me parlait rarement de sa famille.

Gabrielle cilla, puis détailla de nouveau la jeune femme de la tête aux pieds.

— Vous êtes extrêmement jeune, observa-t-elle sur un mode accusateur.

— J'ai vingt-trois ans.

— Vraiment ? Je vous en donnais moins... Erich avait presque trente ans au moment de sa mort ; cette différence d'âge ne vous gênait pas ?

Megan sentit le sang se glacer dans ses veines. A peine venait-elle d'arriver qu'on la questionnait sur son mariage ; or elle n'avait aucune envie d'en parler, surtout avec les von Kleist. Elle releva fièrement le menton et décréta, sur la défensive :

— Ma relation avec mon époux ne vous concerne pas !

Les yeux noisette de Gabrielle devinrent menaçants.

— Ah vous trouvez ? Eh bien détrompez-vous ! Elle concerne les von Kleist au premier chef, puisque c'est uniquement à cause de votre lien avec Erich que vous êtes ici ! J'ai conseillé à Kurt de laisser tomber, de ne pas s'entêter à vous retrouver. J'estimais qu'il n'y avait aucune raison de mêler une coureuse d'héritage à une affaire strictement familiale. Mais il a insisté, sous prétexte que vous faisiez désormais partie de la famille, et qu'il fallait se conduire « honorablement » ! *Mein Gott !* Comme s'il était honorable de laisser une étrangère détruire un patrimoine conservé depuis trois cents...

L'Autrichienne s'interrompit, blanche de rage sous son maquillage ; elle serrait si fort les poings que ses ongles dessinaient sur la paume de ses mains des croissants écarlates.

— Pourquoi nous dérangez-vous ? fulmina-t-elle, le regard tourné vers la porte.

La petite bonne en robe marron était revenue ; elle se tenait à l'entrée du salon, hésitante et timide, craignant sans doute de braver les foudres de sa maîtresse. Après un échange rapide de paroles, dont le sens échappa à l'Américaine, elle se retira. Gabrielle posa alors un regard glacial sur Megan. Celle-ci fut sur le point de battre en retraite, mais par orgueil, elle se força à tenir bon : elle ne voulait pas offrir à cette femme arrogante une victoire trop facile.

— Ecoutez, je ne sais absolument pas ce dont vous parlez, ni où vous voulez en venir. Je suis ici sur l'invitation de…

— Ne vous fatiguez pas, je sais pourquoi vous êtes venue.

Gabrielle parut tout à coup se replier sur elle-même. L'éclat fiévreux de ses yeux s'assombrit. D'une voix empreinte d'une terrifiante lassitude, plus menaçante encore que son hostilité ouverte, elle murmura sans haine :

— C'est vrai, vous ignorez sans doute en quoi vous représentez pour nous un danger. Vous ne nous voulez peut-être aucun mal… Mais vous êtes comme le virus d'une terrible maladie, et si vous n'avez pas conscience de votre pouvoir, vous n'en êtes que plus dangereuse. Si j'avais eu gain de cause, vous n'auriez jamais mis les pieds ici. Je vous aurais empêchée de nous nuire. Je serais même prête à vous détruire s'il le fallait… Heureusement pour vous, Kurt n'envisage pas la situation sous cet angle. Il tient absolument à se montrer civilisé !

Elle secoua la tête avec tristesse avant d'ajouter :

— C'est là sa plus grave erreur. Comme si l'on pouvait s'offrir le luxe d'être civilisé dans un monde aussi barbare ! Mais allez, maintenant, il vous attend. Greta va vous conduire jusqu'à son bureau. Ensuite elle vous montrera votre chambre : vous avez certainement envie de vous reposer après ce long voyage. Je vous ferai monter des rafraîchissements. Les cocktails seront servis à huit heures et demie, nous dînerons à neuf heures. A propos, nous nous changeons pour le dîner. Je conçois fort bien que notre style de vie vous... déconcerte un peu. Si vous n'avez pas apporté de tenue de soirée convenable, ma cousine Adelaïde pourra sans doute vous dépanner : elle est beaucoup plus grande que vous, naturellement, mais elle a à peu près votre âge.

— Merci, j'ai de quoi me changer, déclina Megan d'un ton grinçant.

Gabrielle fronça le sourcil en signe d'étonnement, tandis que son regard s'attardait avec insolence sur les vêtements fripés de son invitée.

— Très bien. Nous nous reverrons donc à l'heure du dîner. *Guten Tag.*

Sur ces mots, elle pivota sur ses talons et reprit son poste d'observation devant la fenêtre.

Megan quitta la pièce à reculons, incapable de détacher les yeux de cette femme étrange qui venait de la menacer et lui souhaitait maintenant une bonne journée. Quand elle eut refermé derrière elle la porte du salon, elle s'y adossa, le cœur battant, et dut reprendre son souffle.

La jeune bonne, qui l'attendait dans le couloir, posa sur son épaule une main pleine de sollicitude.

— Vous ne vous sentez pas bien, Frau von Kleist ? s'enquit-elle avec inquiétude. Vous êtes toute pâle...

— N... non, je suis seulement un peu fatiguée, balbutia Megan, luttant contre son vertige.

« Oui, ce doit être la fatigue », songea-t-elle. « J'ai dû rêver cette scène bizarre, la dramatiser. » Dans son monde à elle, personne ne menaçait de

« détruire » quelqu'un. Les paroles de Gabrielle avaient une résonance archaïque, voire surréaliste. Franchement, en quoi pouvait-elle « anéantir tout ce que représentaient les von Kleist » ? Qu'avait-elle comme pouvoir sur cette puissante famille aux mœurs féodales ? Cette invention grotesque devait être le fruit d'une imagination pervertie, décida-t-elle. Gabrielle souffrait manifestement de troubles psychologiques.

Malgré cette conclusion, la situation n'était guère rassurante. Au bord du malaise, Megan eût aimé s'asseoir un moment, mais Greta ne lui accorda pas de répit.

— Voulez-vous me suivre ? Herr von Kleist n'était pas content d'apprendre que je ne vous avais pas conduite directement dans son bureau.

— Alors allons-y, soupira l'Américaine en laissant percer son irritation.

Apparemment les von Kleist n'étaient pas disposés à se déranger pour venir vers elle !

— Par ici, s'il vous plaît, indiqua la servante.

La jeune femme lui emboîta le pas avec résignation. Elle pénétra à sa suite dans un spacieux salon. Les décorations du plafond se reflétaient dans un parquet ciré. Des placards en marqueterie étaient ingénieusement encastrés dans les murs ; l'un d'eux contenait une chaîne stéréo et des enceintes. Mais l'élément de mobilier le plus remarquable dans cette grande pièce pratiquement vide, était un immense piano à queue en bois de rose. Megan s'approcha avec vénération du précieux instrument. C'était une véritable pièce de musée. Le placage en palissandre, avec ses veinures claires et foncées, était l'œuvre d'un maître. « Le son doit être admirable », pensa-t-elle. Elle brûlait d'effleurer les touches d'ivoire patinées par les ans... « De quand pouvait bien dater cet instrument ? » se demanda-t-elle avec cusiosité.

« Du début du XIXᵉ siècle, peut-être ? » C'était du moins ce que semblait indiquer la façon dont étaient disposées les cordes à l'intérieur du piano.

Des partitions de musique étaient placées sur le pupitre. Sans s'occuper de la servante, Megan s'arrêta et prit le temps de les feuilleter : elle voulait voir quels morceaux pouvaient bien être joués sur un aussi bel instrument. Du Liszt, du Chopin, du Mozart ? A son grand désappointement, la composition qu'elle déchiffra était intitulée « Das Mädchen und Sein Hung », et les grosses notes noires marquées de numéros au crayon étaient celles d'un morceau élémentaire destiné aux enfants. Et encore, c'était une composition assez pauvre, observa-t-elle en jouant l'air dans sa tête ; un de ces fastidieux exercices sans aucune musicalité, uniquement fait pour se familiariser avec les gammes. Avec une pointe d'envie, la jeune femme se demanda qui était l'enfant assez privilégié pour apprendre à jouer sur un piano d'une telle valeur et d'une telle qualité. Se rendait-il seulement compte de la chance qu'il avait ? Sans doute pas... La petite épinette sur laquelle elle travaillait à Los Angeles faisait pâle figure à côté de ce merveilleux objet d'antiquité !

— Frau von Kleist, Herr von Kleist doit s'impatienter ! implora Greta.

Le maître de céans n'avait apparemment pas l'habitude d'attendre.

« Eh bien tant pis ! » pensa Megan avec défi. « C'est incroyable : il me donne des ordres depuis que j'ai reçu sa lettre, alors que je ne l'ai même pas encore rencontré ! » Mais elle se ravisa en lisant dans les yeux de la bonne une dévorante anxiété ; il serait injuste de la mettre dans une position difficile. Autant affirmer son indépendance une fois qu'elle serait face à face avec Kurt von Kleist. Elle s'arracha donc à la contemplation du piano et sortit de la salle de musique, non sans s'être promis d'y revenir avant de quitter le Schloss : elle voulait au moins une fois dans sa vie jouer sur cet instrument.

Dans le sillage de Greta, elle traversa une suite de vastes pièces tout aussi opulentes les unes que les autres. Dans chacune, les meubles étaient différents, même s'il semblait que le décorateur n'ait pas encore complètement terminé sa tâche. Mais même inachevée, l'élégance baroque de l'ensemble finissait par être écrasante à force d'harmonie et de perfection. Cette froideur glacée qu'avait remarquée l'étrangère dans le salon de Gabrielle se répétait à l'infini, omniprésente, obsessionnelle. Ce château était aussi peu vivant qu'un musée.

En comparaison avec la chaleur estivale du dehors, la fraîcheur qui régnait entre ces murs ajoutait à l'impression d'irréalité ressentie par Megan. Lorsqu'elle sentit sur ses jambes un courant d'air froid, elle comprit avec stupéfaction que la vieille demeure était équipée d'un système de climatisation ; les conduits étaient habilement dissimulés derrière les décorations murales. L'air conditionné était peut-être indispensable à la préservation du mobilier ancien et des précieuses dorures que l'on retrouvait partout. Mais l'atmosphère sèche et glaciale qui en résultait achevait de donner au manoir des apparences de mausolée. Chaque pièce semblait être un décor de théâtre inhabité, figé, sans âme, dont toute vie était exclue. Des danseurs fantomatiques pouvaient esquisser un menuet : leurs pieds ne laisseraient aucune marque sur les parquets encaustiqués. Au détour de chaque couloir, Megan s'attendait à voir apparaître une femme en perruque poudrée et en robe de velours, une main exsangue posée sur la rampe d'un escalier, en train de chanter une aria de Bach. Et pourtant, c'était dans ce cadre d'une époque révolue que les habitants du manoir vaquaient à leurs occupations quotidiennes, sous l'œil bienveillant de gracieux chérubins. Kurt von Kleist habitait certainement le château, ainsi que Gabrielle — sa femme, sans doute — et il y avait même un enfant.

Par une curieuse coïncidence, l'attention de la jeune femme fut à cet instant attirée par un bruit ; elle leva les yeux pour découvrir au-dessus d'elle, sur le palier du grand escalier, une petite fille qui l'observait avec curiosité. Agée d'environ neuf ans, son visage menu et sévère était éclairé par d'immenses yeux bleus ; ses longs cheveux, raides et soyeux, avaient la couleur des blés. Très mince, elle portait une paire de jeans et un tee-shirt, comme n'importe quelle fillette américaine. Seule la devise allemande imprimée sur son tee-shirt trahissait sa nationalité ; Megan fut toutefois incapable de la traduire. Un peu mal à l'aise, elle regarda l'enfant descendre silencieusement l'escalier ; une salutation quelconque semblait s'imposer.

— *Guten Tag,* murmura-t-elle timidement.

— *Guten Tag,* répliqua la fillette d'un ton inexpressif.

L'Américaine ne s'avoua pas vaincue pour autant, et se présenta sans se soucier de son mauvais accent.

— Je suis Megan von Kleist. Comment t'appelles-tu ?

En entendant le nom de l'inconnue, la petite fille devint souriante. En dépit de son jeune âge il était clair qu'elle deviendrait très belle en grandissant.

— Je suis Elisabeth von Kleist, mais tout le monde m'appelle Liesl, répondit-elle dans un excellent anglais. C'est vrai, vous êtes la tante d'Amérique ? Je croyais que vous étiez une vieille dame, c'est drôle !

Megan sourit à son tour devant l'ingénuité de la petite Autrichienne. « Qu'est-ce qu'était pour elle

une vieille dame ? » se demanda-t-elle, amusée par
cette remarque. Mais avant qu'elle n'ait pu ouvrir la
bouche et poursuivre la conversation, Greta s'interposa avec une nervosité croissante.

— Fräulein Liesl, *ihr Vater*...

Le charmant minois de Liesl s'assombrit.

— Il faut que vous alliez voir mon père, s'excusa-
t-elle auprès de l'étrangère, et Karl m'attend pour
m'emmener à l'écurie. Je sors faire du cheval, alors
je ne vous verrai pas tout de suite, mais j'aimerais
parler avec vous, après : je veux tout savoir sur les
vedettes de cinéma que vous connaissez !

— Mais c'est que je n'en connais pas, rétorqua
Megan d'un air décontenancé.

La fillette la détailla avec suspicion, manifestement déçue et contrariée.

— Je croyais que vous veniez de Californie, jeta-
t-elle d'un ton accusateur. Adelaïde m'a dit que là-
bas, tout le monde côtoyait les acteurs qu'on voit
dans les films ! Elle, elle va aller à Hollywood un
jour pour devenir une grande star.

Megan maudit intérieurement la mystérieuse
Adelaïde. Quelle manie avaient les jeunes filles du
monde entier de colporter des contes de fées sur la
légendaire Californie du Sud et ses studios de
cinéma ? Seules quelques rares élues arrivaient à
faire carrière dans ce métier ingrat, et pourtant, elles
étaient des milliers à se bercer d'illusions... Mais
dans l'immédiat, l'heure n'était pas aux leçons de
morale : il fallait impressionner Liesl sous peine de
tomber en disgrâce à ses yeux.

— Un jour, j'ai croisé Burt Reynolds à Disneyland, affirma-t-elle avec assurance.

Inutile de préciser les circonstances de cette
prétendue rencontre : l'homme en question était à
cinquante mètres d'elle et portait des lunettes
noires ; mais quelqu'un dans la foule avait soutenu

qu'il s'agissait du célèbre acteur. Ce pieux mensonge eut du moins le mérite de capter l'intérêt de Liesl.

— Vous êtes allée à Disneyland ? s'exclama-t-elle avec ravissement.

— Oh oui, plusieurs fois, répondit Megan d'un ton faussement blasé.

A cet instant, Greta lui effleura le bras.

— Frau von Kleist, je vous en prie...

Elle hocha la tête avec résignation.

— Nous discuterons de tout cela plus tard, promit-elle à la fillette.

Celle-ci la salua d'un sourire enjôleur et s'éloigna en sautillant, ses longs cheveux blonds dansant sur son dos. Avant de disparaître elle agita la main en direction de sa nouvelle amie.

La jeune femme se tourna alors vers la domestique.

— Je suis désolée, Greta. Nous pouvons continuer.

Chemin faisant, elle repensa avec plaisir à la jolie petite Liesl : c'était la seule personne avenante qu'elle ait rencontrée depuis son arrivée au Schloss. La présence de cette alliée diminuait son impression d'isolement. Néanmoins, un détail la chiffonnait : elle avait du mal à imaginer le lien de parenté qui unissait Gabrielle et Liesl...

Ses réflexions tournèrent court lorsque Greta frappa à une porte qui ressemblait étrangement à celle du petit salon où l'avait reçue Gabrielle. « N'en ont-ils pas assez de toutes ces dorures ? » se demanda la visiteuse, fatiguée par le faste et l'atmosphère empesée des lieux. Elle entendit alors la servante s'excuser de son retard ; cette marque de soumission servile la mit cette fois en colère. Oubliant momentanément sa fatigue, elle décida de partir en guerre contre la tyrannie féodale des von Kleist ; après tout, elle faisait partie de la famille, et avait son mot à dire. Ce fut d'un pas résolu qu'elle entra dans la pièce où l'attendait son hôte. Pleine de courage, elle annonça d'emblée la couleur :

— Si vous avez des remarques à faire sur le temps que j'ai mis pour arriver ici, adressez-vous à moi : je suis la seule fautive.

Du coin de l'œil elle vit la bonne se retirer, et se sentit soudain toute démunie. Dans un sursaut d'énergie elle avait hissé son drapeau de guerre, au nom des serviteurs opprimés du monde entier, mais sa démarche tombait curieusement à plat, faute de combattants. Son interlocuteur était en effet penché sur un catalogue, en marge duquel il inscrivait des annotations au crayon. Cette goujaterie s'apparentait-elle à la stratégie déployée par Gabrielle pour la remettre à sa place ? Allait-on sans cesse lui faire sentir qu'elle n'était qu'une parente pauvre indigne de considération ?

Elle regarda nerveusement autour d'elle, décidée à ne pas se laisser impressionner par cette nouvelle marque d'indifférence à son égard. Les murs lambrissés et les plafonds étaient aussi richement décorés que dans les autres pièces, mais ici, le mobilier était avant tout fonctionnel et hétéroclite ; un grand bureau en chêne massif, de style résolument contemporain, côtoyait une table Louis XVI, une coupelle chinoise en cloisonné remplie de mégots et autres objets éclectiques. Sur un chevalet était posé un tableau abstrait de Jackson Pollock, dans un cadre d'aluminium.

Sa curiosité aiguisée, Megan tourna discrètement la tête vers la cheminée de marbre. Son regard fut immédiatement aimanté par le portrait qui la surmontait : elle crut d'abord reconnaître Erich. Remise de sa surprise, elle s'aperçut que l'homme avait des yeux bleus, et non gris, des cheveux argentés et un visage ridé par les ans. Ce devait être le père d'Erich, décida-t-elle, emplie d'un trouble étrange. Il n'y avait pas à s'y méprendre : c'étaient bien les mêmes traits osseux et aristocratiques dont elle était tombée amoureuse au premier regard.

Elle tressaillit malgré elle lorsque son hôte releva brusquement la tête. Il murmura quelques excuses en repoussant les documents qui avaient jusqu'ici retenu son attention. Megan étouffa une exclamation involontaire en croisant son regard d'un bleu soutenu.

Le sourcil froncé, il la dévisageait sans mot dire, ce qui acheva de la perturber. Un mèche de cheveux bruns et bouclés retombait sur son grand front hâlé. Au bout d'un moment la jeune femme baissa les yeux, craignant de trahir trop ouvertement l'émoi qui l'envahissait. Elle imputait ce trouble à la ressemblance frappante qui existait entre Erich et son frère. Oui, ce ne pouvait pas être autre chose... Quelle coïncidence extraordinaire ! Retrouver d'abord les traits de son époux dans le portrait d'un austère vieillard, puis les voir revivre sous ses yeux en la personne de son frère... Tous les von Kleist étaient-ils taillés dans un moule identique ? Possédaient-ils tous ce long visage anguleux, ces hautes pommettes, ce nez aristocratique, ce menton volontaire ?

Oh, Kurt von Kleist avait certes des caractéristiques qui le distinguaient d'Erich, même si Megan aurait pu le reconnaître entre mille. Ses yeux n'étaient pas gris mais bleus, et ses cheveux, au lieu d'être d'un blond platiné, avaient des reflets d'un brun acajou...

Elle leva de nouveau les yeux vers lui. Il ne l'avait pas quittée du regard. Elle le vit repousser de la main gauche la mèche brune qui lui balayait le front. « Curieux », songea-t-elle ; il avait de très longs doigts, comme Erich, des mains de musicien, mais il les bougeait avec une inexplicable raideur...

« Déviation professionnelle », se dit-elle. « Mon insistance pourrait être mal interprétée, et prise pour de la curiosité déplacée. » Elle cessa donc de regarder la main de son hôte, mais il avait eu le temps de surprendre son expression intriguée. Il finit par se lever lentement de son fauteuil. La jeune femme s'aperçut alors qu'il était beaucoup plus grand que son frère. Avec une extraordinaire nonchalance, il enfila une veste grise, négligemment posée sur son dossier, puis resserra le nœud de sa cravate rayée de gris et de bleu. Megan observa son geste. Elle put distinguer avec netteté la cicatrice blanche qui courait sur les trois doigts du milieu de sa main gauche. Que lui était-il arrivé? Encore un détail qu'elle aurait dû apprendre par Erich! Pourquoi son mari lui avait-il tout caché de sa famille, de ses origines? En la laissant dans l'ignorance, il l'avait mise dans une situation impossible, elle s'en rendait compte à présent. Elle se trouvait maintenant dans une position extrêmement inconfortable, en porte-à-faux. Fallait-il qu'Erich l'ait méprisée pour maintenir ce fossé entre elle et lui!

Une chose au moins la rassurait: apparemment, cet homme grand et mince qui se tenait devant elle n'essayait pas de l'impressionner. Il semblait parfaitement maître de lui, très assuré, et ne devait rien avoir à prouver à quiconque. Sans rompre cet étrange silence qui s'était établi entre eux, il la toisait avec calme. Elle soutint courageusement cette inspection muette.

Le regard tranquille de Kurt s'attarda un instant sur la chevelure cuivrée de Megan avant de se poser sur son visage fatigué. Il remarqua la rondeur de sa poitrine, sa taille de guêpe, ses longues jambes de faon. Il semblait enregistrer mentalement chaque détail de son corps avant de se faire une opinion sur l'ensemble de sa personne, comme un amateur d'art analyse un tableau, avec froideur et objectivité. La jeune femme avait l'habitude des longs regards appuyés que posaient sur elle les clients du bar, pensant à tort que la pianiste faisait partie du menu ; et cependant, l'examen impersonnel de Kurt finit par la troubler. Elle comprit pourquoi : elle ne savait pas si elle lui plaisait ou non, voilà ce qui la mettait mal à l'aise.

Confuse de sa propre réaction, elle chercha à se donner une contenance en observant à son tour cet homme athlétique, élancé. Son premier jugement fut extrêmement favorable. Il avait la stature et les gestes contrôlés d'un escrimeur, décida-t-elle. Son corps souple et musclé vibrait d'une puissance contenue, d'une aisance aristocratique...

Ce fut lui qui prit le premier la parole, mettant un terme à cette étrange et silencieuse scène d'évaluation réciproque.

— Vous ne parlez pas allemand, si je ne m'abuse.

Megan sursauta, surprise par la qualité rauque et profonde de sa belle voix de baryton. C'était amusant, il avait un doux accent délicieusement britannique.

— Je parle un peu l'allemand, corrigea-t-elle en ayant conscience de répéter cette phrase pour la cinquième fois de la journée. Mais pas assez, malheureusement, pour suivre une conversation normale : j'ai un vocabulaire plutôt limité. Je suis extrêmement soulagée de voir que vous et votre femme maniez parfaitement l'anglais.

— Ma femme ? s'étonna Kurt, le regard brusquement assombri.

— Oui, bredouilla Megan, terriblement gênée. Enfin je veux parler de Gabrielle, à qui je viens d'être présentée... C'est bien votre épouse ?

— Ma femme est morte il y a sept ans, répondit-il d'un ton cassant. Gabrielle se trouve être ma belle-sœur, la veuve de Wilhelm, mon frère aîné. Je pensais que vous le saviez.

— Je... je savais que vous aviez perdu un autre frère, mais je n'avais pas entendu parler de son épouse, s'excusa-t-elle.

— Nous étions trois frères. Wilhelm était l'aîné. Il a péri avec mon père dans un stupide accident à Innsbruck ; le câble du téléphérique dans lequel ils étaient montés s'est rompu. Lui et sa femme Gabrielle n'avaient pas d'enfants, mais ils venaient d'adopter, quelques années plus tôt, une jeune cousine de Gabrielle, Adelaïde. Erich, naturellement, était le benjamin de la famille. Lui aussi est mort sans laisser de descendance.

Megan rougit, indignée par le reproche implicite qu'elle croyait surprendre dans ce constat désabusé. Kurt conclut avec fatalisme :

— De tous les von Kleist, il ne reste désormais que moi et ma fille Liesl.

Le visage de la jeune femme s'éclaira. Elle était ravie de pouvoir changer de sujet.

— J'ai justement rencontré Liesl dans l'escalier. Elle m'a paru être une petite fille tout à fait charmante !

— C'est également mon avis, concéda Kurt d'un ton radouci.

Il sourit, et une métamorphose s'opéra sur son visage. Les lignes dures de sa bouche devinrent presque tendres, ce qui le rajeunissait considérablement. Il ne devait pas avoir plus de trente-sept ou trente-huit ans, calcula rapidement Megan ; mais il semblait avoir emmagasiné une bonne dose d'amertume au cours de sa vie.

La jeune femme ressentit brusquement les effets de la fatigue accumulée pendant son voyage. Son hôte allait-il se décider à lui offrir un siège ? Elle en doutait. Etait-il à ce point distrait, manquait-il d'égards ? Ou son attitude s'inscrivait-elle dans une stratégie d'intimidation ? Elle regarda nerveusement autour d'elle ; son attention se porta alors involontairement sur les catalogues qui encombraient le bureau en chêne. A sa grande surprise, elle vit qu'ils provenaient des plus célèbres salles de ventes aux enchères du monde. Elle reconnut au passage *Christie's* de Londres, *Sotheby Parke Bernet* de New York, et d'autres galeries d'art de Paris, Milan et Fancfort.

Derrière ses cils à moitié baissés, elle observa Kurt à la dérobée. Négligemment appuyé contre le rebord d'une table, ses longues jambes moulées par le tissu gris de son pantalon, il semblait être d'une décontraction parfaite. Megan le sentait toutefois tendu, attentif à la moindre réaction de sa part.

— Etes-vous… collectionneur d'œuvres d'art ? interrogea-t-elle avec hésitation.

Au lieu de répondre tout de suite, Kurt sortit de sa poche un étui à cigarettes en or. Après en avoir offert à son invitée, qui refusa, il alluma une cigarette sans filtre, aspira une longue bouffée, puis exhala la fumée d'un air songeur.

— Je suis marchand de tableaux de mon état, précisa-t-il enfin. Je possède une galerie à Vienne. Vous ignoriez également ce détail, je suppose.

— En effet, avoua la jeune femme avec un embarras croissant.

— Vous vous y connaissez en peinture ?

Elle secoua la tête.

— Très peu. Je connais surtout ce que j'aime, et ne m'intéresse que modérément au reste, comme tout le monde. Je me suis spécialisée très tôt dans la musique.

— *Natürlich*, grinça Kurt d'un air sombre. Vous êtes pianiste, n'est-ce pas ?

— Oui. J'étais l'accompagnatrice d'Erich.

Il l'observa avec acuité.

— J'ai assisté à un concert donné par Erich à Boston, or je ne vous ai pas vue sur scène. Rousse aux yeux verts... vous avez pourtant un physique assez... frappant. Je ne crois pas que je vous aurais oubliée.

Megan sentit les battements de son cœur s'accélérer ; elle n'était pourtant pas certaine qu'il s'agissait d'un compliment.

— Quand êtes-vous venu à Boston ? rétorqua-t-elle. Erich ne m'a pas dit que vous étiez allé l'écouter.

« Mais il ne me disait jamais rien », ajouta-t-elle en son for intérieur.

— Je me trouvais aux Etats-Unis pour affaires, et c'est par hasard qu'Erich se produisait à Boston, le soir où j'y étais. Il n'en a rien su.

« Il ne pouvait s'agir d'une pure coïncidence », songea la jeune femme. Le concert donné par Erich au Boston Symphony Hall avait été l'un des plus réussis de sa fulgurante carrière. Un public de mélomanes avertis avaient loué les places des semaines à l'avance, et le jeune virtuose avait joué à guichets fermés : le bruit courait déjà que son talent allait égaler celui de Yehudi Menuhin ou d'Isaac Stern. Il avait terminé son concert en apothéose avec le Concerto pour violon et orchestre en ré mineur de Beethoven. Les critiques avaient été dithyrambiques...

— Je n'ai pas joué avec Erich à Boston, expliqua Megan avec un pincement de cœur. Il... enfin nous pensions que j'avais besoin de repos. Mais pourquoi n'avez-vous pas cherché à vous manifester, à venir nous voir après le concert ? Se déplacer de si loin et ne pas…

Elle laissa sa phrase en suspens. Une sombre lueur de colère brillait dans les yeux de Kurt, l'avertissant qu'elle venait encore de pécher par ignorance, de commettre un impair. Quoi d'étonnant à cela ? Sa vie avec Erich n'avait été qu'une magistrale duperie. Il n'avait cessé de la tromper, de lui mentir, jusqu'au jour où son mépris pour elle était devenu si flagrant qu'il ne s'était même plus embarrassé de subterfuges. A sa mort, elle s'était sentie délivrée de ses manigances, bien que cette fin tragique l'ait plongée dans un profond désarroi. Elle avait alors accompli ses devoirs de veuve aussi honorablement que possible, puis avait essayé de se persuader qu'Erich n'aurait désormais plus aucune influence sur sa vie…

Or elle se trouvait maintenant devant son frère, homme infiniment plus dangereux que lui, et de nouveau lui revenait cette horrible impression d'être une victime, une proie facile. Comme si elle n'avait pas déjà payé en angoisses et en cauchemars toutes les mauvaises actions d'Erich… Elle n'avait pas été témoin de l'accident de voiture qui lui avait coûté la vie, mais la passagère qui l'accompagnait n'avait pas manqué de lui décrire la scène dans les moindres détails, avec un effrayant sadisme ; et pour finir, cette femme hystérique lui avait crié : « Tout est de votre faute ! Vous aviez accepté l'arrangement, et ensuite vous avez refusé de tenir le rôle qui vous était assigné ! Vous êtes coupable de sa mort, vous entendez ? *Coupable !* »

Perdue dans cette douloureuse réminiscence, Megan ne se rendit pas compte qu'elle était devenue livide : son teint était de cendre, ses yeux verts brillaient d'un éclat fiévreux. Son interlocuteur, qui la détaillait attentivement, s'aperçut de sa détresse morale. Mais il interpréta à sa manière la raison de ce malaise. D'un geste rageur il écrasa sa cigarette dans le cendrier, et s'approcha de la jeune femme avec une sombre détermination. Elle ne réagit pas, le regard vague, plongé dans le vide. Furieux, il lui souleva alors le menton, la forçant à lever les yeux vers lui. Médusée, Megan rencontra sans comprendre le regard bleu et glacial de Kurt qui semblait fouiller impitoyablement le tréfonds de son âme. Que cherchait-il à lire en elle ? Elle se mit à respirer avec difficulté, son pouls s'affolait ; elle s'aperçut alors qu'il lui serrait la gorge jusqu'à l'en étrangler.

— Vous me faites mal, articula-t-elle dans un souffle.

Sans un mot il la lâcha. Hypnotisée par son regard magnétique, elle resta sans voix tandis qu'elle portait à son cou meurtri une main hésitante. Lorsqu'elle la laissa retomber machinalement, elle effleura par mégarde les pans de la veste de Kurt, tellement il se tenait près d'elle. Elle retira vivement sa main, comme si elle venait de se brûler.

Ce geste effarouché n'avait pas échappé à l'homme. Il releva le sourcil en une mimique sarcastique. Puis, aussi brutalement qu'il s'était approché d'elle, il s'écarta de la jeune femme et s'appuya contre son bureau avant d'allumer une deuxième cigarette. Tout en rangeant l'étui dans sa poche, il décréta calmement :

— J'étais curieux de voir jusqu'où vous alliez pousser cette petite comédie. Le test est concluant : vous n'êtes pas prête à aller au bout de votre supercherie. Alors finissons-en dès maintenant, car je n'aime pas voir les gens perdre la face devant moi. Qui êtes-vous exactement, *Fräulein,* et qui vous a envoyée ici ? Quel est le but de cette ridicule mascarade ? Pourquoi essayez-vous de vous faire passer pour la veuve de mon frère ?

Assaillie par cet interrogatoire inattendu, Megan

resta bouche bée. Kurt la dévisageait avec la décontraction faussement alanguie d'une panthère prête à
fondre sur sa proie. Elle comprit qu'il lui fallait
immédiatement se justifier, réparer ce sinistre
malentendu.

— Bien sûr, vous... vous ne me connaissez pas,
bredouilla-t-elle en s'efforçant de masquer son
effroi. Il est naturel que vous me demandiez de
prouver mon identité... J'ai mon passeport sur moi,
mais... le certificat de mariage et la fiche d'état civil
que votre agent m'a prié d'apporter sont dans ma
valise. Je les tiens à votre disposition.

— Ne jouons pas au plus malin, voulez-vous ?
riposta-t-il sans dissimuler son impatience. Nous
savons tous les deux à quoi nous en tenir sur votre
usurpation d'identité. Vous avez très bien pu vous
munir de faux papiers, alors cessons de tourner
autour du pot et venons-en au fait.

Cette fois l'Américaine faillit rire de l'absurdité
d'une telle accusation.

— Des faux papiers ? s'exclama-t-elle. Mais enfin
où vous croyez-vous ? Dans un film d'espionnage ?
C'est insensé ! Je suis Megan Halliday von Kleist !
Qu'est-ce qui vous fait penser le contraire ?

Kurt la toisa avec condescendance.

— Vous n'arriverez à rien en sous-estimant mon
intelligence, *Fräulein*. Vous affirmez avoir été pendant deux ans la femme de mon frère, mais c'est
invraisemblable. Vous êtes à peine sortie de l'enfance.

— J'ai vingt-trois ans, protesta-t-elle avec colère.
Je n'avais pas vingt ans, au moment de mon
mariage.

— Plus grave encore, poursuivit-il en l'ignorant,
vous ne savez rien du passé d'Erich, ni de sa famille.
Vous prétendez avoir été son accompagnatrice, or le
pianiste qui jouait avec lui était un homme, je l'ai vu

de mes propres yeux. Mais ce qui vous trahit le plus
sûrement c'est que vous ne ressemblez absolument
pas à la description qu'Erich m'a faite de la femme
de sa vie, dans la seule lettre qu'il m'ait jamais
envoyée !

— Comment ? ! Il vous a parlé de moi dans une
lettre ?

— Vous trouvez étonnant qu'un homme parle de
son épouse à son frère ?

— Normalement non, mais il… nous…

Megan s'interrompit, incapable de poursuivre,
d'expliquer à Kurt la vaste comédie qu'avait été son
mariage avec Erich. A moins de s'y voir contrainte,
elle répugnait à sacrifier le peu de dignité qu'elle
avait si péniblement su conserver, au prix de son
silence.

— Je me rappelle avec précision les termes
employés par mon frère pour décrire celle qu'il
appelait la femme de ses rêves, s'acharna Kurt. Il
n'exprimait pas facilement ses émotions et n'écrivait
jamais, voilà pourquoi sa prose m'a frappé. Sa
femme est grande et voluptueuse, avec des yeux
noirs comme la nuit, des cheveux d'ébène : c'est une
« Walkyrie des ténèbres »…

Il détailla Megan de la tête aux pieds avant de
conclure d'un ton mordant et sarcastique :

— Vous êtes une aventurière très séduisante, je
dois le reconnaître, mais j'ai du mal à reconnaître en
vous une « Walkyrie des ténèbres » !

La jeune femme sentit son front se couvrir d'une
sueur glaciale. Elle aurait dû comprendre tout de
suite. Encore un mensonge d'Erich qui lui avait
survécu ! Si cette pénible confrontation avec son
beau-frère avait eu lieu aux Etats-Unis, elle aurait
eu le courage de le planter là, sans autre forme de
procès. Mais elle se trouvait en terre étrangère, sous
le toit de cet arrogant aristocrate, entièrement à sa

merci. Elle s'était pourtant jurée de ne plus jamais être à la merci d'un homme...

Elle respira profondément avant de prendre la parole. D'une voix qu'elle espérait blasée, elle expliqua :

— J'avoue ne pas correspondre à cette poétique description, qui est en revanche un portrait fidèle de Lavinia Evans, la maîtresse d'Erich ; c'était également la femme de son imprésario. Ils étaient amants bien avant que nous nous rencontrions.

Incapable de soutenir le regard de Kurt, Megan baissa les yeux et fit mine de contempler les arabesques imbriquées du grand tapis oriental qui recouvrait le parquet. Il lui était extrêmement pénible d'évoquer le fantôme de Lavinia. Herschel Evans, vieillard gâteux et crédule en dépit de toutes ses qualités, avait eu foi dans les mensonges que lui avait racontés son épouse après l'accident ; malgré l'amitié qu'il vouait à Megan, il était persuadé qu'elle s'était enfuie avec un autre homme, et qu'Erich et Lavinia l'avaient alors suivie en voiture pour tenter de la ramener à la raison. Megan se trouvait cependant seule à l'aéroport lorsque Herschel l'avait rejointe, mais il n'avait prêté aucune importance à ce détail, n'accordant de foi qu'aux affirmations de sa femme bien-aimée.

Quant à Erich... D'après Megan, c'était la machiavélique Lavinia qui lui avait soufflé l'idée d'épouser une jeune fille fraîche et naïve, assez sotte ou idéaliste pour ne pas secouer le joug d'un terrible engrenage. Le mariage d'Erich était l'alibi rêvé pour cacher au pauvre Herschel que sa femme le trompait sans vergogne avec son protégé. La jeune pianiste remplissait toutes les conditions : dix-neuf ans, sans le sou, à peine sortie du conservatoire de musique, ne pouvant compter sur les conseils de personne. Elle s'était résignée à devoir abandonner ses études lorsque Erich était apparu dans sa vie. Beau, brillant, musicien plein d'avenir, elle avait eu le coup de foudre pour lui. Après une cour effrénée, il l'avait épousée, couchée dans son lit, et plus tard seulement, elle avait découvert l'ignoble vérité. Elle s'était donnée à lui dans toute sa candeur, et il s'était servi d'elle comme d'un instrument; il l'avait utilisée pour remplir ses desseins, satisfaire ses ambitions sans risquer d'être ennuyé. Les humiliations qu'elle avait endurées au cours de cette sombre période de sa vie resteraient à jamais gravées dans sa mémoire, elle le savait. Pour comble d'ironie, Lavinia l'avait accusée d'infidélité, d'adultère. Or après le traitement que lui avait infligé Erich, Megan ne supportait plus l'idée d'être de nouveau touchée par un homme. N'importe quel homme.

Kurt observait en silence les différentes expressions qui se peignaient sur les traits tirés de son invitée. Au bout d'un moment, il murmura doucement, frappé par la souffrance tragique qu'il lisait dans ses yeux verts et voilés :

— J'ai fait la connaissance d'Herschel Evans, mais je n'ai pas rencontré son épouse. Quel genre de femme était-ce ?

Megan trouva le courage de le regarder dans les yeux. Avec un sourire triste, elle haussa les épaules.

— Vous vous attendez vraiment à une opinion impartiale de ma part ? Lavinia était, ou plutôt est encore, une femme jeune, très belle, et totalement égoïste. Une séductrice sombre et brune, à l'image de Circé...

— Avant d'épouser Erich, étiez-vous au courant de cette liaison ?

— Non, pas au début de notre mariage. Mais je n'ai pas tardé à l'apprendre.

Elle se mordit la lèvre, regrettant déjà de s'être livrée. L'aveu de sa déchéance était trop humiliant.

— Nous avions contracté, ce qu'Erich se plaisait à appeler un « mariage de convenance », s'empressat-elle d'ajouter dans l'espoir de sauver la face.

— Il est curieux qu'à votre âge, vous n'ayez pas divorcé, si vous ne vous aimiez plus... Mais puisque Erich avait une maîtresse, vous aviez un amant, je présume ?

— Je ne crois pas que cela aurait plu à Erich. Il aimait assez que je me traîne à ses pieds.

— J'avais pourtant cru comprendre que vous vous apprêtiez à le quitter la nuit de son accident, observa Kurt.

— Qui vous a dit cela ? s'affola Megan. Herschel ?

— Alors c'est vrai ?

— Il est vrai que je le quittais, mais pas pour un autre... Ecoutez, Herr von Kleist, je ne sais pas exactement ce qu'on vous a raconté, ni pourquoi vous m'avez fait venir jusqu'ici ; mais une chose est certaine : quoi qu'il arrive, je refuse de répondre aux questions concernant Erich. Je ne vous dois aucune explication.

Un expression qui aurait pu être du respect s'alluma dans les yeux bleus de Kurt. Il était sur le point de parler quand la sonnerie du téléphone retentit dans le bureau.

— Von Kleist à l'appareil, annonça-t-il avec une certaine irritation. Ah, c'est vous, Swanson ! *Was wollen Sie jetzt ?* Non, il est inutile de discuter. Je pensais vous avoir exposé clairement ma position, non ? *Warum*...

Megan prêtait une oreille distraite à cette conversation, admirant surtout la facilité avec laquelle Kurt passait de l'allemand à l'anglais. Ses pensées se brouillaient, la migraine n'était pas loin... Hélas ses médicaments se trouvaient au fond de sa valise...

— *Nein,* Swanson, je ne veux pas vous voir sur

ma propriété, je vous l'ai déjà dit ; *verstehen Sie ?*
Bon, j'ai quelqu'un dans mon bureau, et j'aimerais
ne plus être dérangé. *Auf wiederhören !*

Kurt raccrocha le combiné avec humeur puis se
tourna vers la jeune femme et lui expliqua brièvement :

— C'était un de vos compatriotes. Un jeune
homme charmant au demeurant, mais très obstiné :
il croit que son insistance réussira là où la raison
échoue.

Il ponctua ces paroles énigmatiques par un sourire
désarmant. Megan ne le vit pas, car elle avait fermé
les yeux. Sa migraine venait de se déclencher,
froudroyante, et elle lui enserrait le crâne comme un
étau. Cette douleur lancinante était le seul symptôme qu'elle n'avait jamais appris à maîtriser. Il
survenait lorsqu'elle n'arrivait pas à dominer une
émotion trop intense... Pourquoi s'était-elle jetée
dans la gueule du loup ? Elle aurait dû refuser
l'invitation des von Kleist, se méfier d'eux. Après
quinze mois de veuvage, elle avait fini par se refaire
une vie tranquille, et voilà que ce voyage venait tout
bouleverser. Elle n'aurait jamais dû quitter Los
Angeles. Une immense lassitude l'envahit, elle se
sentait trop faible pour lutter...

Un cri lui échappa lorsque Kurt la souleva dans
ses bras.

— Lâchez-moi ! protesta-t-elle avec toute l'énergie dont elle était capable.

— Ne vous débattez pas, lui intima-t-il en la
déposant avec ménagements dans le fauteuil en cuir.
Vous étiez sur le point de vous évanouir.

Dès qu'elle fut assise, elle se mit à trembler
d'épuisement. Sa tête rousse retomba sur sa poitrine
comme une fleur exotique devenue trop lourde pour
sa tige gracile. Avec une infinie douceur, Kurt écarta
alors les longues mèches cuivrées qui lui balayaient

le visage ; elle dut se retenir pour ne pas abandonner son front sur cette main fraîche et réconfortante.

— Ça va mieux ? s'enquit-il à voix basse.

— Je suis… très fatiguée.

— Cela ne m'étonne pas, après ce long voyage, admit-il en se redressant. J'aurais dû vous ménager, je suis vraiment désolé. Ce maudit quiproquo m'a rendu soupçonneux, je me suis conduit en rustre avec vous. Pardonnez-moi. Puis-je faire quelque chose pour vous, Frau von Kleist ?

Il avait marqué une hésitation avant de prononcer son nom ; d'ailleurs il se reprit.

— Je crois que vous ne vous faisiez plus appeler par le nom d'Erich lorsque mon agent vous a retrouvée…

— C'est exact, convint Megan, tout en se demandant si Kurt prenait ombrage de cette liberté. Je préfère désormais utiliser mon nom de jeune fille.

Elle s'interrompit ; elle avait envie de se retirer, mais elle avait une importante question à poser à son beau-frère.

— Herr von Kleist, pourquoi m'avez-vous demandé de venir en Autriche ? Quelle est cette affaire urgente qui nécessite ma présence ici ?

Kurt haussa les épaules et répondit évasivement :

— Cela concerne une propriété dont vous avez hérité à la mort d'Erich. Ne vous en préoccupez pas pour le moment. Vous venez à peine d'arriver, vous avez avant tout besoin de repos. Nous en parlerons plus tard.

— Très bien, acquiesça-t-elle avec soulagement. Puis-je me retirer, à présent ?

— Bien sûr. Vous allez pouvoir vous relever ?

— Il le faut !

Il l'aida à se mettre debout. Elle chancelait sur ses jambes.

— Je pourrais vous porter jusqu'à votre chambre, hasarda-t-il en la voyant tituber.

— Non… refusa-t-elle d'un air farouche.

Il lui jeta un regard, amusé, ce qui ne fit qu'accroître sa confusion. Puis il appuya sur une sonnette, pour appeler la bonne.

— Reposez-vous, Frau von Kleist. Ou devrais-je vous appeler Fräulein Halliday ?

— Megan suffira.

— Alors bon après-midi, Megan.

Il lui sourit avant d'ajouter :

— Vous avez un joli prénom ; c'est assez original, n'est-ce pas ?

— Ce n'est pas très commun, effectivement. C'est un nom gallois. Tous mes ascendants sont d'origine celtique.

— J'aurais dû m'en douter, à cause de votre couleur de cheveux… Vous m'appellerez Kurt, bien entendu.

— Kurt…

— Vous ne prononcez pas bien le « u » long. Kurt.

— Kurt, corrigea-t-elle.

— C'est mieux. A la fin de votre séjour, vous parlerez couramment l'allemand.

— J'en doute ! J'ai déjà essayé d'apprendre, mais je…

Elle n'acheva pas sa phrase, terriblement troublée par l'expression torturée ou songeuse qui s'était peinte sur le visage de son hôte. Elle plongea son regard vert dans le sien, si bleu. Une sensation qu'elle n'osait nommer s'empara d'elle, comme le jour où Erich était entré dans la salle où elle répétait et lui avait demandé si elle pouvait remplacer son accompagnateur au piano.

C'était absurde, elle brûlait de repousser la mèche brune qui tombait sur le front de cet inconnu. Non, ce n'était pas possible, ça n'allait pas recommencer, pas avec le frère d'Erich...

Kurt lui sourit de nouveau et lui effleura le bras pour la conduire vers la porte du bureau.

— Greta vous attend, Megan, murmura-t-il d'une voix chaude, à la fois rauque et rieuse. Elle va vous montrer votre chambre. Nous nous reverrons pour le dîner.

Hypnotisée par son regard, Megan ne répondit pas et quitta la pièce comme une somnambule. En gravissant les marches du grand escalier qui menait aux étages, elle s'aperçut que ses doigts absents caressaient le bras sur lequel s'était posée la main de Kurt.

3

Lorsque Megan se réveilla, les rayons du soleil couchant filtraient à travers les rideaux roses de sa chambre. La fenêtre donnait sur un grand balcon qui courait le long de la façade et desservait les suites réservées aux invités, dans l'une des ailes du château. La jeune Américaine avait dormi cinq heures d'affilée. Après avoir avalé deux cachets pour calmer sa migraine, elle avait ôté ses souliers et s'était jetée sur son lit tout habillée. Elle s'aperçut que pendant son sommeil la bonne avait défait ses bagages, rangé ses vêtements dans la penderie et disposé ses articles de toilette dans la salle de bains attenante. Greta lui avait également monté un plateau dont le contenu avait eu le temps de se refroidir : la viande en sauce et la laitue qui l'accompagnait n'étaient plus très appétissantes. Megan regarda sa montre ; elle commençait à avoir faim, mais pouvait attendre le dîner, qui serait normalement servi dans une heure. Gabrielle devait exiger de ses domestiques une ponctualité sans faille.

La jeune femme trouvait la chambre qui lui avait été attribuée tout à fait à son goût. Les meubles en acajou brillaient de chauds reflets, et leur couleur

d'un brun rougeâtre s'harmonisait à merveille avec
les tentures et le tapis vieux rose.

Cette teinte subtile se répétait dans la luxueuse
salle de bains. Megan versa une poignée de sels
parfumés dans la baignoire et fit ensuite couler de
l'eau très chaude, dans laquelle elle se plongea avec
délice. Une demi-heure plus tard, elle sortit de son
bain parfaitement délassée.

Elle s'enveloppa dans son peignoir en éponge, et,
pieds nus, se dirigea vers l'armoire de la chambre.
« Qu'allait-elle porter pour le dîner ? » se demanda-
t-elle en inspectant le contenu de sa garde-robe. En
Californie, la notion de « tenue de soirée » était
assez floue ! Megan préférait toutefois éviter de
s'attirer des remarques désagréables de la part de
Gabrielle ; elle élimina donc d'emblée les robes un
peu trop voyantes qu'elle portait pour son travail, et
finit par choisir une longue robe en soie dans les tons
émeraude, saphir et améthyste, avec de fines bretel-
les aux épaules, un bustier moulant et une jupe
ample qui virevoltait gracieusement autour de ses
jambes. Elle releva ensuite ses cheveux en un
chignon souple encadré de deux longues mèches
cuivrées, ombra légèrement ses paupières et noircit
l'extrémité blonde de ses cils à l'aide de mascara.
Après cela, elle chaussa des souliers à talons, et
choisit comme bijou un camée en jade qu'elle portait
noué autour du cou sur un ruban de velours, avec
des boucles d'oreilles assorties.

— Mmmm... murmura-t-elle en se contemplant
avec satisfaction dans la psyché.

L'effet était des plus réussis, avec une touche de
provocation qui n'était pas pour lui déplaire. Ainsi
parée, elle se sentait sûre d'elle, inattaquable. Elle
promena lentement les mains le long de son corps,
caressa avec plaisir le fourreau soyeux qui la moulait
pour s'évaser au niveau des cuisses. C'était curieux,

elle avait presque oublié la douceur de cette sensation, le bonheur qu'une femme éprouve à se sentir belle, mise en valeur par une harmonie de couleurs et une robe bien coupée. Pendant plus d'un an, elle avait vécu comme un robot, anesthésiée, à l'écart du monde et de ses plaisirs. Mais maintenant, elle était prête à revivre, enfin. Oubliées les désagréables réflexions d'Erich du genre : « Le vert ne te va pas, tu ressembles à une bougie de Noël avec ta crinière rousse ! »

Megan jeta un coup d'œil à sa montre : il était temps de descendre. Dans le long couloir vide, le cliquetis de ses hauts talons résonnait sur le parquet ciré. Arrivée devant l'escalier, elle s'immobilisa, prise d'une sorte de vertige. C'était absurde, les larges marches qui s'ouvraient devant elle l'effrayaient, comme si elles allaient la happer. Avec hésitation elle souleva le bas de sa robe et de sa main libre s'accrocha à la rampe pour amorcer sa descente. « L'ai-je bien descendu ? » se moqua-t-elle quand elle fut au bas des marches, riant intérieurement de ses craintes sans fondement. Heureusement, personne n'était là pour la trouver ridicule ! Il lui faudrait répéter plusieurs fois avant de se mouvoir « en style » dans ce somptueux décor...

Elle longea un autre couloir, passa devant des pièces désertes, sans vie, impressionnantes dans leur beauté figée et glaciale.

Au salon, elle trouva Kurt debout près du bar, en train de préparer un cocktail. Il ne la vit pas entrer, aussi put-elle l'observer à loisir pendant quelques secondes. Elle retint son souffle, fascinée, prise d'une envie de connaître et surtout de comprendre cet homme déroutant, énigmatique. Grand, svelte, il portait avec élégance un smoking bleu nuit taillé sur mesure et une chemise de soirée dont le jabot d'un blanc neigeux accentuait sa virilité et l'ébène de ses cheveux.

De profil, il ressemblait étonnamment à Erich ; mais il émanait de son physique une force contenue, une puissance presque brutale, toute de maîtrise et d'énergie, que ne possédait pas son frère. Avec ses traits ciselés, durs, marqués par la vie, il représentait la virilité à l'état brut ; son regard était si bleu, si incisif, sous la mèche brune qui lui balayait le front... En comparaison, Erich faisait figure d'un aristocrate dégénéré tel qu'on se le représente : falot, un peu trop soigné, presque efféminé. Si elle les avait rencontrés en même temps, aurait-elle seulement remarqué Erich ?

Megan poussa malgré elle une exclamation d'émoi, stupéfaite par l'incongruité d'une telle pensée. En l'entendant, Kurt fit volte-face et la détailla longuement, en silence, sans aucune retenue. Son regard s'attarda sur sa poitrine ronde et ferme, sa taille fine, ses belles hanches moulées par la soie qui s'évasait ensuite en biais. La jeune femme tressaillit comme si ce long regard avait été une caresse ; elle se sentait dénudée, offerte, femme jusqu'au bout des ongles. Une lueur de désir, brûlante, violente, s'alluma dans les yeux bleus de Kurt. « Si Erich m'avait une seule fois regardée ainsi... » se surprit-elle à songer avec un regret poignant, empli de nostalgie.

— Alors, Megan, êtes-vous reposée ? s'enquit son hôte d'une voix grave et pénétrante.

— Oui, articula-t-elle dans un souffle.

— Vous êtes... ravissante.

Leurs regards se croisèrent, se mêlèrent.

— Puis-je vous servir un verre ? demanda Kurt. Que voulez-vous boire ?

— Oh, ce que voulez, sauf du rhum !

Comme il fronçait un sourcil interrogateur, elle s'expliqua :

— Le bar où je travaille s'appelle le « Polynesian Paradise », et on n'y sert que des cocktails à base de rhum et de jus d'ananas. C'est un peu lassant, à la longue.

— Oui, j'imagine, répondit Kurt en lui tendant un whisky.

Megan hocha la tête en signe d'approbation.

— Mais vous ne vous êtes pas également lassée de ce travail ? ajouta-t-il avec curiosité. Avec une formation classique comme la vôtre, il doit être insupportable de devoir jouer uniquement de la musique populaire, non ?

— Je me fais plaisir, de temps en temps, en jouant des morceaux comme *la Danse du feu,* précisa-t-elle en souriant.

Puis son sourire s'évanouit, et elle soupira tristement.

— Non, Kurt, je ne me rebelle pas : j'accepte cet emploi pour ce qu'il est, un pis-aller en attendant de pouvoir me lancer dans une autre voie.

— Comme par exemple ?

— L'enseignement, peut-être. Je crois que je serais un bon professeur de musique. C'est une idée qui me séduit de plus en plus, maintenant que je vieillis.

— Allons donc, vous êtes encore une enfant ! s'esclaffa Kurt.

— Je suis assez vieille pour avoir découvert, par expérience, que je n'ai pas l'étoffe d'une concertiste, répliqua-t-elle sèchement. Je n'ai ni le tempérament ni le talent nécessaires. J'ai pourtant essayé pendant des années, et mes efforts m'ont pratiquement détruite.

— N'est-ce pas plutôt Erich qui a failli vous détruire ?

Il avait parlé sans la moindre trace d'ironie. Megan ne répondit pas et marcha lentement jusqu'à la fenêtre. Le soleil s'était enfin couché. Une lumière clignotait sur le versant de la colline, de l'autre côté de la vallée. La jeune femme sirotait son whisky en silence ; déjà un léger picotement parcourait ses paupières : si elle restait longtemps le ventre creux, l'alcool lui monterait à la tête.

— Votre fille va-t-elle se joindre à nous pour le dîner ? demanda-t-elle d'un ton faussement dégagé.

— Oui. Liesl et Gabrielle devraient arriver d'un moment à l'autre. Adélaïde aussi dînera normalement avec nous, si elle rentre à l'heure. Dieu sait où elle est encore allée !

L'Américaine plissa le front, contrariée : elle avait pratiquement oublié l'existence de sa belle-sœur et n'était pas vraiment ravie à l'idée de la revoir. « C'est vrai, je suis ici pour *affaires !* » se rappela-t-elle à regret. Son regard se porta vers son hôte.

— Eh bien puisque nous sommes seuls pour l'instant, parlez-moi de cette propriété qui appartenait à Erich. C'est drôle, il ne m'en n'a jamais parlé ! Alors vous comprendrez ma curiosité...

Kurt vida son verre avant de répondre, puis se servit un deuxième verre. Megan remarqua une fois de plus la raideur de sa main gauche, ou plus précisément celle des trois doigts du milieu.

— C'est votre première soirée dans mon pays, Megan, et je veux qu'elle soit mémorable. Ne parlons pas affaires, voulez-vous ?

Cette attitude de mâle protecteur agaça prodigieusement la jeune femme : elle ne supportait ni le paternalisme ni la condescendance.

— A votre aise, lança-t-elle d'un air impertinent. Je pensais simplement que les Autrichiens possédaient le sens de l'efficacité.

— Vous devez confondre avec les Allemands. Nous sommes deux peuples très différents, vous savez. On dit que la première fois qu'il vous rencontre, un Allemand vous demande d'abord votre nom et votre profession. Un Autrichien, lui, vous demandera votre nom, puis il vous questionnera sur les derniers livres que vous avez lus. Soit dit entre nous, cette anecdote n'est guère flatteuse pour nous !

Megan eut un léger haussement d'épaules et sourit, amusée. Elle commençait à se sentir à l'aise, détendue. Elle avala une gorgée de whisky, savoura sa douceur âcre, s'abandonnant à la chaleur intérieure que lui procurait l'alcool.

— Alors, allez-vous me questionner ? s'entendit-elle demander.

— Comment ?

— Allez-vous me questionner sur les derniers livres que j'ai...

Elle s'interrompit, secoua la tête avec dérision et chercha des yeux un endroit pour poser son verre.

— Quand je commence à dire des bêtises, c'est que j'ai assez bu, murmura-t-elle.

Elle baissa les paupières et à travers ses longs cils, elle coula en direction de son beau-frère un regard plein de coquetterie. « A quoi joues-tu, idiote ? » se dit-elle.

— Je n'ai rien mangé depuis ce matin, c'est ce qui doit me tourner la tête, se défendit-elle. Et surtout je ne suis pas habituée à l'altitude...

Kurt se mit à rire doucement et s'approcha d'elle.

— Oh oui, c'est certainement l'altitude, railla-t-il gentiment.

Les joues de Megan s'empourprèrent. Elle ne s'était jamais amusée à flirter, et ne comprenait pas ce qui lui arrivait. Elle se sentait d'humeur légère, badine. L'apéritif était-il seul responsable ? Sans doute que non. Son attitude presque aguichante ne pouvait pas non plus s'expliquer uniquement par l'admiration que manifestait un homme séduisant pour son physique ; c'eût été pourtant une réponse normale, mais elle avait appris, depuis longtemps, à rester insensible aux compliments des clients du *Polynesian Paradise*. Plusieurs avaient essayé de la séduire, elle avait toujours repoussé leurs avances avec fermeté, sans se laisser émouvoir. Alors pourquoi fondait-elle maintenant sous le regard de Kurt ? Il se contentait de la regarder, et au premier signe, elle serait allée vers lui... Cette soumission aveugle était dangereuse, et cet emportement des sens, un piège. Elle était effarée de se sentir ainsi haletante, offerte.

Elle s'aperçut à sa grande confusion que Kurt n'avait rien perdu des couleurs changeantes apparues successivement sur son visage, en fonction du cours de ses pensées. Elle s'était certainement trahie. Quel ennui d'avoir le teint si clair ! Impossible de dissimuler la moindre émotion ! Surtout lorsqu'il s'agissait d'une réaction aussi violente... Comment pouvait-on être ainsi irradiée par un regard d'homme, envahie d'une telle chaleur ?

Les yeux de Kurt avaient pris une teinte bleu marine. Ses paupières semblèrent s'alourdir, et un frémissement parcourut sa bouche : il venait de remarquer que les seins de Megan s'étaient tendus sous son bustier moulant. La soie dessinait impudiquement leurs pointes durcies. Il fit un pas vers elle. Mortifiée, elle se détourna aussitôt, et quand il toucha la peau dénudée de son épaule, elle secoua sauvagement ses longues boucles cuivrées. « Jamais plus je ne connaîtrai cet esclavage, cet enchaînement », se jura-t-elle.

Les longs doigts fermes de Kurt brûlaient sa peau laiteuse et nacrée.

— Megan..., pressa-t-il d'une voix rauque et sourde.

A cet instant, la voix de Liesl se fit entendre derrière la porte du salon de musique.

— *Vati*... papa ! Regarde, Tante Gaby m'a permis de mettre ma robe neuve !

La fillette entra en sautillant dans la pièce. Elle portait une ravissante robe longue en mousseline, couleur saumon.

Kurt, qui avait laissé retomber sa main, regarda sa fille avancer vers lui. Il arborait une expression indéchiffrable. Quand elle lui enlaça affectueusement la taille, il caressa ses cheveux blonds comme les blés et observa avec une immense tendresse :

— Tu es très belle, Liebling ! Mais je croyais que tu gardais cette jolie robe pour célébrer ta fête.

— Ça n'empêche pas ! Tante Gaby m'a dit que je pouvais aussi la porter ce soir parce que nous avons une invitée, et qu'il faut montrer à Tante Megan comment s'habillent les vrais von Kleist.

Megan pâlit, folle de rage. Comment cette femme odieuse osait-elle parler de la sorte devant une enfant ? Dans sa colère, et pour marquer sa réprobation, elle pivota sur ses talons. Malheureusement, elle avait mal mesuré son geste : en se retournant, elle heurta un guéridon ; un Cupidon en porcelaine en tomba et se brisa sur le parquet.

Atterrée, elle regarda bêtement les éclats qui jonchaient le sol. Elle ne savait plus où se mettre. Puis elle se ressaisit, et pour cacher sa honte, elle commença de ramasser les morceaux. Mais Kurt ne lui laissa pas le temps de finir. Il l'empoigna solidement par le poignet et l'obligea à se relever.

— Mais enfin, Megan, que faites-vous ? Vous allez vous couper la main !

— Oh, je suis tellement navrée pour cette statuette, je...

— N'y pensez plus, ce n'est rien, l'interrompit-il
d'un ton sec. La bonne va nettoyer cela.

Il se tourna vers Liesl, qui les observait les yeux
écarquillés.

— Va chercher Greta ou une autre servante, et
dis-lui qu'il y a un petit incident au salon.

L'enfant se dirigea instinctivement vers le cordon
de sonnette, mais son père répéta sévèrement :

— Je t'ai dit d'*aller* chercher quelqu'un !

Elle lui décocha un regard furibond et sortit en
claquant la porte derrière elle. Restée seule avec
Kurt, qui ne l'avait pas lâchée, Megan essaya de
dégager son frêle poignet. Peine perdue, il l'enserrait avec force. D'un mouvement brusque il l'attira
tout contre lui ; seules leurs mains empêchaient leurs
corps de se toucher, et une chaleur soudaine les
enveloppa, vibrante, électrique. De sa main libre, la
jeune femme tenta alors de le repousser ; il résista
aisément à cet assaut, son épaule ne bougea pas d'un
pouce et il profita de sa déconvenue pour lui saisir
l'autre poignet et le bloquer derrière son dos. Megan
était prisonnière et ne pouvait se débattre sous peine
de se tordre le bras. Réduite à l'impuissance, elle
prit soudain conscience de la douce pression
qu'exerçait la main de Kurt sur sa poitrine ; après
l'avoir foudroyé du regard, elle essaya encore de se
libérer. Elle réussit seulement à s'accrocher les
ongles dans les plis de sa chemise, et trépigna de
rage quand il lui demanda en riant doucement :

— Vous êtes toujours aussi maladroite ?

— Je suis désolée pour cette statuette en porcelaine, s'excusa-t-elle d'un ton mordant. C'était une
maladresse de ma part, je le reconnais, mais...
j'étais furieuse.

Le regard brillant de Kurt se voila légèrement.

— A mon tour de vous présenter mes excuses pour ce qu'a dit ma fille. Ne lui en tenez pas rigueur : elle ne mesurait pas la portée de ses paroles.

— Je m'en doute ! s'exclama Megan avec indignation.

Elle le regarda droit dans les yeux, à la fois pleine de courage et décontenancée par l'accueil qui lui était réservé depuis son arrivée. C'était à n'y rien comprendre ! Mais elle dut bientôt baisser la tête, troublée par le regard de son hôte ; elle s'aperçut alors qu'il ne lui encerclait plus le poignet de la même façon, et qu'avec le dos de sa main, il lui caressait délicatement la pointe du sein. Prise de vertige, elle fut parcourue d'un long frisson et pourtant, elle refusait de s'abandonner au plaisir.

— Arrêtez, je vous en prie, implora-t-elle d'une voix étranglée.

— Pourquoi ? chuchota-t-il avec un sourire ensorcelant.

— Parce que... parce que je ne veux pas que vous continuiez.

— Je n'en crois rien, *Mein Schatz*...

— Oh, Kurt, je vous en supplie !

Il perçut la panique qui frémissait dans sa voix enfantine, car il la lâcha immédiatement et scruta ses yeux verts agrandis par la peur.

— Megan ? murmura-t-il d'un ton incertain.

— Kurt.

Cette interpellation glaciale, presque un rappel à l'ordre, tomba comme un couperet dans le silence de la pièce. Le regard de Kurt et celui de Megan, encore brumeux, convergèrent vers la voix qui les séparait : Gabrielle se tenait immobile dans l'embrasure de la porte, plus imposante que jamais avec son corps ondoyant et sa robe de satin vert d'eau. Mais

ses traits semblaient altérés par une violente émotion, difficile à définir.

Kurt étouffa un juron et releva légèrement le
menton, interrogeant sa belle-sœur du regard ; elle
n'avait pas quitté la jeune Américaine des yeux et se
lança tout à coup dans une coléreuse diatribe, en
allemand. Kurt lui répondit sur le même ton.
Megan, rouge de confusion, se félicita pour une fois
de ne rien comprendre à cet échange de propos
acérés. L'escarmouche entre ses hôtes fut violente
mais brève : Gabrielle tressaillit nerveusement,
pâlit, puis finit par hocher la tête en signe d'acquiescement.

Lorsque son beau-frère lui tendit un verre, elle se
mit à boire en silence. Mais par-dessus le fin rebord
en cristal, ses yeux noisette, vifs et blessés, se
posaient avec défiance sur l'étrange couple que
formaient Kurt et Megan. Cette dernière se
demanda soudain si l'Autrichienne était jalouse ;
était-elle, ou avait-elle été, la maîtresse de Kurt ? Ce
n'était pas impossible. Après tout, elle était veuve
depuis plus de deux ans, et elle ne semblait pas
beaucoup plus âgée que son séduisant beau-frère.

L'arrivée de Liesl, suivie d'une domestique, mit
fin aux divagations de Megan. Ce fut à ce moment-là
que Gabrielle remarqua pour la première fois la
statuette brisée, et un cri d'horreur lui échappa,
suraigu :

— Oh, non, ma porcelaine de Sèvres !

— Tant pis, Gaby, marmonna Kurt avec humeur.
C'est un accident.

— Mais c'était un cadeau de mariage de…

— J'ai dit tant pis !

Gabrielle se détourna en maugréant, tandis que la
bonne ramassait les débris. Au passage, elle jeta à
Megan un regard haineux.

— Il est l'heure de dîner, décréta Kurt en regardant sa montre. Où est passée Adelaïde ?

— Je lui ai permis de prendre la voiture pour aller à St Johann ; elle voulait voir une amie. Je croyais qu'elle serait rentrée plus tôt. Crois-tu qu'elle ait pu avoir un accident ?

— Si c'était le cas, nous aurions déjà été prévenus. Elle a sans doute décidé de rester plus longtemps chez son amie, et comme d'habitude, elle a oublié de nous téléphoner. Elle conduit très bien, ce sont plutôt ses manières qui laissent à désirer. Allons, passons à table.

Il offrit son bras à Megan, le visage fermé, et l'escorta jusqu'à l'imposante salle à manger. Il marqua un temps d'arrêt à la vue de la grande table recouverte d'une nappe blanche et damassée, aussi solennelle qu'un linceul. Un surtout en argent massif scintillait en son centre, planté de bougies et de fleurs fraîches ; autour de cette impressionnante pièce décorative étaient disposés cinq couverts, tout aussi surchargés : verres en cristal, fourchettes en argent, couteaux en ivoire et porcelaine cerclée d'or s'étalaient à l'envi dans une débauche de préciosité glacée.

Kurt, qui tenait toujours son invitée par le bras, se tourna vers Gabrielle.

— Tu ne trouves pas cette mise en scène un peu élaborée pour un dîner en famille ? critiqua-t-il.

— Mais voyons, Kurt, tu m'avais demandé de bien accueillir ton invitée, protesta sa belle-sœur.

— *Mein Gott*, Gaby, tu en as fait un peu trop ! Cette argenterie démodée ne sert plus depuis l'époque de l'empereur François-Joseph !

— Pardonne-moi, j'ai simplement essayé de suivre tes instructions...

Un muscle se tendit dans la mâchoire de Kurt, mais il n'insista pas. En silence, il conduisit Megan jusqu'à l'extrémité de la table et la fit asseoir à sa droite ; Liesl se glissa comme une petite souris à côté d'elle, tandis que Gabrielle prenait place en vis-à-vis. Sous son regard aiguisé, la jeune femme eut l'impression d'être quelque insecte examiné au microscope à des fins scientifiques, ce qui était éminemment désagréable et promettait de lui gâcher singulièrement le repas. Pour se soustraire à cette pénible inquisition, elle baissa les yeux et détailla le surtout de table où s'entrelaçaient des dragons et des sirènes en argent, entre les chandelles et les motifs floraux. Liesl lui effleura la main en chuchotant :

— C'est joli, n'est-ce pas ? Il a fallu deux jours entiers pour le nettoyer, tellement il était terni ! Et j'y ai travaillé, moi aussi !

— Bravo, c'est magnifique ! répondit Megan en souriant.

Au signal de la maîtresse de maison, une armée de serviteurs apporta sur d'immenses plateaux divers mets délicats : de la truite fumée, un rôti de veau parsemé de fromage et roulé dans du jambon de pays, et un nombre impressionnant de plats crémeux à base de pâtes et de légumes. En temps ordinaire, l'Américaine aurait dévoré avec appétit tout ce qu'on lui servait ; mais malgré sa faim, elle grignota du bout des lèvres, oppressée par un tel étalage de luxe et de sophistication. Kurt faisait de son mieux pour alimenter la conversation ; toutefois les voix des convives tendaient à se perdre dans cette salle d'apparat qui aurait dû contenir une cinquantaine de personnes. Les adultes parlaient assez bas, et rarement. Quant à Liesl, elle était trop déroutée par leur comportement antagoniste pour rompre la pesanteur ambiante.

Vint enfin le moment du dessert. Megan s'apprêtait à déguster une deuxième bouchée d'un riche gâteau au chocolat — malheureusement parfumé au rhum — lorsque la porte de la salle à manger s'ouvrit en coup de vent. Une adolescente élancée, vêtue d'un jean et d'un débardeur rouge, fit irruption dans la pièce en lançant en allemand, d'un ton désinvolte :

— Désolée d'être en retard !

Son rire se figea brutalement quand son regard se porta sur l'étrangère. « Elle a un visage très mobile, presque exagérément expressif », pensa Megan en la voyant froncer son petit nez retroussé semé de taches de rousseur. Elle était longue et mince, âgée de dix-huit ou dix-neuf ans, avec une peau laiteuse et des yeux noisette. Ses cheveux châtains, très raides et fournis, formaient un casque souple qui encadrait un visage aux proportions parfaites, bien qu'un peu anguleux. Après avoir mimé la surprise, ses traits s'éclairèrent.

— Bonjour ! Qui êtes-vous ? La dernière conquête de Kurt ?

Megan faillit s'étrangler. Tandis qu'elle avalait une gorgée de vin pour s'éclaircir la gorge, Kurt s'empressa d'intervenir.

— Veux-tu être polie, Adelaïde ? Megan, puis-je vous présenter Adelaïde Steuben, fille adoptive de Gabrielle. C'est une charmante enfant quand elle ne se pique pas de faire de l'esprit. Adelaïde, voici Megan, l'épouse de mon frère Erich. Nous t'avions dit qu'elle viendrait des Etats-Unis pour nous rendre visite.

La jeune fille secoua la tête avec étonnement et prit place aux côtés de sa mère d'adoption. Dans un anglais plus haché que celui des von Kleist, elle répliqua d'un air angélique :

— J'ai dû mal comprendre. Je croyais que vous attendiez la venue d'une vieille parente pauvre du genre pique-assiette, dont vous étiez pressés de vous débarrasser. D'après Gaby...

— Adelaïde, tu ne prétends pas te mettre à table dans cette tenue, la réprimanda Gabrielle.

— Oh, c'est si démodé de se changer pour le dîner ! Le temps que je monte dans ma chambre et que je redescende, tous les plats seront froids.

— Tu n'avais qu'à rentrer à l'heure, observa Kurt.

Elle lui adressa un sourire enjôleur.

— J'ai bien essayé d'arriver à temps ! Mais il y avait tellement de circulation ! Vous savez ce que c'est que de conduire dans Salzbourg pendant le festival...

— Salzbourg ? releva sa mère adoptive. Tu m'avais dit que tu allais à St Johann rendre visite à une amie de ton collège.

— C'est ce que j'ai fait. Mais justement le frère de Barbel recevait un ami de Naples, et nous avons décidé tous les quatre d'aller à Salzbourg pour voir le dernier film d'Al Pacino.

Kurt soupira :

— Et naturellement tu n'as pas pensé une seule seconde à nous avertir de ce changement de programme ? demanda-t-il.

— Non. Pourquoi vous aurais-je prévenus ?

— Si j'avais su que tu allais à Salzbourg, intervint Gabrielle, je t'aurais envoyée chez le fleuriste pour qu'il te montre les roses que j'ai commandées pour le bal. Je tiens cette fois-ci à les choisir personnellement. L'année dernière, il m'a fait livrer des horreurs ! J'aurais aussi bien pu me servir de celles qui poussent dans le jardin...

— Et moi, ajouta Kurt, je t'aurais demandé de prendre Megan à l'aéroport afin de lui éviter le trajet en car jusqu'au village.

— Bon, d'accord, j'aurais dû vous mettre au courant de mes faits et gestes, convint l'adolescente d'un ton boudeur. Mais je vous ferai remarquer que...

Megan n'écoutait plus. Elle détestait les querelles familiales, et ne s'était d'ailleurs jamais disputée avec sa mère. C'était une telle perte de temps! Si elle ne s'était pas retrouvée seule à dix-neuf ans, qui sait si elle aurait succombé aussi aisément au charme d'Erich?

La voix d'Adelaïde interrompit sa rêverie.

— Mais l'oncle de Franco travaille pour di Giulio à Rome, et il peut m'employer! Oh, je vous en prie, j'aimerais tellement passer le reste de l'été en Italie!

— Il n'en est pas question, trancha Gabrielle. Tu sais que j'ai besoin de ton aide pour les préparatifs du bal, et ensuite je compte m'attaquer à la décoration du salon de musique.

— Mais si je pouvais déjà avoir des références dans le monde du cinéma, même comme figurante, je m'introduirais plus facilement à Hollywood.

— Oh, Adelaïde, combien de fois devrai-je te répéter que...

— Peut-être peux-tu demander à Megan de te parler d'Hollywood, intervint Kurt. Elle vit à Los Angeles, et évolue dans le monde du spectacle.

— Je l'ignorais! s'exclama l'adolescente avec des yeux ronds. Vous êtes actrice?

— Non, Dieu m'en garde! s'esclaffa l'Américaine, gênée par le regard avide d'Adelaïde. J'habite L.A., effectivement, mais mon expérience de la scène est extrêmement limitée, et ne vous serait d'aucune utilité. En plus, j'ai rencontré Erich à New York, et c'est là que nous vivions quand nous n'étions pas en tournée. Le milieu d'Hollywood m'est complètement étranger.

— Dans quelles circonstances avez-vous fait la connaissance d'Erich? s'enquit Gabrielle, sans doute pour détourner la conversation. Vous deviez former un couple tellement… curieux.

— Je l'ai rencontré au Conservatoire Halstead, où j'étudiais le piano. Il devait donner un récital impromptu et avait besoin d'une accompagnatrice.

Megan ferma un moment les yeux pour revivre ces précieux instants que rien n'avait pu effacer, pas même l'enfer qu'elle avait connu plus tard. Quand elle les rouvrit, elle s'aperçut que les quatre von Kleist la dévisageaient.

— Je n'ai jamais entendu parler de ce conservatoire, observa perfidement Gabrielle. Je ne connais que l'école Juilliard, la plus cèlèbre.

— Halstead n'a pas la réputation de Juilliard, mais j'y ai eu d'excellents professeurs et je me sens honorée d'y avoir fait mes études, riposta l'Américaine.

— Et je suis sûre que votre école est fière de vous, persifla l'Autrichienne. Vous jouez dans un bar, si je ne m'abuse ?

Adelaïde se mit à rire sous cape.

— En effet, Frau von Kleist, mon emploi actuel ne correspond pas à ma formation. Mais vous devez savoir comme moi que dans la vie, les choses ne tournent pas toujours aussi bien qu'on se l'imaginait !

— Liesl apprend le piano, intervint Kurt avec calme. Elle est assez douée pour la musique, semble-t-il.

Oubliant sa colère, Megan se tourna vers la fillette.

— Depuis combien de temps prends-tu des leçons, Liesl ?

— J'ai commencé à sept ans, et j'aime beaucoup jouer, presque autant que de monter à cheval ! D'ailleurs je suis triste de ne pas pouvoir prendre de leçons pendant l'été…

— Pourquoi es-tu obligée de t'arrêter ? s'étonna la jeune femme.

— Il n'existe pas de bons professeurs de musique à Kleisthof ! expliqua sèchement Gabrielle.

— Mais je ne comprends pas... Où Liesl prend-elle ses cours, si ce n'est pas ici ?

— Pendant presque toute l'année, Liesl et moi vivons à Vienne, répondit Kurt. Nous venons passer les vacances dans le Tyrol, mais je dois souvent m'absenter et retourner à Vienne pour mon travail.

— Ah oui, c'est là-bas que se trouve votre galerie, murmura Megan. Ici, vous ne vendriez pas beaucoup de tableaux, évidemment... Mais pourquoi ne vous êtes-vous pas installé plus près de chez vous, à Salzbourg par exemple ?

— Je suis chez moi à Vienne, Megan. Je ne pensais pas hériter du Schloss, je vous le rappelle, aussi avais-je fait ma vie ailleurs.

Megan rougit. Elle avait oublié l'existence du fils aîné des von Kleist, Wilhelm, le mari de Gabrielle. Elle fut soudain prise d'une grande compassion pour cette femme qui avait tout perdu à cause d'un stupide accident ; non seulement son époux, mais aussi la propriété qui lui revenait de droit... Si Gabrielle semblait avoir quelques problèmes psychologiques, ce n'était guère étonnant !

— Je vous demande pardon, Frau von Kleist, je ne voulais pas vous blesser, s'excusa la jeune Américaine avec simplicité.

— Je n'ai que faire de votre commisération ! De nous tous, vous êtes celle qui a le moins de droits sur ce domaine ! Vous n'êtes qu'une aventurière cupide !

— Gabrielle ! rugit Kurt. Excuse-toi immédiatement auprès de notre invitée !

— Mais comment peux-tu la défendre, prendre parti contre moi ? se récria Gabrielle, le visage hagard. Je suis une von Kleist par les liens du sang et

du mariage, alors qu'elle n'est que la femme délaissée d'un fils illégitime !

— Gabrielle...

— Illégitime ? releva Megan, abasourdie par ce
déchaînement de violence. Je ne comprends pas...

— Ah, je vois que votre cher mari vous a caché la
vérité ! Eh bien sachez que sous ses airs de seigneur,
il n'était qu'un bâtard, l'enfant naturel d'une petite
vendeuse !

Gabrielle s'était levée en parlant ; elle agitait
maintenant ses longs bras maigres, comme les ailes
d'un moulin, et continuait de vociférer.

— Vous croyiez peut-être qu'il avait grandi ici ? Il
avait quatorze ans quand il a mis les pieds dans cette
maison pour la première fois ! Et si Willi avait pu
imposer sa...

Kurt se leva brusquement de son siège, nerveux et
tendu. D'une voix tranchante, il interrompit les
élucubrations de sa belle-sœur.

— Gabrielle, vous n'êtes pas vous-même, ce soir.
Veuillez présenter vos excuses et vous retirer.

Ce vouvoiement hautain et glacial eut l'effet d'une
douche froide sur le délire de l'Autrichienne. Elle se
décomposa subitement et resta immobile, désemparée, tremblante ; le masque peint qui la protégeait
s'était fissuré pour laisser entrevoir une femme
pitoyable, vieillie de dix ans.

— Adelaïde, aide-la à regagner sa chambre,
ordonna Kurt d'un ton péremptoire.

— Mais Kurt, je n'ai pas terminé mon...

— Fais ce que je te dis, Adelaïde ! Je te ferai
monter ton dîner, mais je t'en prie ne discute pas
avec moi maintenant.

L'adolescente finit par se lever, maussade et
rétive ; elle déploya lentement son long corps dégin-
gandé et pourtant gracieux, puis releva fièrement le
menton.

— Très bien, Kurt, murmura-t-elle d'une voix blanche. Je ne puis tout de même pas désobéir aux ordres d'un vrai von Kleist... Venez, Gaby.

Elle entoura les épaules affaissées de celle qui n'était plus qu'une poupée pathétique dans sa robe de grand couturier.

Quand la porte se fut refermée derrière elles, et que Kurt eut regagné son siège avec lassitude, Megan prit soudain conscience de la présence de l'enfant à ses côtés. Liesl semblait pétrifiée sur sa chaise, accablée par la scène à laquelle elle venait d'assister. « On n'a pas le droit d'exposer les enfants à la laideur du monde des adultes », songea la jeune femme. D'une petite voix hésitante, la fillette posa en allemand une question à son père ; il se frotta la tempe, et marmonna ce que Megan traduisit par « Je t'en prie, ma chérie, ce n'est pas le moment ! » Les lèvres de Liesl se mirent à trembler. Elle se leva brusquement et quitta la salle à manger en courant.

L'Américaine s'apprêtait à prendre congé à son tour, mais son hôte lui fit signe de rester assise.

— S'il vous plaît, ne partez pas maintenant. Cette soirée a été pour vous très éprouvante, je le sais, et je vous présente sincèrement toutes mes excuses. Restez un instant, parlez-moi. Voulez-vous m'aider à terminer ce vin ?

Elle hocha la tête en signe d'acquiescement. Kurt remplit leurs verres d'un vin ambré, au bouquet fruité. Ils burent quelques gorgées en silence, puis Megan se hasarda à demander :

— Est-ce que... Gabrielle a dit la vérité ?

— Au sujet d'Erich ? Oui, c'était le fils naturel de mon père. Vous l'ignoriez, je suppose...

— Je ne savais presque rien du passé d'Erich, vous avez pu vous en rendre compte. J'ai toujours pensé qu'il avait été choyé et avait mené une vie familiale normale, heureuse et sans problèmes.

— C'est tout à fait lui de vous laisser croire une
chose pareille..., murmura Kurt en allumant une
cigarette. Je ne veux pas chercher d'excuses à mon
père pour sa conduite, mais je pense qu'après ma
naissance, mes parents ont cessé d'avoir des rapports
conjugaux. Ma mère était d'une santé fragile, et
certains... différends les opposaient. Bref, mon père
a eu une liaison avec une jeune fille qui s'appelait
Eva Müller et travaillait dans une boutique de
vêtements, à Kleisthof-im-Tirol. Elle était très belle,
paraît-il ; Erich avait hérité d'elle ses cheveux
blonds, presque argentés... J'avais huit ans à l'époque, je ne sais donc que ce qu'on m'a raconté.
J'ignore si cette Eva aimait mon père, ou si elle était
simplement flattée que le Graf von Kleist la cour-
tise ; il était très séduisant. Elle espérait peut-être
qu'il divorcerait un jour pour l'épouser, mais j'en
doute, les von Kleist ont toujours été catholiques, au
moins par le baptême... Quoi qu'il en soit, la
question ne s'est pas posée très longtemps. Eva
Müller est morte en mettant son fils au monde.

Une angoisse passagère crispa les traits de Kurt.
Sans savoir pourquoi, Megan comprit qu'il ne souffrait pas au souvenir de la pauvre fille séduite, mais
qu'une association d'idées lui avait rappelé autre
chose. Quoi ? Il écrasa sa cigarette dans son assiette
à dessert, puis grimaça avec dégoût et vida le mégot
dans un cendrier.

— Jusqu'à une époque très récente, il était impossible, ici, en montagne, d'obtenir des soins d'urgence, poursuivit-il avec un étrange sourire destiné à
masquer sa colère. Eva morte, Erich a été confié à
ses grands-parents ; c'était un couple très pieux, ils
ont toujours porté la honte de la... faute de leur fille.
Mon père leur apportait un soutien financier, autant
que je sache, mais ce n'est qu'à la mort de ma mère

qu'il a reconnu officiellement son rejeton. Erich avait alors quatorze ans.

— Et quand il vivait chez ses grands-parents, savait-il qui était son père ?

— Au début, non. Mais certaines personnes se font un plaisir de transmettre ce genre d'information.

« La souffrance et les humiliations qu'il m'a infligées... c'était sa façon de se venger de tout ce qu'il avait enduré dans son enfance. Qu'éprouvait-il, gamin, lorsqu'il levait les yeux vers le château où il aurait dû vivre de plein droit et dont il était banni ? » Certes, son père avait fini par le reconnaître, songea Megan. Mais à quatorze ans, il était trop tard. Le mal était fait.

Elle leva ses grands yeux verts et rencontra le regard de Kurt.

— Pauvre Erich, dit-elle d'une voix étranglée.

Alors qu'elle regagnait sa chambre, Megan entendit des sanglots étouffés. C'étaient des pleurs d'enfant. Le bruit provenait d'une chambre voisine, qui donnait sur le long couloir. La jeune femme s'approcha, poussa timidement la porte entrouverte. « Cette pièce a dû être meublée par le décorateur qui a sévi dans toute la maison », pensa l'Américaine : son style était typique de l'idée fausse que se font les adultes du décor idéal pour une petite fille. Tout y était, soie moirée bordée de dentelles et d'organdi empesé... un vrai gâteau à la crème ! Une lampe de chevet éclairait faiblement un lit à baldaquin, et des angelots veillaient sur la petite forme recroquevillée de Liesl, en chemise de nuit rose, serrant dans ses bras un vieil ours en peluche.

Megan fut submergée par une bouffée de souvenirs qui lui remontaient de sa plus tendre enfance. Elle aussi se pelotonnait avec sa poupée quand, réfugiée dans sa chambre, elle essayait de ne pas entendre les cris de ses parents qui se disputaient en bas. Elle avait accepté leur mésentente comme une fatalité, mais s'était longtemps crue responsable de l'échec de leur mariage...

Elle avança vers la fillette.

— Liesl... est-ce que je peux t'aider ?

L'enfant leva les yeux, secoua la tête puis se tourna vers la fenêtre. Avec un soupir, la jeune femme s'assit sur le lit, à côté d'elle.

— Liesl, cet après-midi tu m'as dit que tu avais envie de parler avec moi. Je suis là.

La fillette ne répondit pas, mais posa sur Megan un regard bleu, comme celui de Kurt.

— Tu sais, les adultes sont souvent très bêtes. Ils crient et s'insultent avec des mots affreux, et comme personne n'est là pour les corriger, ils s'emballent, ne savent plus s'arrêter. C'est ce qui s'est passé ce soir. Tout le monde a dit des choses horribles. Mais demain sera un meilleur jour. Tu comprends ?

Liesl haussa les épaules et renifla.

— Ici c'est toujours comme ça, bredouilla-t-elle.

— C'est-à-dire ?

— A chaque fois qu'on vient au Schloss, il y a des disputes terribles. *Vati* et Tante Gaby se fâchent souvent, et Tante Gaby crie sur Adelaïde, et même sur moi, quelquefois, comme le jour où j'ai voulu accrocher dans ma chambre les posters que j'avais eus avec mon disque.

— Ecoute, elle a un peu raison : des posters seraient déplacés, ici. Tu ne trouves pas ?

— Adelaïde a des affiches de vieux films dans sa chambre. Tante Gaby le lui a interdit, mais elle l'a fait quand même. Moi je n'ai pas le droit, parce que mon père m'a dit qu'ici on était chez Tante, et que je ne devais pas l'oublier. Je déteste venir ici l'été ! Je préférerais rester à Vienne.

— Mais l'air de la campagne te fait du bien...

— Il n'y a rien à faire ici, je m'ennuie, sauf quand je monte à cheval. A la maison, je peux voir mes amis et prendre mes leçons de piano...

— Tu n'as pas d'amis ici ? J'ai cru que ton père te parlait d'une fête qui allait être donnée pour toi.

Liesl regarda Megan d'un air de dire « Les adultes ne comprennent vraiment rien à rien ». D'un ton boudeur, elle expliqua :

— Ils disent ça simplement parce que ça tombe le jour de ma fête, et encore c'est seulement parce que je porte le nom de ma mère. En fait c'est un bal de charité qu'ils organisent chaque année au profit de la clinique que mon père et mon grand-père ont construite après la mort de ma mère.

D'une voix tremblante, elle ajouta :

— Elle est morte ici. Je m'en rappelle encore, même si tout le monde croit que j'étais trop petite. Il y avait des gens qui couraient partout, et qui criaient, et puis après il y avait des bougies très hautes, et *Vati* pleurait.

Le cœur de Megan se serra. Kurt von Kleist, pleurer... Il avait dû follement aimer sa femme...

— Tu te rappelles ta maman ?

— Pas vraiment... Mais *Vati* a sa photo sur son bureau, à la maison. Elle était anglaise, et il paraît que je lui ressemble. Elle avait aussi des cheveux blonds.

— Alors elle devait être très belle, murmura la jeune femme en souriant tendrement.

Le visage menu de Liesl s'éclaira, et elle se blottit contre Megan, qui la prit dans ses bras.

— Pour tes leçons de piano, écoute : je ne sais pas si je resterai ici très longtemps, mais pendant mon séjour, je pourrai te faire travailler, si tu veux. Cela te ferait plaisir ?

— Oh oui !

— Et toi, en échange, tu me donneras des leçons d'allemand, d'accord? Bon, maintenant, montre-moi un peu ce que tu as appris.

Liesl écarta les doigts et pianota sur un instrument imaginaire.

— J'ai de trop petites mains! se plaignit-elle avec découragement lorsqu'elle se rappela qu'elle n'avait qu'un faible écartement sur les touches.

— Ne t'inquiète pas, elles vont grandir. Regarde, tes doigts sont déjà presque aussi longs que les miens. Moi je peux à peine couvrir une octave, mais toi tu y arriveras : tu deviendras une très bonne pianiste. Regarde, voilà un exercice qui t'aidera...

Elles continuèrent à parler musique. De temps en temps, Megan mettait son allemand à l'épreuve, et Liesl corrigeait sa prononciation en se moquant gentiment d'elle. Elles riaient ensemble lorsque Kurt passa dans le couloir et s'arrêta devant la chambre pour allumer une cigarette. La porte était restée ouverte, mais elles ne le virent pas. Le visage impassible il les regarda longuement, puis s'éloigna sans un bruit.

4

MEGAN se redressa dans son grand lit à baldaquin, les genoux repliés, puis écarta le ridcau vieux rose qui la protégeait de la lumière du jour. La matinée devait être déjà bien avancée. Le vent était tombé, de lourds nuages gris roulaient dans le ciel triste et pesant, et une douce pluie tambourinait sur les vitres de la porte-fenêtre. Quelle horrible nuit... Elle avait mal dormi, d'un sommeil agité, troublé par cet affreux cauchemar qui la hantait. Ce rêve récurrent, où prédominaient les sons — sans doute à cause de sa formation musicale — la laissait toujours épuisée et abattue.

Il commençait invariablement par une simple mélodie jouée au piano, puis reprise par le violon. Mais au moment où les deux phrases musicales se fondaient l'une dans l'autre, amoureusement, l'harmonie naissante était déchirée par le rire rauque et cynique d'une femme, tandis qu'une voix masculine, empreinte d'un léger accent étranger, disait : « Tu es ma femme. Tu ne me quitteras jamais! » Une autre voix, la sienne, s'élevait alors, enfantine, implorante. Les cris de détresse, les appels au secours, les menaces, s'amplifiaient ensuite et culminaient dans une insupportable cacophonie. Puis il y avait un crissement de pneus sur une chaussée humide, un grincement métallique, des éclats de verre brisé, et enfin une formidable explosion...

La jeune femme enfouit son visage entre ses mains tremblantes. Pendant longtemps, après la mort d'Erich, elle avait eu peur de dormir, peur de retrouver ces rêves qui l'anéantissaient, la tourmentaient sans cesse. Elle se croyait incapable de refaire sa vie. Elle arpentait son minuscule appartement, cherchant le repos, oubliant de se nourrir régulièrement, prisonnière de ses quatre murs et de ses souvenirs. Et puis Dorothy Butler, sa voisine, l'avait prise sous son aile. Elle s'était occupée d'elle, lui avait trouvé cet emploi de pianiste dans le bar où elle travaillait. C'était elle qui avait emmené Megan en catastrophe à l'hôpital, le soir où la jeune femme avait fait sa fausse couche alors qu'elle ne se savait même pas enceinte... Et elle ne l'avait pas questionnée. Son amitié était entière, sans faille.

Peu à peu, avec l'aide de cette amie, la jeune femme avait repris goût à la vie. Ses cauchemars s'étaient espacés, ses angoisses estompées. Et il avait suffi de ce voyage en Autriche pour que toutes ses peurs lui reviennent! Pourquoi? Pourquoi s'était-elle laissé troubler par cet arrogant aristocrate qui lui faisait tellement penser à Erich?

Qu'y avait-il de si irrésistible dans ses traits, dans sa façon d'être? Etaient-ce uniquement certaines caractéristiques physiques qui l'émouvaient à ce point? Une découpe de visage, un corps élancé, musclé... Elle avait éprouvé un coup de foudre pour Erich, or son frère était encore plus séduisant que lui! Mais l'idée de revivre avec Kurt une expérience aussi désastreuse que la première effrayait Megan. Il existait pourtant entre eux une attirance physique indéniable. Il s'était montré à peine poli avec elle au moment de leur rencontre, et le soir même, il lui faisait des avances non déguisées auxquelles elle avait répondu comme une écolière qui sort d'un couvent, affamée d'amour...

Après tout, c'était peut-être uniquement cela : une faim intense de rapports physiques, un besoin naturel. A vingt-trois ans, elle n'avait jamais connu l'épanouissement sexuel. Erich l'avait cruellement négligée, malgré le désir qu'elle avait de lui ; par la suite, des hommes l'avaient approchée, courtisée, mais elle se sentait trop égratignée par la vie pour risquer de se brûler les ailes. Mais maintenant qu'elle vivait mieux dans son corps, l'esprit plus ou moins en paix, elle sentait se ranimer en elle des désirs trop longtemps refoulés et insatisfaits.

En fait, elle avait besoin de trouver un amant. C'était aussi simple que cela. Sans doute rencontrerait-elle bientôt un homme relativement plaisant et intelligent, qu'elle pourrait inviter à partager sa couche... Elle n'avait pas d'exigences particulières, sauf une : ce ne serait pas un von Kleist.

Megan s'habilla rapidement : un pantalon et une tunique rose indien, avec un foulard assorti dans les cheveux. Liesl l'attendait dans la grande salle à manger où ils avaient dîné la veille, pour la guider jusqu'à une pièce plus modeste où était habituellement servi le petit déjeuner. Aujourd'hui encore, la fillette portait un jean et un tee-shirt.

Elle prit sa respiration avant de rapporter à la jeune femme le message que son père l'avait chargée de transmettre.

— *Vati* s'excuse, mais il avait un tableau à emballer avant de partir pour Vienne demain, c'est pour cela qu'il n'est pas là. Tante Gaby et Adelaïde sont au salon, elles discutent des préparatifs du bal.

Puis elle prit sur un plateau une cafetière en

argent et demanda avec tout le sérieux d'une hôtesse
en herbe :

— Comment aimez-vous votre café ? Avec beaucoup de lait, ou noir ?

Megan eut un rire léger, cristallin.

— Je vais le préparer moi-même, je te remercie.

Pendant qu'elle se servait, la petite fille prit un
pain au chocolat dans une corbeille et s'assit à la
place qu'elle avait quittée pour aller à la rencontre
de l'Américaine.

— Je suis désolée d'avoir dormi si tard, dit la
jeune femme en s'asseyant à côté d'elle. Tu es
gentille de m'avoir attendue pour manger ; j'espère
que cela ne t'a pas empêchée de vaquer à tes
occupations ?

— Oh, j'aurais bien aimé sortir mon cheval, mais
il faut... Dites, vous pourrez me donner une leçon
de piano, comme promis ?

— Bien sûr, ma chérie, si personne n'y voit
d'inconvénient.

Megan se prit soudain à penser qu'elle ignorait ce
que les von Kleist attendaient d'elle en tant qu'invitée.. Si elle avait carte blanche, le salon de musique
était assurément la pièce où elle préférerait passer le
plus clair de son temps... Elle s'y rendit après le petit
déjeuner, en compagnie de sa jeune amie. Le vieux
piano trônait dans son décor fantomatique, aussi
impressionnant que la veille. Megan approcha un
tabouret du clavier, tandis que Liesl prenait place
sur la banquette rembourrée.

— Allez, Liesl, joue-moi quelque chose que tu
connais.

La fillette passa un bon moment à installer sa
partition à la bonne hauteur, puis elle poussa un gros
soupir et se mit à jouer « Das Mädchen und Sein
Hund » avec application... mais le résultat n'était
pas convaincant. Le piano avait pourtant un son

merveilleux. A chaque fausse note, Liesl glissait en direction de la pianiste un regard furtif, honteuse de la médiocrité de sa performance.

Touchée par la nervosité de l'enfant, Megan s'efforça de la mettre à l'aise.

— Recommence, si tu veux. Prends ton temps.

Au bout de quelques secondes, Liesl écrasa ses petits poings sur les touches, furieuse et frustrée.

— Attention, tu vas désaccorder les notes! protesta instinctivement la jeune femme.

— Je déteste ce morceau! Il m'ennuie à mourir!

— Il n'est pas très stimulant, je te le concède... Tu n'as pas d'autres partitions?

— Non, je les ai laissées à la maison.

— Il doit bien y en avoir ici... murmura Megan en promenant son regard dans la pièce.

— On pourrait chercher dans les placards!

Liesl quitta son siège, ouvrit quelques placards dérobés.

— Rien... Là non plus. Non, ça c'est l'endroit où est installée la chaîne stéréo. Ah, peut-être dans ce meuble! Tante Megan, venez m'aider, je n'arrive pas à l'ouvrir.

La jeune femme s'approcha, tira sur la poignée. Le meuble devait être fermé à clef. Un bruit de pas derrière elle l'avertit de l'arrivée de Kurt.

— Puis-je vous aider? demanda-t-il tranquillement.

Stupidement, elle se sentit prise en faute. Elle se tourna vers lui, rougissante, et retint son souffle en le voyant. Il portait un pantalon de velours noir et une chemise d'un bleu sombre, ouverte au col.

— Je... je ne fouillais pas, nous cherchions simplement des partitions car Liesl a oublié les siennes...

— Pourquoi ne m'as-tu pas demandé de te les

ramener, *Liebchen*, puisque je vais à Vienne?
interrogea-t-il en regardant sa fille.

— Je n'y ai pas pensé...

— Quel genre de musique cherchez-vous?

— Oh, des pièces d'exercices classiques, du genre
« Le joyeux fermier »... Le morceau sur lequel
travaille Liesl n'est pas très inspirant.

Kurt hocha la tête en souriant.

— Je crois avoir ce qu'il vous faut.

Il sortit de sa poche un trousseau de clefs, en
introduisit une dans la serrure du petit meuble qui
s'ouvrit sans difficulté. Une caractéristique odeur de
vieux papiers s'en échappa. Sur l'étagère du haut,
Kurt prit une pile de chemises jaunies dont Liesl
s'empara avec ravissement. Mais le premier feuillet
qu'elle saisit se déchira entre ses petits doigts
impatients.

— Attention, ces partitions sont très anciennes,
ma chérie. Voilà, je crois que vous trouverez ce que
vous cherchez...

Megan n'écoutait plus, hypnotisée par ce qu'elle
avait sous les yeux. Dans le bas du meuble, cet étui à
violon en cuir noir, patiné par les ans... Elle ne
pouvait pas se tromper, et aurait reconnu entre mille
le précieux instrument qui deux ans durant avait
accompagné sa vie, objet de toutes les sollicitudes
auxquelles elle n'avait jamais eu droit.

— C'est... balbutia-t-elle, submergée par une
indicible émotion.

— Oui, fit Kurt d'un ton sec.

— Mais comment est-il arrivé ici? Je l'avais
donné à...

— Qu'est-ce que c'est, *Vati*? intervint Liesl avec
curiosité, oubliant momentanément ses trésors. Je
peux voir?

Son père sortit l'étui avec précaution, le porta sur
la banquette du piano et l'ouvrit.

— Ce violon appartenait à ton oncle Erich, le mari de Megan.

Dans une sorte de transe, Megan avait les yeux rivés sur le foulard de soie blanche qui protégeait l'instrument. Erich lui avait appris à chérir ce violon comme une relique ; c'était elle qui l'entretenait, le manipulait avec une adoration maniaque. Doucement, presque sensuellement, Kurt écarta le foulard et découvrit le Guarneri qu'il tendit à Megan. Liesl, sa curiosité satisfaite, était retournée à ses partitions.

La jeune femme caressa avec un infini respect le bois verni dont elle connaissait les moindres veinures.

— Est-ce que quelqu'un en joue, ici ? demanda-t-elle.

— Non. Dommage.

Avec un soupir, Kurt replaça le violon dans son étui, puis rangea le tout dans le meuble.

Après s'être assurée que Liesl n'écoutait pas, Megan s'enquit à voix basse :

— Comment êtes-vous entré en possession de ce violon ? Je l'avais donné à Herschel Evans.

— C'est lui qui me l'a vendu. Il savait que c'était un héritage de famille, et que j'aimerais le récupérer. Pourquoi n'avoir pas fait appel à moi, Megan, si vous aviez besoin d'argent ?

— Mais je ne l'ai pas vendu à Herschel ! Je le lui ai *donné,* car j'ignorais que votre famille y tenait. Erich m'avait dit que votre père le lui avait offert. A sa mort, il devait des sommes considérables à Herschel, alors j'ai pensé que ce violon réglerait ses dettes.

— Vous deviez pourtant savoir que le prix d'un aussi bel instrument excédait de loin ce que mon frère devait à son impresario, non ?

Elle se raidit, blessée.

— Vous devez très bien connaître Herschel pour avoir découvert combien d'argent lui devait Erich! observa-t-elle d'un ton mordant.

— Détrompez-vous, je connais à peine Evans. Nous nous étions simplement donné rendez-vous lors de son dernier voyage en Europe. Il s'est conduit avec moi de manière tout à fait correcte : en échange du violon, il m'a seulement demandé le montant des dépenses qu'il avait engagées pour la carrière d'Erich. Il a ajouté que rien ne pourrait le dédommager de la perte de son protégé, ni du temps et de l'amitié qu'il lui avait consacrés.

— L'amitié! ironisa la jeune femme avec amertume.

— Evans était sincère. Je crois qu'il aimait vraiment Erich; il m'a parlé de lui avec beaucoup d'affection. J'ai cru comprendre, en revanche, qu'il vous en voulait énormément.

— Je suis au courant, merci, grinça Megan. Grâce aux bons offices de cette chère Lavinia, Herschel m'a tenue personnellement responsable de la mort d'Erich.

— Que s'est-il passé exactement, cette nuit-là? Evans ne m'a donné aucun détail, et la lettre que vous m'avez envoyée mentionnait simplement un accident de la route.

— Je suis navrée d'avoir été si froide et si laconique dans cette lettre. Je ne vous connaissais pas, il m'était difficile de vous écrire. Je ne savais même pas si vous compreniez l'anglais...

— Je ne vous reproche rien, précisa Kurt d'une voix douce. J'aimerais seulement entendre votre version de l'accident.

« Je ne peux pas *tout* lui raconter », songea-t-elle, prise de panique et de dégoût. Elle laissa échapper un soupir qui ressemblait à un sanglot, puis se dirigea vers la fenêtre, d'où elle regarda tomber la pluie à travers les carreaux. Kurt l'avait rejointe, et se tenait à ses côtés, légèrement en retrait ; elle sentait sur ses cheveux son souffle tiède et léger.

— Il pleuvait, justement, cette nuit-là... commença-t-elle d'une voix qui semblait venir de très loin. J'étais en route vers l'aéroport Kennedy, de New York. Je comptais prendre l'avion pour Los Angeles. J'avais décidé de quitter Erich parce que la situation était devenue... intolérable. Erich et Lavinia ont voulu me rattraper et m'ont suivie, en voiture. C'était lui qui conduisait. La route était glissante, et il avait beaucoup bu... le saviez-vous ?

— Non. Evans ne me l'a pas dit.

— Peut-être l'ignorait-il. Erich buvait rarement : il préférait à l'alcool les sensations que lui procurait la musique. Mais ce soir-là, malheureusement, il était complètement ivre...

Elle réprima un frisson avant de reprendre :

— La voiture a dérapé, Erich a perdu le contrôle et s'est écrasé sur un pylône. Il a été tué sur le coup. Lavinia était gravement blessée, mais elle s'en est sortie. Après ça, elle pouvait difficilement expliquer à son mari qu'elle et Erich avaient tenté de me retenir pour que je ne dise rien à Evans de leur liaison... Alors elle a monté de toutes pièces une histoire abracadabrante, comme quoi j'avais quitté Erich pour m'enfuir avec mon amant ! Herschel l'a crue.

Le regard de Megan s'embruma.

— Avant, nous étions amis, lui et moi. Le jour de l'enterrement, il ne m'a même pas adressé la parole.

Kurt la dévisagea avec intensité.

— Ainsi vous étiez veuve, sans amis et sans argent ?

Prise d'un regain de fierté, la jeune femme déclara :

— Je ne vais pas vous faire le coup de la petite

marchande d'allumettes ! J'étais... démunie, c'est vrai, mais ce n'était pas catastrophique. On s'en sort toujours, vous savez. Et même si Erich avait survécu, je n'aurais pas accepté un sou de lui, sauf...

Elle se mordit la lèvre et fit mine de contempler avec intérêt les bouleaux qui ondoyaient sous la pluie.

— Sauf ?

— Oh, rien... J'ai fait une fausse couche deux mois après la mort d'Erich. Si je n'avais pas perdu cet enfant, j'aurais peut-être eu besoin d'être aidée matériellement, au moins au début.

Kurt était devenu très pâle.

— C'était l'enfant d'Erich ? murmura-t-il.

— Bien sûr !

Il écarta de la main la mèche qui lui balayait le front, d'un geste las.

— Pardonnez-moi, articula-t-il avec difficulté. Je ne savais pas. D'après ce que vous m'avez dit, j'avais cru comprendre que... Enfin, je pensais que vous aviez cessé tout rapport.

— Il y a beaucoup de choses que vous ignorez, soupira-t-elle.

Vers midi, il y eut une éclaircie. La pluie s'était arrêtée. Pendant le déjeuner, Kurt proposa à Megan et Liesl de les emmener faire une promenade dans l'après-midi ; il invita Gabrielle et Adelaïde à se joindre à eux, mais Gabrielle déclina son offre : elle attendait un coup de fil de Salzbourg concernant l'orchestre qu'elle avait engagé pour le bal et tenait à avoir sa fille adoptive sous la main afin de superviser le travail des femmes de ménage. L'adolescente, renfrognée, sa plia à sa volonté.

Megan appréhendait le moment de revoir son hôtesse, mais curieusement, l'Autrichienne déploya à son égard des trésors d'amabilité. Elle s'était métamorphosée : plus rien en elle ne rappelait la virago de la veille. A la fin du repas, Kurt se retira dans son bureau et Gabrielle fit visiter le manoir à Megan. Adelaïde, toujours maussade, les suivit docilement, tandis que sa mère d'adoption expliquait avec passion ses projets de décoration. Pour chaque pièce elle avait une idée précise de ce qu'elle voulait faire. C'était sa vie.

— Voyez-vous, soupira-t-elle, les von Kleist ont été obligés de vendre une grande partie de leur mobilier pendant la première guerre mondiale, et le château n'a pas été entretenu pendant de nombreuses années. Mais tout cela, c'est du passé. Je suis fermement décidée à restituer toute sa splendeur au Schloss von Kleist !

— C'est une tâche de titan, observa timidement l'Américaine.

— Oui, mais je ne suis pas seule. Kurt me donne des conseils sur les tableaux et les pièces d'antiquité, et Adelaïde m'aide beaucoup, elle aussi. Elle suit des cours de décoration intérieure et d'histoire à l'université, vous savez, afin de mieux mesurer la tâche que nous avons entreprise.

Megan regarda Adelaïde à la dérobée. L'adolescente gardait la tête obstinément baissée. « Que vient faire le mirage hollywoodien dans ces sages études de fille de bonne famille ? » se demanda-t-elle, intriguée. Adelaïde releva brusquement la tête ; sous la frange souple, ses yeux noisette étaient inexpressifs.

Les trois femmes continuèrent le tour du propriétaire. Gabrielle abreuvait son invitée de détails sur l'architecture et la décoration ; de temps en temps, elle faisait appel à Adelaïde pour rafraîchir ses connaissances, ou ajouter une précision. Les réponses de la jeune fille étaient précises, automatiques, comme le commentaire que débitent les guides touristiques.

— Le Schloss n'est pas très ancien, remarqua Gabrielle. Les premières fondations datent de seize cent soixante. Je sais, pour vous, Américains, cela semble très vieux... Mais la caractéristique la plus remarquable de ce château est qu'il est demeuré intact au cours des siècles, et que ses terres n'ont pas été amputées. Pas un seul hectare de la propriété n'a été cédé à des tiers !

La voix de l'Autrichienne était devenue stridente, curieusement haut perchée. Elle mettait dans son discours une flamme, une emphase presque gênantes.

« Mais je fais partie de la famille » songea Megan, qui commençait à avoir une vague idée de ce qui avait pu pousser les von Kleist à la faire venir en Autriche. Un morcellement de la propriété devait paraître inconcevable aux yeux de Gabrielle...

— Il revient désormais à Kurt de préserver cet héritage, poursuivit cette dernière. Et croyez-moi, il est conscient de ses devoirs et de la valeur de son patrimoine !

Elles étaient arrivées dans la galerie de portraits des ancêtres lorsqu'Adelaïde pria sa mère adoptive de l'excuser. Celle-ci la regarda s'éloigner avec un tendre sourire, plein d'indulgence.

— Chère petite Adelaïde... murmura-t-elle. Elle a remplacé le fils que je n'ai pu donner à Willi. Au début, ce n'était pas facile pour nous d'élever cette enfant, puis nous nous sommes rapprochées à la mort de mon mari. Je crois avoir réussi à lui ôter de la tête les illusions et les rêves absurdes qu'elle nourrissait. Elle poursuit maintenant ses études avec succès, et semble s'être assagie. Bien sûr, ce n'est pas une von Kleist, mais elle fait preuve de beaucoup de bonne volonté et je crois qu'elle a... la vocation.

Le regard de Gabrielle luisait d'un éclat fanatique, presque inquiétant. Megan tressaillit. Mais l'Autrichienne sortit bientôt de sa rêverie pour commenter au fur et à mesure chacun des tableaux qui formaient l'impressionnante galerie de portraits. La plupart étaient craquelés par les ans, d'autres avaient été restaurés. Ce qui fascina l'Américaine, c'était l'extraordinaire ressemblance qu'elle retrouvait dans tous ces visages dont la vie s'était depuis longtemps éteinte. Même Erich, fils naturel d'une humble roturière, avait hérité de ces traits aristocratiques, de ce physique si particulier. Megan se demanda avec un petit sourire irrévérencieux combien de paysannes avaient mis au monde des enfants portant cette marque distinctive...

Gabrielle s'attarda plus longtemps devant un tableau à côté duquel avait été placée une petite vitrine. Ce portrait était celui d'une femme austère, aux cheveux blancs et à l'air sévère.

— Voici Marthe von Kleist, une beauté dans sa jeunesse ! Son époux s'est battu deux fois en duel, pour ses beaux yeux. Ces pistolets, dans la vitrine, commémorent les combats qu'il a livrés pour gagner son amour.

Amusée, Megan voulut soulever le couvercle de la vitrine pour mieux contempler les deux pistolets incrustés d'or et d'argent, avec leur crosse en chêne.

— N'y touchez pas ! s'écria Gabrielle. Ils sont chargés. Wilhelm collectionnait les armes à feu, et toutes celles qui se trouvent dans la maison sont en état de fonctionner.

Elle attira l'attention de son invitée sur un tableau relativement moderne, la pièce la plus récente dans cette galerie de portraits. Le peintre y avait représenté avec une étonnante sensibilité trois adoles-

cents : un garçon et une fille d'environ dix-sept ans,
et un autre garçon, beaucoup plus jeune. Le premier
couvait son amie d'un air protecteur ; il avait des
boucles blondes, des yeux noisette, très doux.

— Voici Willi, mon époux... Là, c'est moi, et
Kurt, ici... Wilhelm n'a pas eu le temps de faire
peindre son portrait, alors nous avons accroché ce
tableau à sa mémoire, pour qu'il figure parmi ses
ancêtres.

Avec émotion, Megan discerna sous les traits
encore enfantins des trois adolescents, le visage des
adultes qu'ils étaient devenus.

— Vous étiez très jeune à l'époque où ce tableau
a été peint, observa-t-elle. A quel âge vous êtes-vous
mariée ?

— Oh, ce tableau date de plusieurs années avant
mon mariage. Wilhelm, Kurt et moi avons grandi
ensemble. J'ai vécu ici depuis l'âge de sept ans. Ma
mère était la cousine germaine de Horst von Kleist,
le père de Willi et de Kurt. Mes parents habitaient
une très belle demeure à Vienne ; je me rappelle y
avoir été très heureuse... Il y avait beaucoup de
gaieté, des lumières... Puis la guerre est venue. Mon
père a été mobilisé. Il a été tué au front, en Pologne.
Pendant les bombardements aériens, notre maison a
été complètement détruite, réduite en cendres.
Alors ma mère a décidé de venir se réfugier chez son
cousin. Nous n'avions plus d'argent, et il nous a fallu
venir à pied jusqu'ici.

— Vous avez *marché* depuis Vienne ? s'exclama
la jeune femme.

— Nous n'avions pas le choix, il nous fallait
survivre. Les Russes arrivaient, et mieux valait ne
pas se trouver sur leur passage... Quand nous
sommes entrées au Tyrol, c'était la saison des perce-
neige ; les edelweiss commençaient à fleurir, je me
souviens. L'air était si bon, si doux, après les longs

mois d'hiver... Du haut de la colline, nous avons découvert ce magnifique château. Ma mère était malade, épuisée, mourante, et elle m'a dit : « Voici ta nouvelle maison, Gaby. » Une maison intacte, épargnée par la guerre, sauvée de la destruction : les grilles dorées symbolisaient pour moi les portes du paradis.

Gabrielle se tut, un sourire aigu, indéfinissable, se dessina sur ses lèvres peintes. D'une voix calme, elle ajouta :

— Voilà pourquoi je ne laisserai pas une petite Américaine morceler le Schloss von Kleist. Souvenez-vous-en.

Kurt arrêta la camionnette sur une colline qui dominait une verte prairie ; pour compléter ce paysage idyllique, un petit lac d'un bleu d'azur s'ouvrait au fond du pré. Aidée de son père, Liesl fit descendre sa pouliche baie du fourgon, puis sauta en selle et galopa à travers champs, ses longs cheveux blonds flottant au vent. Megan avança lentement dans les hautes herbes encore mouillées de pluie ; ses sandales et l'ourlet de son pantalon furent bientôt tout humides. Le soleil était chaud, la brise charriait des senteurs de fleurs sauvages. Kurt avait suivi la jeune femme et la rejoignit lorsqu'elle s'arrêta pour cueillir une fleur bleue à peine éclose, à moitié cachée dans l'herbe. Quand elle se redressa, il l'observait en souriant.

— Trouve-t-on encore des edelweiss en cette saison ?

— Des edelweiss ? Non, ils ne poussent qu'au printemps ! Pourquoi ?

— Simple curiosité... Pour moi, l'Autriche est un champ d'edelweiss où des enfants en culottes de peau chantent des tyroliennes ! Les Américains sont terriblement primaires, vous savez...

Kurt se mit à rire, un rire clair et franc, complètement libéré. Lui qui d'ordinaire semblait si sec, si
hautain… Ses yeux bleus pétillaient de malice quand
il demanda :

— Hormis ces désillusions, que pensez-vous de
mon pays ?

— Je n'ai jamais vu une nature si belle… Je
comprends où les peintres des fresques prenaient
leur inspiration pour les scènes bucoliques ! Chez
moi, la nature n'existe plus à l'état sauvage ; à Los
Angeles, tout est domestiqué ! L'air y est irrespirable, et la rivière de Los Angeles n'est qu'un fossé en
béton qui sert maintenant de cimetière de voitures.
Mais on s'y fait… Par contre, je m'imagine mal
vivant dans un cadre aussi sain et aussi grandiose !
Est-ce que vous vous habituez à tant de beauté, ou
êtes-vous encore capable de vous émerveiller ?

— A chaque fois que je contemple ces montagnes, ces prairies, ce lac, je suis émerveillé. Je ne
pense pas devenir blasé, ni m'en lasser. J'aime cette
terre. Où que j'aille, je suis rassuré par l'existence
même de ce domaine, sa pérennité… Je ne m'attendais pas, en revanche, à devenir un jour responsable
de sa sauvegarde, et je vous avoue que je trouve
cette charge un peu lourde. Mais puisqu'elle m'est
échue !

— Gabrielle m'a dit que vous étiez conscient de
ce devoir, et de la valeur de votre patrimoine.

— Bien sûr ! Comment faire autrement sans trahir la mémoire de mes ancêtres qui se sont battus au
cours des siècles pour le préserver ? Il m'arrive
parfois de me demander s'il est juste qu'une famille
occupe à elle seule un si vaste domaine, et pourtant
je ne me sens pas le droit de disposer librement de
ces terres, ni de priver mes descendants de cette
jouissance…

Il regarda Liesl qui galopait le long du lac, et ajouta avec un sourire ironique :

— Je me demande toutefois si la race des von Kleist n'est pas une espèce en voie d'extinction ! Liesl est l'unique héritière de la famille, et sur ses frêles épaules pèse un bien lourd fardeau ! Ce serait un juste retour des choses si elle décidait de prendre le voile.

— Mais vous êtes encore jeune, protesta Megan ; vous pourriez vous remarier, avoir d'autres enfants !

— Peut-être, fit-il d'un ton laconique.

Son front se rembrunit ; il se détourna pour allumer une cigarette. Après en avoir fumé quelques bouffées, il l'écrasa dans l'herbe humide.

— Ceci m'amène à la raison pour laquelle je vous ai demandé de venir en Autriche, Megan. Cette prairie, qui va du lac, là-bas, jusqu'à la colline, est désormais la vôtre.

La jeune femme eut l'impression que son cœur s'arrêtait de battre.

— Vous plaisantez, articula-t-elle dans un souffle.

— Non, malheureusement.

Comme elle rougissait violemment, il s'empressa d'ajouter :

— Ne vous méprenez pas, je ne regrette pas du tout que vous soyez venue : j'aurais d'ailleurs dû vous inviter plus tôt. C'est seulement que toute cette affaire est assez embrouillée et risque de se compliquer davantage pour des raisons de titres de propriété. Depuis plus de deux ans, je m'efforce de clarifier la situation, non sans mal.

Il chercha machinalement son porte-cigarettes ; mais quand il vit Megan regarder le mégot mal éteint qui brûlait encore à ses pieds, il remit l'étui dans sa poche.

— En bref, la situation est la suivante : sur ses vieux jours, mon père s'est apparemment repenti d'avoir négligé son plus jeune fils. Il a fini par comprendre que tout ce qu'il avait donné à Erich — le nom des von Kleist, une excellente formation musicale, le Guarneri — ne pourrait jamais compenser l'abandon dans lequel il l'avait laissé pendant les quatorze premières années de sa vie. Il s'est dit également qu'à sa mort, Wilhelm, qui avait toujours considéré Erich comme un intrus, refuserait d'accepter son demi-frère comme partie intégrante de la famille et ne lui donnerait rien. Par conséquent, il a fait ce qui ne s'était jamais vu de mémoire de von Kleist : au lieu de léguer la totalité des terres à son fils aîné, il a décidé de donner cette prairie à Erich. Personne ne le savait, sauf naturellement le notaire chargé de rédiger le testament. On ne pouvait pas prévoir que mon père et Wilhelm allaient mourir le même jour... Après avoir pris connaissance du legs, j'ai immédiatement écrit à Erich aux Etats-Unis, mais il n'a jamais répondu à ma lettre. Je ne sais même pas s'il l'a reçue.

— Si, il l'a bien reçue. C'est en retrouvant l'enveloppe, après la mort d'Erich, que j'ai su où vous écrire.

— Et vous n'avez pas lu la lettre ?

— Je n'aurais pas pu la déchiffrer : je ne comprends pas l'allemand.

— C'est vrai...

Kurt se passa une main sur le front puis regarda Megan d'un air pensif.

— Vous voyez à présent où je veux en venir, n'est-ce pas ? demanda-t-il.

— Je comprends seulement que puisque je suis la veuve d'Erich, j'hérite de sa propriété, c'est bien cela ?

— En effet. Mais il y a ces complications dont je vous parlais. Comme vous n'avez pas la nationalité autrichienne, il existe certaines restrictions concernant ce dont vous êtes en droit d'hériter. Le fait qu'Erich soit mort aux Etats-Unis ne fait que compliquer les choses : j'ignore encore si c'est la loi autrichienne ou américaine qui doit s'appliquer à son décès. D'après mes avocats, la meilleure façon de procéder est la suivante : vous signez un document officiel par lequel vous renoncez à cet héritage — moyennant bien sûr une compensation financière — et vous laissez à mes avocats le soin de clarifier la situation, ce qui peut prendre plusieurs années.

Après avoir longuement étudié l'expression de Kurt, la jeune femme conclut avec hésitation :

— Je ne sais que vous répondre. Erich ne m'avait pas dit… Je n'avais jamais rêvé de…

— Ce n'est pas un rêve. Le montant compensatoire auquel nous sommes arrivés est équitable, à mon avis, et tient compte du prix actuel du terrain ainsi que des taux de change en vigueur.

Prise d'un léger vertige, Megan sentit ses jambes se dérober sous elle et se laissa tomber sur l'herbe.

— Mon Dieu…

Kurt s'agenouilla auprès d'elle.

— Je suis désolé, dit-il en riant, j'aurais dû vous annoncer la nouvelle quand nous étions encore dans la voiture, et assis ! Votre pantalon va être trempé.

Il lui tendit une main pour l'aider à se relever, mais elle secoua la tête et resta assise malgré l'humidité du sol, le regard perdu dans le lointain.

— Non, ça va, je suis bien, murmura-t-elle. Donnez-moi le temps de me remettre, tout cela est si soudain !

— Bien. Je vous laisse y réfléchir.

Il s'éloigna à pas lents, marchant à la rencontre de Liesl. Les hautes herbes pliaient sous ses pas, laissant derrière lui une sorte de sillage d'un vert plus soutenu.

Megan le suivit du regard puis embrassa l'horizon.

Elle ne sentait pas l'humidité qui commençait à traverser le coton de son pantalon. Cette prairie de rêve lui appartenait ! Elle se laissa enivrer par les senteurs embaumées des fleurs sauvages... Dire qu'elle avait passé toute sa vie en appartement ou dans de petits pavillons entourés d'un jardinet de la taille d'un mouchoir de poche, avec en guise de verdure, un gazon rèche et jauni... Elle n'arrivait pas à y croire, c'était comme si des pulsions vitales, ataviques, renaissaient en elle. Megan Halliday, propriétaire terrienne ! Qui l'eût cru ? Elle aurait voulu sauter de joie, bondir très haut dans les airs, portée par une fabuleuse énergie, se rouler dans l'herbe pour sentir s'écraser sous elle cette terre fertile et riche !

Un rire sonore sortit de sa gorge ; dans son exubérance, elle fit une roulade arrière et resta allongée sur le dos, les yeux clos, afin de mieux savourer ce moment unique. Des brins d'herbe mouillée lui chatouillaient le cou, quelque chose de piquant transperça le tissu léger de sa tunique, mais elle n'en avait cure. Entre la terre et le ciel, offerte aux rayons du soleil, elle oublia tout et l'espace d'un instant, se fondit dans la nature, uniquement consciente de la force vitale qui animait l'univers. Pour la première fois, elle se sentait au cœur du monde. Son pouls battait doucement...

Une agréable léthargie l'envahit, la plongeant dans une chaleur somnolente dont elle ne sortit que lorsqu'une ombre se dressa entre le soleil et elle. Elle ouvrit les yeux et vit Kurt debout devant elle. Dans son regard elle reconnut une lueur de désir, crue, nue, sans fard. Elle lui offrait les mèches folles plaquées contre ses joues par la rosée, ses seins tendus sous la tunique froissée et mouillée, sa bouche pulpeuse légèrement entrouverte, ses jambes à demi pliées, ouvertes en une invitation

inconsciente. A contre-jour, le halo du soleil brûlant
auréolait les contours de la silhouette de Kurt,
soulignait le dessin de sa puissante musculature.
Qu'il était grand... Elle noya son regard dans le sien
et se surprit à songer : « J'ai envie de lui... » Une
chaleur fulgurante parcourut son corps, l'irradiant
tout entière ; son ventre était la source vive de cette
force vitale qui semblait lui être communiquée par la
terre elle-même. Ils se regardaient, et le monde se
réduisit pour eux à ce nimbe de lumière dorée,
palpitante, qui les unissait tout en les isolant de
l'extérieur.

Avec une infinie lenteur le bras de Kurt sortit du
soleil. Megan caressa du regard cette main tendue
avant d'y glisser ses doigts ; ce contact la fit tressail-
lir. Au moment où Kurt prenait appui sur une jambe
afin de l'aider à se relever, elle le sentit en équilibre
instable. Pendant une fraction de seconde elle aurait
pu profiter de son avantage pour l'attirer vers elle, le
faire tomber sur l'herbe accueillante. Elle ne le fit
pas. Mais il avait compris son hésitation, et il souriait
tranquillement.

A cet instant, Liesl revint vers eux au petit trot. Le
charme était brisé.

— Tante, vos vêtements sont tout fripés et mouil-
lés ! s'exclama la fillette tandis que Megan chassait
les brins d'herbe qui s'accrochaient à ses habits.
Pourquoi étiez-vous couchée par terre, sur le dos ?
Vous êtes tombée ?

— Megan voulait simplement contempler l'azur,
plaisanta son père.

— Pourquoi ? insista Liesl. Le ciel n'a rien de
particulier !

La jeune femme lança à Kurt un regard venimeux
et bredouilla :

— Pour moi, si. Dans mon pays, il a généralement une horrible couleur marron, à cause du smog.

L'enfant plissa le nez en signe de dégoût. Tout en finissant de brosser ses vêtements, Megan s'aperçut qu'elle avait vraiment le dos et les cuisses trempés ; l'élastique de son slip se dessinait avec une indécente netteté sous son pantalon rose, et il était visible qu'elle ne portait pas de soutien-gorge... Ces détails n'avaient pas échappé à Kurt. Le visage empourpré, elle se détourna afin d'échapper à son regard brûlant et moqueur.

— Tu en as une jolie pouliche, Liesl, commenta-t-elle d'un ton faussement dégagé. Comment s'appelle-t-elle ?

— Blitzen, ça veut dire Eclair, répondit la fillette en flattant l'encolure du gracieux animal. C'est parce qu'elle est née par une nuit d'orage.

Comme Megan tendait à son tour la main vers les naseaux soyeux du cheval, il hennit doucement et s'ébroua. La jeune femme s'écarta vivement.

— N'ayez pas peur, Tante Megan, elle ne vous fera pas mal. C'est simplement qu'elle ne vous connaît pas.

Avec patience, la fillette guida la main de Megan vers le flanc de la pouliche, et la jeune femme osa alors caresser le pelage brillant.

— As-tu assisté à la naissance de Blitzen ?

— Non, elle aurait dû naître à Pâques, pendant les vacances, mais elle est arrivée plus tôt, alors nous n'étions pas là. *Vati* m'avait pourtant promis !

— Personne n'est parfait, Liesl, murmura Kurt.

— Je sais, *Vati*. Et puis de toute façon, les Weber m'ont tout raconté.

— Les Weber ? questionna Megan.

— Oui, le chauffeur et sa famille, expliqua le père de la fillette. Ce sont eux qui s'occupent des chevaux en notre absence.

— En avez-vous beaucoup ?

— Non, plus maintenant. De l'écurie des von

Kleist il ne reste plus aujourd'hui que Blitzen et sa mère. Nous les gardons uniquement pour Liesl, car j'ai rarement le temps de monter, et Gabrielle n'aime pas l'équitation. Vous n'êtes pas familiarisée avec les chevaux, je présume ?

— Non, comme vous avez pu le constater !

— Et vous n'avez jamais eu envie de faire de l'équitation ?

— Jamais ! J'aurais trop peur de tomber !

— C'est vrai, vous êtes si menue, vous pourriez vous casser, observa Kurt avec un sourire plein de douceur.

En parlant, il tendit la main vers le visage de la jeune femme. Megan, gênée par la présence de Liesl, se rétracta vivement pour fuir cette caresse. Le sourire de Kurt s'évanouit aussitôt.

— Je voulais enlever ce brin d'herbe dans vos cheveux, fit-il d'un ton glacial.

D'un geste dédaigneux il chassa la brindille, puis se tourna vers sa fille et lui ordonna sèchement de faire monter le cheval à l'arrière de la camionnette. Megan était morte de confusion.

— Oh, *Vati,* protesta Liesl, il est trop tôt pour repartir !

— Tu pourras rester un peu chez les Weber, si tu veux, mais je dois rentrer au château. J'ai du travail.

Boudeuse, l'enfant s'exécuta de mauvaise grâce. Lorsque le cheval fut dans la camionnette, Megan s'arracha à regret à la contemplation de ce paysage grandiose pour s'installer dans la voiture.

— C'est si beau ! soupira-t-elle. Je n'ai aucune possibilité de garder cette prairie, je suppose ?

— Absolument aucune. Si vous êtes raisonnable, vous accepterez l'argent que nous vous proposons à titre de dédommagement.

— Bon... Avec ce capital je pourrai sans doute

reprendre mes études, passer le professorat et ouvrir ensuite une école de musique...

— Tout cela pour acquérir votre indépendance, je suppose ? railla Kurt.

— Au moins pour la préserver, oui. Il est satisfaisant pour moi de penser que je suis capable de subvenir à mes besoins.

— Il y a des maris, pour cela. Vous ne préféreriez pas vous faire entretenir ?

Elle le regarda avec curiosité, ne sachant comment interpréter cette question.

— Je ne pense pas me remarier un jour, décréta-t-elle tranquillement.

Kurt desserra le frein à main de la voiture.

— Je dois aller passer quelques jours à Vienne. Je partirai demain. J'en profiterai pour voir mes avocats et leur faire rédiger les papiers nécessaires.

Il n'ajouta rien pendant le reste du trajet.

Ce soir-là, au dîner, Megan portait une robe couleur ivoire, courte et sans manches, extrêmement légère. Elle s'était rendu compte, un peu tard, que le blanc accentuait les coups de soleil qu'elle avait pris sur la gorge et sur le nez. Tant pis ! Ses lourds cheveux de feu étaient ramassés en chignon, ce qui mettait en valeur sa nuque gracile et la finesse de ses oreilles, presque trop petites pour les anneaux d'or qu'elle portait pour toute parure.

Kurt attendait la jeune femme au pied de l'escalier et l'escorta au salon, où se trouvaient déjà Liesl, Gabrielle et sa fille. Adelaïde avait revêtu une longue robe verte très féminine et s'était maquillé les yeux ; ainsi parée, elle était tout à son avantage ; en la voyant, Megan songea que son physique lui serait d'un précieux atout si elle voulait faire carrière dans le cinéma.

Un verre à la main, Gabrielle darda sur son beau-frère scs yeux brûlants et demanda à mi-voix :

— Est-ce que tout est arrangé ?

— Oui, répondit Kurt sur le même ton. Megan s'est montrée extrêmement compréhensive.

L'Autrichienne scruta le visage de Megan puis lui sourit, ce qui était tout à fait inattendu. La jeune femme remarqua au passage sa dentition parfaite.

— Je suis ravie de vous voir si coopérative, susurra Gabrielle sans la quitter des yeux.

— Pourquoi en serait-il autrement ? Je comprends que vous ne souhaitiez pas vous séparer de cette prairie, et il cst évident que je ne peux pas me permettre de la garder, même si je le voulais.

Kurt s'était éloigné vers le bar afin de préparer deux cocktails. Quand il revint, Adelaïde s'était approchée de l'Américaine et l'observait avec acuité.

— Vous voulez parler de *la* prairie ? questionna-t-elle. Si je comprends bien, vous...

— Allons, ce n'est pas le moment de parler affaires, intervint son oncle en riant. Pas plus tard qu'hier, je m'efforçais de convaincre notre invitée que les Autrichiens ne parlent que de littérature et d'art !

Megan rougit sous son regard taquin, tandis qu'Adelaïde rétorquait en gloussant :

— Dans ce cas, pourquoi ne pas parler cinéma ?

Kurt lui tapota gentiment l'épaule.

— D'accord, tu as gagné ! Passons à table, tu pourras nous raconter le dernier film que tu as vu.

— Ah, Kurt, en parlant de la prairie je voulais vous signaler qu'hier, en allant à St Johann, j'ai vu que quelqu'un avait garé une petite remorque dans le pré, en bordure de la route, annonça la jeune fille.

— Des campeurs ?

— Non, je ne crois pas. Je n'ai pas pris le temps

de m'arrêter mais j'ai cru apercevoir du matériel...
technique à l'intérieur.

Inquiète, Gabrielle se tourna vers son beau-frère
et murmura en lui posant la main sur le bras :

— Kurt, penses-tu que... ?

— Ne t'inquiète pas, Gaby, je m'en occuperai,
coupa-t-il en recouvrant sa main effilée de la sienne.

Le dîner, servi avec moins de pompe que la veille,
se déroula sans incident notable. Mais hormis le
babillage de Liesl la conversation était rare et
décousue. Megan ouvrit à peine la bouche, sauf pour
formuler un compliment banal sur la beauté du
Schloss et le plaisir qu'elle avait eu à le visiter.
Adelaïde semblait ruminer quelque chose dans sa
tête, et Kurt était soucieux, absorbé dans ses pensées. Finalement, Gabrielle fut la seule à répondre à
Liesl, qui lui racontait tous les prix qu'elle allait
gagner avec Blitzen quand toutes deux seraient assez
grandes pour commencer le dressage. Megan se
surprit à penser que l'Autrichienne aurait fait une
excellente mère, aimante et attentionnée. Au lieu de
cela, elle portait à sa demeure un amour névrotique,
et entretenait avec sa fille adoptive des relations
tendues — sans doute parce qu'Adelaïde était déjà
adolescente lorsqu'elle était venue habiter le
Schloss...

Consciente de toutes ces tensions, l'Américaine se
sentit oppressée pendant tout le repas. Quand Liesl,
Gabrielle puis Adelaïde se furent retirées, elle
souhaita une bonne nuit à son hôte et s'empressa de
prendre congé à son tour.

Une fois dans sa chambre, elle respira un peu.
Après s'être déchaussée, elle se laissa tomber dans
un fauteuil, épuisée par le choc émotionnel que lui
avait procuré la découverte de son fabuleux héritage. C'était vraiment providentiel ! Petit à petit, elle
fut gagnée par une douce euphorie et se mit à

échafauder mille projets, désormais réalisables :
quitter son travail, louer un appartement plus grand,
plus agréable... L'idée de reprendre des études était
à priori moins séduisante, et pourtant, c'était un
sacrifice indispensable si elle voulait un jour devenir
professeur de musique et ouvrir une école. Où irait-
elle passer ses diplômes ? Halstead semblait le
conservatoire tout désigné, puisque les enseignants
la connaissaient déjà. Mais la perspective de retrouver les lieux où l'avait courtisée Erich l'emplissait
d'un malaise indéfinissable...

Elle chassa ces pénibles souvenirs, et se concentra
sur le nom qu'elle donnerait à son école. Halliday
Studios sonnait assez bien. Sobre, discret. Elle
voyait déjà l'inscription gravée à côté de l'entrée sur
une élégante plaque de cuivre, bâtissait des châteaux
en Espagne, lorsqu'elle se rendit compte qu'elle
oubliait un petit détail : une fois que le fisc autrichien et américain auraient prélevé des droits subs-
tantiels sur son héritage, il ne lui resterait sans doute
plus grand-chose !

Comme elle était sotte ! La jeune femme, un
sourire aux lèvres, se leva de son fauteuil et étira ses
muscles fatigués. « Je ferais mieux de me coucher »,
pensa-t-elle. Mais elle était trop excitée pour tenir
en place et elle arpenta la chambre pendant une
bonne demi-heure, incapable de trouver le repos.
Elle finit par ouvrir un livre, qu'elle referma aussitôt... La musique ! Voilà ce qui pouvait la calmer !
Lorsqu'elle était énervée, chez elle, et ne pouvait
trouver le sommeil, elle écoutait toujours un
concerto. Mais ici... Elle se rappela la chaîne stéréo
qu'elle avait vue dans le salon de musique ; non, elle
n'oserait pas y toucher. Le piano, alors... Ses hôtes y
verraient-ils un inconvénient si elle se permettait de
jouer un peu pour calmer ses nerfs ? Après avoir
longuement hésité, Megan se décida à descendre.

Tant pis si les von Kleist prenaient ombrage de sa conduite ! Depuis son arrivée, ils ne lui avaient guère manifesté d'égards. Or elle voulait quand même profiter un peu de son séjour et prendre de vraies vacances.

Forte de cette résolution, elle sortit de sa chambre. Une fois dans l'escalier, elle s'aperçut qu'elle avait oublié de se rechausser ; il faisait bon dans la maison, mais les marches en marbre étaient glacées sous ses pieds. Elle se demandait si elle devait remonter prendre ses souliers lorsqu'elle entendit des notes de musique s'égrener dans le silence de la nuit. Quelqu'un jouait du piano. Elle reconnut immédiatement le morceau, l'allegro de la sonate en fa majeur de Mozart, exécuté de façon magistrale.

Mais le ou la pianiste ne jouait que la partie pour main droite.

Sur la pointe des pieds, la jeune femme se dirigea vers le salon de musique et poussa la porte entrouverte. Kurt lui tournait le dos, installé au piano. Il avait négligemment jeté sa veste sur la banquette et déboutonné sa chemise blanche, qui flottait maintenant sur son torse musclé. Sa main droite courait sur le clavier avec une surprenante habileté, et de temps en temps la gauche se soulevait convulsivement, les doigts rigides effleuraient les touches pour retomber ensuite, sans vie.

Megan, le souffle court, s'appuya à la porte, qui grinça. Kurt se retourna aussitôt.

— Que cherchez-vous ?

— Pardonnez-moi, balbutia-t-elle, rougissante. Je ne pouvais pas dormir, alors j'ai eu envie de descendre pour jouer un peu de piano. Ça me détend toujours. Je ne pensais pas que vous seriez...

— Il m'arrive parfois de m'abandonner à de vieux rêves inaccessibles que je ferais mieux d'oublier.

Entrez, Megan, puisque vous avez découvert mon secret... honteux.

Elle s'approcha de lui, décontenancée et timide, tandis qu'il enlevait sa veste de la banquette et la posait sur le piano.

— Tenez, asseyez-vous.

Comme elle prenait place en face de lui, les yeux baissés pour ne pas voir son torse nu dans l'échancrure de la chemise, il remarqua qu'elle était pieds nus. Il sourit.

— Il me semblait bien que vous étiez plus petite que d'habitude ! plaisanta-t-il. Dans un an ou deux, Liesl vous aura rattrapée !

Gênée, Megan regarda ses bas puis replia les jambes et les ramena sous sa robe.

— Je ne savais pas que vous jouiez du piano, murmura-t-elle.

— J'en *jouais,* oui, mais plus maintenant.

La jeune femme rougit de plus belle, terriblement confuse.

— Je vous ai entendu, et...

Il eut finalement pitié d'elle, et vint à son secours.

— Pauvre Megan ! Inutile de faire semblant de n'avoir pas remarqué mon infirmité. Je suis encore plus gêné quand j'ai en face de moi quelqu'un qui se donne un mal fou pour ne pas regarder ma main. Au bout de vingt-cinq ans, j'ai eu le temps de m'habituer à l'idée que je ne pourrais plus plier ces trois doigts...

— Comment cela est-il arrivé ? Vous deviez être très jeune !

— J'avais treize ans. C'était un stupide accident, comme à chaque fois que des gosses font des bêtises... Mon père devait se rendre à Dresde pour affaires, et il m'a emmené avec lui. C'était pour me récompenser de toute l'application que j'avais mise à préparer mon dernier récital de piano.

Kurt se renversa en arrière et s'accouda sur le clavier. Le bruit discordant fit sursauter Megan.

— Erich n'était pas le seul de la famille à avoir des dons de musicien. On me considérait à l'époque comme un enfant prodige, et il était pratiquement décidé que je ferais une carrière de pianiste... Bref, mon père était allé voir à Dresde une personne qui avait un fils de mon âge ; nous sommes allés jouer dehors tous les deux. La ville avait été complètement détruite pendant la guerre ; elle était en cours de reconstruction, mais il restait encore des quartiers dévastés, sans âme qui vive. Nos pères nous avaient enjoints à la prudence, mais il a naturellement fallu que nous entrions dans un immeuble désert, qui avait été bombardé et incendié. A l'intérieur, nous avons découvert un vieil obus ; il n'avait pas été désamorcé.

La jeune femme étouffa une exclamation d'horreur, tandis que Kurt poursuivait :

— Mon camarade de jeu a été tué par l'explosion. Je m'en suis tiré avec une invalidité permanente de la main gauche. A partir de ce moment-là, je me suis orienté vers l'art pictural.

Il se retourna comme pour fermer le couvercle du piano, mais sa main droite, aimantée par les touches d'ivoire, se posa sur le clavier.

— J'essaie de me persuader que si je joue encore ces petits solos à une main, c'est pour me fortifier les doigts, murmura-t-il. Mais je sais que c'est autre chose.

Il soupira, redressa la tête et reprit :

— J'espère que vous avez raison, et que Liesl a du talent. J'aimerais la voir devenir musicienne.

Puis il se mit à pianoter de ses doigts absents le thème de la sonate de Mozart.

Le cœur serré, Megan écoutait cette mélodie brisée, poignante, mutilée. A treize ans, en plein essor, se voir ainsi privé de ce qui faisait toute sa vie...

Mue par une impulsion soudaine, elle se leva de la banquette et alla s'asseoir à gauche de Kurt, sur le siège du piano.

— Continuez de jouer au même rythme, suggéra-t-elle d'un ton enjoué.

Et elle entama la partie pour la main gauche, qu'elle connaissait par cœur. Kurt marqua une légère hésitation, puis il continua de jouer. Pendant quelques mesures, ils exécutèrent ainsi un duo maladroit, quand la jeune femme finit par s'exclamer en riant :

— N'allez pas si vite ! C'est beaucoup plus difficile à suivre qu'il n'y paraît !

Elle riait encore lorsque la main de Kurt glissa le long du clavier et recouvrit la sienne.

Elle tourna vers lui ses grands yeux verts, légèrement voilés, agrandis d'étonnement. Ils étaient si proches sur la banquette qu'elle ne pouvait pas lui échapper ; sa main menue tremblait comme un oiseau sous la sienne. Sans conviction elle essaya de la retirer, mais déjà Kurt lui enlaçait la taille, et ses longs doigts fermes se refermaient sur son cou gracile.

— Kurt ? bredouilla-t-elle, saisie de vertige.

— Chut... Ne dites rien, Megan.

Ses lèvres étaient chaudes et vibrantes, possessives, lorsqu'il les posa sur les siennes ; elles étaient légèrement imprégnées de l'arôme de son tabac épicé. Une image du passé se dressa alors devant la jeune femme, et elle se déroba à ce baiser brûlant. Toujours cette peur de voir son amour rejeté... Elle s'était juré de ne plus s'exposer à la souffrance. Mais Kurt insista. D'une main douce et ferme il l'obligea à lui offrir son visage, sa bouche, dont il prit possession sans la forcer, avec une fougue retenue. Puis quand il la sentit s'abandonner contre sa poitrine, il la serra plus fort et intensifia son baiser. Sous la pression de cette bouche avide, tendre et experte, les lèvres de Megan s'entrouvrirent enfin, palpitantes, offertes. Elle se sentit alors happée dans un tourbillon d'émotions, de sensations oubliées, de désirs longtemps refoulés, et l'impression de vertige s'accentua lorsqu'elle crut toucher enfin l'unique réalité, l'ultime fusion à laquelle elle avait tant aspiré. Déjà naissait sur ses lèvres le seul nom d'homme qui ait été pour elle synonyme d'amour.

— Erich...

Kurt s'écarta d'elle avec violence, se leva d'un bond et se mit à faire les cent pas dans la pièce. Ses longues enjambées trahissaient une fureur mal contenue. Tremblante, la jeune femme se recroquevilla sur la banquette, sans comprendre sa réaction. Pourquoi lui en voulait-il ? Elle leva vers lui des yeux où couvait encore la passion, quand l'énormité de sa conduite la frappa de plein fouet, comme une douche froide.

— Je suis désolée, Kurt, murmura-t-elle d'une voix étranglée.

Avec une respiration hachée, saccadée, il fouilla dans la poche de sa veste et en sortit son porte-cigarettes. Il alluma une cigarette d'un geste rageur, aspira une longue bouffée et déclara d'une voix sourde :

— Vous êtes hantée par son souvenir. C'est chez vous une obsession maladive.

— Oui, articula-t-elle dans un souffle, incapable de nier la triste évidence.

Il lui jeta alors un regard plein de mépris.

— Il est mort depuis plus d'un an ! Avez-vous prononcé des vœux de chasteté, de veuvage éternel ? Allez-vous chérir sa mémoire jusqu'à la mort !

— Je ne chéris pas sa mémoire !

— Vraiment ? Alors comment expliquez-vous qu'une femme jeune et désirable comme vous ne puisse regarder un homme sans voir en lui l'image de son époux défunt ?

— Vous ne comprenez pas, se défendit-elle faiblement.

Dans un mouvement gauche elle heurta du coude l'une des touches en ivoire du piano. Une gouttelette de sang perla le long de l'égratignure.

— Erich était le seul homme de ma vie, poursuivit-elle d'une voix qui semblait venir de très loin. Le seul que j'aie connu, charnellement et... sentimentalement, aussi dérisoire que cela puisse paraître. Je n'ai pour ainsi dire pas eu de père : mes parents se sont séparés quand j'étais encore enfant. J'étais fille unique. Pour le meilleur ou pour le pire, tout ce que j'ai appris des hommes, je l'ai appris de mon mari. Alors comment pourrais-je vous regarder, vous toucher, sans penser à Erich ? Tout ce qui est masculin me rappelle le mal qu'il m'a fait, comment pourrais-je oublier ?

— Que voulez-vous dire ? demanda Kurt, tendu.

— Vous ne comprenez pas ? Dois-je vous faire un dessin ?

Il y eut un silence interminable, et soudain Megan se leva et défia Kurt du regard. Son visage avait pris un teint de cendre, ses lèvres étaient presque violettes.

— J'ai commis l'impardonnable : j'ai osé prendre la décision de le quitter. Mais *personne* au monde n'avait le droit de quitter Erich, le génial Erich ! Il était le plus grand, c'était un von Kleist ! Alors pour me punir de ma témérité, il m'a violée. Avec une brutalité inouïe. Et pendant ce temps, j'entendais sa maîtresse rire dans la pièce voisine !

5

Dans le silence qui suivit ce terrible aveu, Megan songea avec désarroi « Oh, mon Dieu, pourquoi lui avoir raconté cela ? » Elle n'en avait parlé à personne, pas même à Dorothy, sa meilleure amie, qui s'était occupée d'elle avec tant de dévouement. Elle avait mis longtemps à se remettre des suites de sa fausse couche, après avoir perdu l'enfant conçu dans la violence, et qui pourtant était l'enfant d'Erich... Et c'était sa voisine qui, une fois de plus, l'avait aidée à guérir ses blessures. Elle s'était promis d'emporter dans sa tombe cet horrible secret, de ne plus évoquer le choc qu'elle avait éprouvé en découvrant qu'elle était enceinte à la suite de ce viol. Et voilà qu'elle se livrait à Kurt, le frère d'Erich, la dernière personne au monde à qui elle aurait dû se confier !

Il la dévisageait maintenant avec intensité, ses grands yeux bleus assombris par l'horreur de cette ébauche de récit. Il fit mine d'ouvrir la bouche ; aucun son n'en sortit. Quand il eut retrouvé sa voix, les mots tombèrent dans le silence comme une prière.

— Seigneur, que dites-vous ?

« Ce n'est pas vrai, ce n'est pas vrai », semblait-il répéter.

Dans un sursaut d'orgueil, Megan soutint son regard, et tout à coup elle se décomposa à vue d'œil, toute arrogance éteinte. Elle se sentait flouée, honteuse de s'être trahie, vacillante. Sans vraiment y prêter attention, elle remarqua que la cigarette de Kurt brûlait entre ses doigts, que la cendre allait tomber sur le tapis ; elle regarda se consumer le papier, la fumée bleutée montait toute droite au plafond. Elle s'entendit murmurer :

— Oubliez ce que je vous ai dit, Kurt. Cela n'a aucune importance.

Avec la raideur d'un automate, elle fit un pas en direction de la porte. Le cri de douleur que poussa Kurt en jetant sa cigarette dans le cendrier l'immobilisa sur place. Il la saisit violemment par le bras et l'obligea à se retourner ; quand elle essaya de se dégager, il ne céda pas.

— Lâchez-moi, Kurt, implora-t-elle. Ne pensez plus à ce que je vous ai dit. Je n'aurais jamais dû vous en parler, et de toute façon, cette histoire ne vous regarde pas.

— Cela me regarde, puisque vous avez commencé à m'en parler. Maintenant expliquez-vous, Megan. Vous ne pouvez pas lâcher une bombe, comme ça, et puis vous en aller tranquillement. Je veux savoir.

Les épaules de la jeune femme s'affaissèrent.

— Oh, Kurt... Comment vous raconter ce drame, alors que je n'en ai soufflé mot à personne, et que... vous êtes son frère !

— Justement, je n'arrive pas à comprendre qu'E-rich ait dû recourir à la violence pour vous posséder. Vous étiez sa femme, vous êtes jeune et belle.

— Les hommes sont tous pareils ! enragea-t-elle. Vous ne me croyez pas, n'est-ce pas ? Ou du moins vous pensez que s'il m'a violée, c'est que je l'ai cherché !

Elle s'interrompit et haussa les épaules avec lassitude.

— Après tout, reprit-elle d'un ton douloureux, peut-être avez-vous raison. Si j'avais eu le courage de le quitter dès le début, rien de tout cela ne serait arrivé.

Avec douceur Kurt la conduisit vers le sofa ; elle s'y pelotonna frileusement. Il s'agenouilla alors devant elle et chuchota :

— Attendez-moi, je reviens.

Et il quitta la pièce.

Restée seule, Megan promena sur le piano un regard vide, toute à l'écoute de ses souvenirs. Une fois de plus, elle se sentait emmurée par son destin, sans espoir de rédemption. Comment sortir de ce cercle infernal ?

Elle n'entendit pas la porte s'ouvrir, mais revint à elle lorsque Kurt plaça entre ses doigts un verre glacé. Elle le porta machinalement à ses lèvres, puis le reposa sur son genou et regarda les glaçons flotter dans le liquide ambré. Une auréole d'humidité se dessina sur sa robe, à cause de la condensation qui mouillait les parois du verre.

— J'ai pensé qu'un peu d'alcool vous réconforterait, hasarda son compagnon.

Elle posa sur lui des yeux absents, immenses.

— Je préférerais écouter de la musique, pour me détendre.

Kurt se releva, cette fois pour aller mettre un disque. Bientôt le premier mouvement de la *Pavane pour une Infante défunte* de Ravel vint briser le silence.

— C'est un choix approprié, ironisa Megan.

Sans répondre, il s'assit à ses côtés sur le petit

sofa. Leurs corps se touchaient presque. Puis il attendit patiemment.

D'un doigt hésitant elle traça une ligne le long des parois embuées de son verre. Il était trop tard pour se rétracter. D'une voix blanche et monocorde, elle entama son pénible récit.

— Après un simulacre de lune de miel, Erich et moi avons fait chambre à part. Il n'avait pas besoin de moi : Lavinia était là pour le combler. J'étais seulement... une potiche, un alibi. J'aurais dû comprendre la vérité avant notre mariage — il y a des signes qui ne trompent pas. Mais j'étais jeune et naïve, exaltée par mon premier amour. Quand je me suis rendu compte de la situation, il était beaucoup trop tard pour faire marche arrière. J'étais prisonnière, à la fois de lui et de moi-même.

Petit à petit, oubliant toute honte, elle raconta sa vie maritale désastreuse, la nuit de ses noces, son humiliation de femmes délaissée, utilisée. Elle avait trop longtemps gardé le silence, cet épanchement la soulageait presque, achevait d'enterrer les fantômes du passé. Pourtant elle hésita au moment d'aborder le dernier acte de la sinistre tragédie qu'avait été son mariage.

— Continuez, Megan, murmura Kurt d'une voix enrouée par l'émotion.

Elle dut prendre sa respiration.

— Ce jour-là, j'avais passé l'après-midi à courir à droite et à gauche, pour Erich. Il m'avait envoyée chez le teinturier, chez l'imprimeur, chez son arrangeur. J'étais épuisée par toutes ces courses. Je lui avais dit qu'ensuite, j'irais dîner seule en ville, puis voir un film. Mais quand j'ai vu la file d'attente devant le cinéma — il pleuvait ce soir-là — j'ai changé d'avis et je suis rentrée. J'ai trouvé Erich et Lavinia ensemble, sur le divan, à moitié ivres. En les voyant j'ai compris que j'avais franchi mes limites.

Je ne pouvais plus endurer ce martyre. Je les détestais, mais surtout, je me méprisais de les avoir laissés m'abîmer, me dégrader de la sorte. Ma décision était prise. Je suis allée chercher ma valise, et j'ai annoncé à Erich que je le quittais. Ils ont ri de moi... Erich s'est exclamé qu'il n'y avait rien de plus assommant qu'une femme, et Lavinia a répondu en ricanant : « Seulement si c'est la tienne, chéri. » Puis elle s'est blottie contre lui et m'a regardée en disant : « Herschel pense que Megan devrait avoir un bébé... »

La jeune femme jeta à Kurt un regard suppliant. Fallait-il vraiment revivre ce calvaire ? Mais maintenant, autant continuer, essayer d'exorciser le cauchemar...

— Je ne sais pas pourquoi Lavinia a dit cela, car je ne pense pas qu'elle ait prévu la réaction d'Erich. Elle a même pris peur, je crois, quand il l'a poussée hors de la chambre et qu'il a fermé la porte. Car au début, il s'est contenté de la regarder, puis il s'est tourné vers moi et a murmuré d'un air bizarre : « Quelle charmante idée, Lavinia. » Ensuite il s'est levé, et il est venu vers moi.

Les glaçons à moitié fondus s'entrechoquèrent dans le verre de Megan ; elle le posa par terre puis passa la main sur le rond d'humidité qu'avait laissé la glace sur sa robe de jersey. Kurt, à ses côtés, ne bougeait pas, ses longues jambes étendues devant lui ; il semblait impassible mais elle ne voyait pas son visage, à demi dissimulé derrière sa main gauche. Sur sa peau mate, la cicatrice ressortait avec plus de netteté que d'habitude. Lorsqu'il releva la tête au bout d'un long moment, elle fut bouleversée par son expression torturée. Emue jusqu'aux larmes, elle se pencha et lui pressa légèrement le bras.

— Pardonnez-moi, Kurt. Erich était votre frère, et vous le respectiez. Je n'aurais pas dû vous raconter... Je n'en ai parlé à personne, pas même au médecin lorsque j'ai eu...

— Mon Dieu... Vous voulez dire que vous étiez enceinte depuis ce soir-là seulement ?

Il semblait atterré. Sans mot dire, elle hocha la tête. Le souvenir de cette journée à l'hôpital était encore vivace. D'abord ces douleurs fulgurantes dans l'abdomen, puis le lit blanc où elle avait appris ce qui lui arrivait... Sa première réaction avait été une indicible panique, puis son instinct maternel avait repris le dessus et elle avait prié pour garder cet enfant, l'enfant d'Erich. Elle pourrait le chérir, lui donner tout l'amour qu'avait refusé son époux... L'idée de porter la vie en elle l'aiderait, pensait-elle, à sortir du chaos. Mais le corps est souvent plus raisonnable que le cœur, et sa grossesse avait été interrompue malgré son envie d'enfanter. Plus tard, elle avait reconnu qu'avant de donner le jour à un petit être il lui faudrait pouvoir se prendre totalement en charge.

Megan s'entendit rire, un rire nerveux, chargé d'angoisse. D'une voix brisée elle murmura :

— C'est drôle, n'est-ce pas ? C'était la première fois qu'Erich m'approchait depuis dix-huit mois, et il a fallu que je... que je sois...

Sa voix s'étrangla en un douloureux sanglot, et elle fondit en larmes. Des larmes brûlantes, trop longtemps contenues, qui laissaient sur ses joues satinées des traînées d'acide. Mortifiée, elle se prit la tête dans les mains et s'effondra sur l'accoudoir du sofa, les épaules agitées de soubresauts convulsifs.

Comme dans un rêve, elle se sentit alors soulevée par deux bras puissants, et sa tête vint reposer contre une poitrine nue et duveteuse. Une poitrine d'homme. Kurt la berçait comme une enfant terrorisée que l'on cherche à apaiser, sans rien lui demander.

— Laissez-vous aller, lui chuchotait-il à l'oreille. Il ne faudrait jamais garder pour soi de pareils secrets…

D'une voix douce, rassurante, il se mit à lui parler en allemand. Elle ne comprenait pas, mais c'était une musique réconfortante.

Peu à peu elle sécha ses pleurs et sentit son corps se détendre. Sous sa joue battait le cœur de Kurt, un battement régulier, rassurant. C'était la première fois qu'un homme lui manifestait de la tendresse. Heureuse, calme, elle se serra davantage contre lui avec un soupir de douce béatitude, résistant à l'envie de caresser cette peau bronzée qui sentait bon l'eau de Cologne, et dont le parfum, la texture même, l'enivraient. Quand il se pencha sur elle pour l'embrasser, elle ne se déroba pas.

Ils échangèrent un baiser long et tendre, sans passion. Un baiser consolateur. Kurt semblait prendre en compte l'humeur de la jeune femme et adapter son comportement en conséquence. Elle lui en fut reconnaissante. Ce fut seulement lorsque, poussée par son propre désir, elle laissa remonter sa main vers sa nuque et caressa ses cheveux bruns, que leur étreinte se transforma et devint enflammée.

Il promena lentement ses lèvres chaudes sur son visage, le lobe délicat de son oreille, puis descendit vers sa gorge. Parcourue de délicieux tressaillements, elle lui offrit sa peau laiteuse et se cambra vers lui quand il glissa la main dans l'échancrure de sa robe pour prendre possession de son sein rond. Sous ses doigts experts, elle sentit se durcir la pointe rosée, palpitante de désir.

— Oh, Kurt, gémit-elle, j'attendais ce moment depuis si longtemps…

Elle avait parlé tout haut, sans s'en apercevoir. Il la fit taire d'un baiser avide, ravageur. Leurs bouches se cherchaient, se fuyaient, se retrouvaient de nouveau pour se mordiller et se torturer de plaisir. Avec un frisson plein d'impatience, Megan épousa les doigts de Kurt qui descendaient le long de son dos nu, faisant lentement glisser la fermeture de sa robe…

Le réveil fut brutal. Kurt la serra brusquement contre lui, redressant la tête et demandant d'une voix dure, le regard tourné vers la porte :

— *Was willst du jetzt,* Adelaïde ?

La jeune femme se tourna à son tour vers la porte, et vit l'adolescente debout sur le seuil, en peignoir rouge, le visage indéchiffrable. Kurt recouvrit pudiquement les épaules dénudées de sa compagne, cacha sa poitrine libre sous le fin jersey blanc qui épousait ses formes, et répéta, légèrement essoufflé :

— Que viens-tu faire ici, Adelaïde ? Que fais-tu debout à une heure pareille ?

— Je suis désolée de vous avoir dérangé, Kurt. J'ai simplement vu de la lumière, et j'ai pensé que quelqu'un avait oublié d'éteindre…

— Tu vois bien que non, maugréa-t-il, furieux. Maintenant retourne te coucher !

Comme la jeune fille hésitait, il s'exclama :

— *Verdammt,* Adelaïde, sors d'ici !

Elle pivota sur ses talons et s'enfuit en courant. Quelques secondes plus tard, Megan et Kurt l'entendirent monter l'escalier quatre à quatre.

Terriblement confuse, Megan passa une main tremblante dans le désordre de sa coiffure, puis sur ses lèvres encore gonflées. Sa robe glissa de son épaule ; elle s'empressa de la rajuster et chercha maladroitement la fermeture à glissière. Tranquillement, Kurt la remonta à sa place. Il lui prit ensuite le menton et la dévisagea longuement, en silence.

— Pardonnez-moi, Megan, dit-il enfin en lui

effleurant les lèvres d'un doigt. J'avais oublié que cette maison ne favorise guère l'intimité.

Il posa sur sa bouche un baiser furtif, et reprit :

— Je dois partir demain à la première heure. Je resterai quelques jours à Vienne. Voulez-vous m'accompagner ?

— A Vienne ? s'étonna-t-elle, surprise par cette proposition inattendue.

Un sourire engageant éclaira le visage de Kurt.

— Je devrai passer plusieurs heures à la galerie, expliqua-t-il, mais il nous restera beaucoup de temps à passer ensemble. Nous nous promènerons, je vous ferai visiter la ville. Il y a tant de choses que j'aimerais vous montrer... Vous aviez bien l'intention de découvrir Vienne avant de rentrer aux Etats-Unis, non ?

Megan se noya dans son regard si bleu et sentit son cœur se serrer. Il venait de prononcer les mots qu'elle ne voulait pas entendre : « avant de rentrer... » Pourquoi tout à coup cette impression de vide ? Bien sûr, elle allait retourner chez elle, en Californie ! Ce n'étaient pas quelques minutes passées dans les bras de Kurt, ni quelques nuits dans son lit, qui pouvaient bouleverser sa vie... Son voyage terminé, les documents une fois signés, elle s'envolerait pour Los Angeles avec son chèque et ses souvenirs.

Pourquoi ne pas ranger parmi ces souvenirs d'Europe une brève idylle avec Kurt, comme on rapporte une carte postale ? Elle avait d'ores et déjà reconnu son besoin d'avoir un amant ; pourquoi pas lui ? Il lui plaisait, semblait plein d'attentions... Mais comment savoir si au moment des adieux, elle n'emporterait pas aussi quelques regrets ? Kurt était un von Kleist, elle risquait de s'attacher et de tout gâcher. Mieux valait ne pas courir le risque d'aller une seconde fois au désastre.

— Merci de votre invitation, Kurt, mais je crois que je resterai ici. Liesl et moi pourrons nous promener dans les environs. J'aimerais beaucoup visiter Salzbourg : la ville natale de Mozart représente pour moi un lieu... très spécial, une sorte de pélerinage.

— Vienne pourrait devenir pour nous deux un lieu très spécial, Megan.

— Peut-être, admit-elle avec réticence. Mais... tout est si soudain, Kurt. Nous nous connaissons seulement depuis deux jours !

— Deux jours suffisent parfois, murmura-t-il d'une voix rauque.

Assise à l'avant de la camionnette, Megan salua une dernière fois Liesl de la main. La fillette quittait déjà la maison des Weber pour courir vers l'écurie, où l'attendait Blitzen. Adelaïde, au volant, prit la route de Kleisthof-im-Tirol et appuya sur l'accélérateur, tandis que sa passagère accrochait sa ceinture. A côté des autoroutes californiennes, la route sinueuse qui serpentait le long des collines semblait singulièrement dangereuse à Megan. Avec effroi, elle vit bientôt l'aiguille du compteur de vitesse monter jusqu'à cent... puis elle se rappela, à son vif soulagement, qu'il s'agissait de kilomètres, et non de miles.

L'adolescente conduisait avec une tranquille assurance. Sous sa coiffure sage, elle arborait une expression sévère qu'accentuait le col blanc de son chemisier. Mais ses longues jambes fuselées étaient moulées dans un étroit pantalon vert pomme, démentant chez elle toute trace de puritanisme. Elle n'était pas d'humeur communicative ; Megan ne s'en plaignit pas, car elle avait besoin de réfléchir calmement.

Après avoir dormi d'un sommeil profond, elle

s'était réveillée bien après le départ de Kurt. A la
table du petit déjeuner, elle avait entendu Adelaïde
annoncer son intention de se rendre en ville, et en
avait profité pour l'accompagner. Elle s'exposait
ainsi aux questions indiscrètes de l'adolescente, qui
l'avait surprise la veille dans les bras de son oncle,
mais tout semblait préférable à l'atmosphère étouf-
fante du manoir. Elle voulait fuir tout ce qui lui
faisait penser à Kurt; or au détour de chaque
couloir, elle croisait ces portraits avec la même
bouche, ces mêmes yeux d'un bleu perçant, si
in .....

Le silence s'éternisait dans la voiture. L'Américaine finit par en éprouver de la gêne : et si Adelaïde
se sentait mal à l'aise à cause de la touchante scène à
laquelle elle avait assisté ?

— Vous conduisez très bien, observa Megan d'un
air faussement dégagé.

— *Danke,* répondit l'adolescente, les yeux obstinément fixés sur le ruban noir de la route. C'est mon
père qui m'a appris à tenir un volant, quand j'étais
petite ; il m'emmenait sur des chemins de campagne,
et me montrait comment rétrograder, changer de
vitesse, faire un démarrage en côte... Mais quand je
suis venue vivre chez Gabrielle, elle m'a interdit de
conduire jusqu'à mon dix-huitième anniversaire ! A
ce moment-là, c'est-à-dire l'année dernière, j'ai
passé mon permis. Mais j'avais presque oublié
comment prendre un virage !

— Rétrograder ? Prendre un virage ? Ce sont des
termes de rallye, c'est amusant...

La jeune fille tourna vers Megan un visage
radieux.

— Vous avez deviné : mon père était coureur
automobile, jubila-t-elle. Avez-vous entendu parler
d'Arnold Steuben ?

— Non, navrée, s'excusa l'Américaine.

Le sourire d'Adelaïde s'évanouit.

— Eh bien vous auriez entendu parler de lui, et le
monde entier aurait connu son nom, si un de ses
pneus n'avait pas éclaté au cours d'un circuit de
reconnaissance... Cela s'est passé au Mans, il y a
trois ans. Avant l'accident, quand mon père était
encore là, la vie était gaie, excitante ! Nous n'étions
que tous les deux, et nous savions que nous allions
devenir célèbres : lui comme le meilleur pilote de
Grand Prix, et moi comme actrice de renommée
internationale ! Mais après sa mort, tout a changé.

— C'est... très triste.

— Au moment où mon père a eu son accident, je
venais de passer l'examen d'entrée au Conservatoire
d'Art dramatique de Baden-Baden. Mais j'étais
désorientée, je ne savais plus que faire, où me
diriger. C'est alors que Gabrielle et Wilhelm ont
proposé de m'adopter. Gaby était la cousine de mon
père. J'ai trouvé ça gentil de leur part, naïve que
j'étais ! Horst von Kleist vivait encore, et l'idée
d'entrer dans une famille me plaisait. Je n'avais pas
encore compris que les von Kleist n'agissent jamais
par pure bonté d'âme, et que leurs actions sont
dictées par leur intérêt !

Troublée par un tel déploiement de cynisme et
d'amertume chez une adolescente, Megan protesta
d'un ton raisonnable :

— Voyons, Adelaïde, vous exagérez un peu, vous
ne pensez pas ? Il ne faut pas grossir les choses, les...

— Non, je n'exagère pas ! Vous croyez connaître
les von Kleist après deux jours passés sous leur toit,
mais c'est absurde ! Ils se servent des autres. Ils
estiment que c'est leur droit, et sont prêts à tout
pour obtenir ce qu'ils veulent ; ils arrivent toujours à
leurs fins... Gabrielle m'a adoptée uniquement
parce que je pouvais lui rendre service. Elle m'offre
des études, mais à l'université, au lieu du conserva-

toire d'art dramatique choisi par mon père. Je reçois de l'argent de poche, mais elle trie mes amis sur le volet et exige que je passe tous mes moments libres avec elle, à décorer la maison. Elle m'étouffe ! Vous l'avez entendue, le soir de votre arrivée : tout ce que je demandais, c'était de passer quelques semaines à Rome, pour acquérir une petite expérience dans le cinéma. Je connaissais des gens, je m'étais arrangée, et pour eux, ce n'était rien du point de vue financier ; une goutte d'eau ! S'ils le voulaient, ils auraient les moyens de m'envoyer à Hollywood. Eh bien non ! Le moindre centime va dans la décoration et la restauration de cette maudite maison, pour la plus grande gloire des von Kleist !

— Si je comprends bien, vous ne prenez aucun plaisir à décorer le Schloss, vous n'y voyez aucun intérêt ?

— Aucun ! Je suis une Steuben et je me fiche de leur château ! Gabrielle aussi était une Steuben avant son mariage, mais elle rappelle à qui veut l'entendre que sa mère était une von Kleist. Elle le crie sur tous les toits, comme si la famille de son père n'existait pas !

Effrayée par une telle véhémence, la jeune femme essaya de temporiser.

— J'ai cru remarquer que Gabrielle était assez sensibilisée sur la question, mais enfin...

— Il n'y a pas que Gaby, ils sont tous pareils ! Horst von Kleist a emprunté des sommes folles pour installer la climatisation dans le Schloss et refaire toute la plomberie, il s'est endetté jusqu'à sa mort, et ses enfants ne valent pas mieux que lui. Wilhelm a disparu, bien sûr, mais maintenant Kurt prend le relais...

Adelaïde coula vers Megan un regard chargé d'insinuations pour ajouter :

— Kurt est très séduisant, *nicht wahr ?* Oh, je ne

vous blâme pas de vous être amourachée de lui : aucune femme ne lui résiste. J'aurais pu succomber à ses charmes, moi aussi, s'il n'était pas infirme et deux fois plus vieux que moi. Mes hommes, je les préfère jeunes, et entiers... Pour en revenir à Kurt, il est conscient de son pouvoir de séduction, et il sait admirablement s'en servir. J'ai passé quelques jours à Vienne avec lui et Liesl, et j'ai remarqué la façon dont il charme les dames qui viennent dans sa galerie, surtout celles qui possèdent un tableau qu'il convoite mais hésitent à le vendre. Un peu de vin, une musique douce, une lumière tamisée... avec ses légendaires yeux bleus, c'est un mélange détonant ! Très, très efficace.

Megan réprima une sensation de nausée.

— A-t-il essayé de vous séduire ? demanda-t-elle en craignant d'entendre la réponse.

— Oh non, jamais ! Je vous raconte seulement ce que j'ai vu, chez lui. Kurt me considère encore comme une enfant. Et puis je ne possède rien qu'il puisse convoiter... contrairement à vous.

L'adolescente ralentit à un croisement.

— Nous approchons du village, décréta-t-elle avec légèreté. Dites-moi où vous voulez que je vous dépose.

— N'importe où... En fait, laissez-moi ici : j'aimerais marcher un peu.

Adélaïde hocha la tête, freina et arrêta la voiture sur le bas-côté de la route, non loin d'une charmante colline semée de marguerites. La ville n'était pas loin.

— *Sehr gut,* approuva la jeune fille. J'ai quelques courses à faire ici, puis j'irai à la ville voisine, je ne pourrai donc pas vous ramener. Quand vous aurez envie de rentrer, téléphonez au Schloss et demandez au chauffeur de venir vous chercher. Vous avez le numéro ?

— Oui.

— Parfait. Oh, Megan... Réfléchissez à ce que je vous ai dit, voulez-vous ? Pas en ce qui concerne ma situation — je me débrouillerai bien toute seule. Mais pensez à *vous*. Derrière leur aimable façade, Kurt et Gabrielle sont de véritables requins s'ils n'obtiennent pas ce qu'ils veulent. Or vous possédez quelque chose qu'ils souhaitent s'approprier : la prairie. Ils sont prêts à tout et ne reculeront devant rien pour vous l'arracher.

L'Américaine, qui s'apprêtait à ouvrir la portière de l'auto, secoua la tête.

— Je n'arrive pas à vous croire, Adelaïde. D'accord, ils vous mettent des bâtons dans les roues pour Hollywood, mais vous noircissez le tableau.

L'adolescente eut un sourire méprisant, puis haussa les épaules.

— Puisque je n'ai pas réussi à vous convaincre, pensez à... votre époux. C'était un von Kleist, si je ne m'abuse ?

Megan venait à peine de descendre et de claquer la portière que déjà Adelaïde démarrait et repartait en trombe, dans un crissement de pneus.

La jeune femme resta plantée au bord de la route, indécise, les bras ballants. D'où Adelaïde sortait-elle ses informations sur Erich ? Avait-elle écouté aux portes, hier soir, et surpris sa confession ? A quoi jouait-elle exactement, sous ses airs ingénus ? Manifestement, elle ruait dans les brancards, ne supportait plus le carcan imposé par sa famille adoptive, comme n'importe quel adolescent. « Qu'elle veuille sa liberté, soit », songea Megan ; « mais pourquoi ternir ainsi l'image de Kurt, jeter le discrédit sur lui, l'entourer de soupçons ? »

Plus elle y réfléchissait, plus elle se félicitait de n'avoir pas mordu à l'hameçon. Adelaïde lui avait tendu des pièges grossiers : regards en coin, insinua-

tions venimeuses, sous-entendus appuyés... un vau-
deville de second ordre ! Toutes les ficelles y étaient !
Mais comment croire que Kurt l'ait délibérément
séduite pour la persuader de signer le document de
renonciation à l'héritage ? Cette hypothèse ne tenait
pas debout ! Après tout, si Kurt n'avait pas fait appel
à une agence de détectives américaine pour la
retrouver, elle ne serait jamais devenue propriétaire
de ce terrain, et il en aurait fait ce qu'il voulait.
Quant à ses soi-disant « manœuvres » de séduction... elle s'était montrée plus que consentante !

Rassérénée, Megan partit en direction du village.
En chemin, elle s'arrêta sur la colline fleurie, d'où
elle put contempler les rues pavées, bordées d'arbres, les petites maisons coquettes rassemblées
autour de la grand-place. C'était là qu'elle était
descendue de l'autocar, l'avant-veille. Il lui semblait
que des lustres s'étaient écoulés depuis son arrivée !
Le dôme vert-de-gris de l'église, d'inspiration
byzanthine, se dressait au-dessus des toits pentus ;
dans le lointain, entre ciel et terre, se découpaient
les pics glacés de la chaîne alpine, majestueux,
terrifiants, éternels, telle la toile de fond d'un
fabuleux décor de théâtre.

Cette beauté froide et envoûtante correspondait si
bien à ce qu'elle attendait de la vieille Europe
façonnée par des siècles d'histoire !

Le soleil était presque arrivé au zénith, et dardait
sans pitié ses rayons sur la campagne verdoyante.
Megan se remit en marche. « Il faudra que je trouve
un chapeau », songea-t-elle. En raison de la chaleur,
elle portait son ensemble de toile grise, pantalon et
tunique assortie, que la bonne des von Kleist avait
lavé et repassé pour elle. Elle avait les cheveux
noués dans un long foulard gris-vert, et sa nuque
laiteuse était exposée au soleil.

A l'entrée du village, elle avisa une sorte de

droguerie où l'on vendait apparemment de tout : un bric à brac hétéroclite était exposé dans la vitrine. Le moment était venu de mettre en pratique les leçons de la petite Liesl. Elle entra, sûre d'elle, et s'expliqua patiemment avec la commerçante, une femme souriante et bien en chair. Avec beaucoup de bonne humeur et de fautes de grammaire, elle réussit à se faire comprendre et ressortit avec un chapeau de paille.

Elle ne s'était pas sentie aussi légère et insouciante depuis longtemps, tandis qu'elle déambulait sans but dans les rues de la ville. Elle passa devant une auberge dont la façade de bois était décorée de ravissants motifs floraux ; elle se promit de revenir un jour y déjeuner, sur la terrasse ensoleillée. Ses pas la conduisirent ensuite devant un bâtiment de briques et de verre, dont la modernité était presque choquante dans l'architecture vieillotte des autres constructions. Megan déchiffra l'inscription, « Heilige Elisabeths Krankenhaus », et conclut qu'il s'agissait d'un hôpital. Elle se rappela vaguement avoir entendu parler d'un hôpital, très récemment, mais le lien lui échappait et elle passa son chemin pour se diriger vers l'église.

C'était un édificie en pierres sombres, modeste mais imposant, surmonté d'un curieux clocher en forme de bulbe. Autrefois la coupole avait dû être étincelante ; elle était aujourd'hui ternie par les siècles. Le portail était surmonté d'un gigantesque vitrail. De l'extérieur, sous l'éclatante lumière de juillet, il était impossible d'en profiter. Megan hésitait cependant à entrer ; un coup d'œil à sa montre lui indiqua qu'il était l'heure de la messe. Elle risquait de troubler la célébration, et les fidèles seraient peut-être offensés de voir pénétrer dans un édifice religieux une femme en pantalon. Elle décida donc de s'abstenir, et de remettre sa visite à plus tard.

Dans l'immédiat, l'idée lui vint de se promener dans le cimetière attenant à l'église. Elle poussa la vieille grille en fer, où s'accrochait du lierre, et entra dans ce qui était la dernière demeure d'au moins dix générations de villageois. Les plus anciennes sépultures, alignées le long du mur, étaient recouvertes de mousse ; leurs inscriptions étaient devenues illisibles. L'attention de la jeune femme fut soudain attirée par une minuscule pierre tombale, serrée entre deux autres de taille normale. Elle s'en approcha, s'agenouilla, et d'un doigt respectueux découvrit la date gravée dans le granit : mille sept cent six. Les parents du nouveau-né qui reposait sous la dalle mortuaire n'avaient pas voulu nommer leur chagrin, leur espoir perdu, et seul un chiffre attestait du décès de leur enfant... Megan s'effraya de sa morbidité : pourquoi cette envie de pleurer devant la tombe d'un bébé disparu à l'époque où naissait Benjamin Franklin ?

Elle se releva et continua d'errer à travers les allées. La plupart des caveaux étaient bien entretenus, fleuris régulièrement, mais certains étaient laissés à l'abandon et se réduisaient à un rectangle de terre où folâtraient de mauvaises herbes.

La jeune femme enregistrait distraitement les dates ; les femmes mouraient jeunes, les hommes ne tardaient pas à les suivre dans la tombe. Elle découvrit bientôt un carré uniquement occupé par des sépultures d'enfants, prématurément décédés, à cause d'une épidémie sans doute.

Et même lorsqu'elle explora la partie la plus récente du cimetière, Megan remarqua que les habitants du village mouraient relativement jeunes, en comparaison avec l'espérance de vie moyenne de la population européenne. Il fallait peut-être attri-

buer ce fait à l'isolement de cette région monta-
gneuse. Avant l'avènement des moyens de commu-
nication modernes, il devait être difficile à une
famille tyrolienne de se déplacer, surtout en plein
cœur de l'hiver, quand toutes les routes étaient
bloquées par la neige et les congères. Kurt n'avait-il
pas fait allusion à la carence, voire l'absence d'équi-
pements médicaux dans la région ? Oui, il en avait
parlé au sujet de la mort d'Eva Müller, la mère
d'Erich.

Eva Müller... Pour la première fois, l'idée traversa Megan que la mère d'Erich devait reposer non
loin de là, éternellement à l'abri des violentes passions qu'avaient déchaînées ses amours avec le
seigneur du village. Comment la malheureuse
aurait-elle pu prévoir ces enchevêtrements du destin ? La jeune femme hâta le pas à la recherche de
cette tombe creusée trente et un ans plus tôt, bien
avant sa naissance. Lorsqu'elle la trouva, la cloche
de l'église sonnait la fin de la messe.

Eva gisait à l'ombre d'un saule. Les deux sépultures voisines, plus récentes, devaient être celles de
ses parents, qui avaient élevé Erich à la mort de leur
fille. La pierre tombale portait l'inscription *Geliebte
Tochter*, « à notre fille bien-aimée », suivi du nom et
de deux dates. Eva Müller était morte à dix-neuf
ans !

« J'avais le même âge quand j'ai rencontré
Erich », pensa Megan avec émotion. Un âge vulnérable... Comment soupçonner une fille si jeune
d'avoir agi par intérêt ? Seul l'amour avait pu la
guider, pour son malheur. « On ne tombe pas
impunément amoureuse d'un von Kleist », murmura
l'Américaine d'un ton pensif et recueilli.

Elle se sentait des affinités avec cette inconnue.
Bouleversée, elle s'agenouilla pour redresser un pot

de bruyères renversé par le vent lorsque derrière elle
une voix de femme demanda en allemand :

— Que faites-vous sur cette tombe ?

Megan se retourna, stupéfaite. Une Autrichienne
aux cheveux blonds, un peu ronde, la fixait de ses
yeux d'un bleu délavé ; de taille moyenne, elle devait
avoir la trentaine et arborait une expression sévère
qu'accentuait un chignon plutôt strict. Sa robe
orange, banale et peu seyante, dénotait une absence
totale de coquetterie. En la voyant ranger un foulard
dans son sac à main, Megan pensa qu'elle avait dû
assiter à la messe et sortait tout juste de l'église.

— *Bitte ?* murmura-t-elle en se redressant.

L'Autrichienne réitéra sa question, tandis que la
jeune femme, interloquée, cherchait vainement la
traduction du mot « belle-mère » afin de justifier sa
présence devant cette tombe.

— Eva Müller était la mère de mon mari, finit-
elle par expliquer dans un allemand hésitant.

— Mais enfin qui êtes-vous ? interrogea la femme
blonde en la dévisageant avec curiosité. Quel est
votre nom ?

— *Ich heisse* Megan Hal… Megan von Kleist. *Ich
spreche…*

— *Von Kleist ? ! Mein Gott ! Erich ? Sie sind
Engländerin ?*

— Je suis Américaine, rectifia Megan dans sa
langue maternelle.

L'inconnue, aussi surprise qu'elle à présent, la
regarda longuement ; puis elle observa en anglais,
avec un terrible accent mais beaucoup de bonne
volonté :

— Erich… von Kleist n'est plus.

Elle semblait encore sur ses gardes, et ce ne fut
qu'après un long silence qu'elle demanda :

— Vous êtes sa veuve ?

— Oui.

— Kurt von Kleist nous a effectivement appris qu'Erich avait péri aux Etats-Unis, dans un accident de voiture. Mais il n'a pas mentionné l'existence d'une... épouse.

— J'ai été mariée à Erich pendant deux ans, répliqua Megan d'un ton un peu sec, en refusant délibérément d'entrer dans les détails. Mais vous, qui êtes-vous donc ?

L'Autrichienne répondit tranquillement :

— Excusez-moi de ne pas m'être présentée. Je suis le Dr Ulrike Müller. Je n'ai pas connu Eva, mais c'était ma tante, la sœur cadette de mon père. Erich von Kleist se trouvait donc être mon cousin germain. Voilà pourquoi votre présence ici m'intriguait.

6

A l'intérieur de l'hôpital, dans le bureau d'Ulrike, Megan fit plus ample connaissance avec sa cousine par alliance. L'Autrichienne avait à peine plus de trente ans, mais les responsabilités qu'elle endossait dans son travail lui donnaient l'air plus âgé. Elle avait caché son affreuse robe orange sous une longue blouse blanche, et semblait investie d'une autorité nouvelle ; ses yeux clairs pétillaient maintenant d'intelligence et de confiance. A peine arrivée, elle demanda à un infirmier de lui apporter du café ; il s'inclina respectueusement.

— *Jawohl, Fräulein Doktor !*

Megan s'attendait presque à le voir claquer des talons lorsqu'il s'éloigna d'un pas martial. Elle se tourna vers Ulrike, qui lui souriait chaleureusement. Ce sourire métamorphosait complètement son visage, l'illuminait, et mettait en valeur sa dentition parfaite, l'éclat de son teint. Avec une coiffure moins sévère et une touche de maquillage, pensa la jeune femme, elle pourrait être tout à fait séduisante ! Pourquoi se cachait-elle derrière cette apparente banalité ?

— Ainsi vous étiez la femme d'Erich ! Qui aurait

cru que nous nous rencontrerions après tant d'années… !

— Vous… connaissiez bien mon mari ?

— Oh, non, sourit Ulrike avec fatalisme. A mon avis, personne ne le connaissait vraiment. Ma famille habitait Salzbourg, mais en été, je passais les vacances ici, chez mes grands-parents. A l'époque, Erich vivait encore avec eux. Il était un tout petit peu plus jeune que moi, et pourtant il était… difficile de l'approcher ; il était très replié sur lui-même, presque sauvage. Il passait le plus clair de son temps dans les collines, avec en guise de jouet le vieux violon de mon grand-père. Un jour, je l'ai suivi. Debout sur un rocher, il jouait un morceau particulièrement délicat ; après avoir fini, il a fait une profonde révérence devant un public invisible et il souriait sous les ovations. Ah, j'ai réagi bêtement, comme l'aurait fait à ma place n'importe quelle gamine : j'ai éclaté de rire. Il est alors venu me dénicher dans ma cachette et il m'a battue. Je l'entends encore me crier : « Un jour mon père va venir me chercher, et plus personne ne se moquera de moi ! » J'avais seulement neuf ans. Je ne comprenais pas.

— Il a dû avoir une enfance si difficile, murmura Megan.

— Ja. Et je crois que c'était difficile pour tout son entourage. Lorsqu'un enfant a de tels problèmes d'identité, il devient vite… inadaptable. Quand son père est enfin venu le chercher, mes grands-parents étaient tristes de le voir partir. Mais ils espéraient qu'il trouverait le bonheur dans cet autre monde, qui leur était si étranger. Et pourtant même au Schloss Erich était encore considéré comme un intrus ; il n'avait sa place nulle part… Dites-moi, a-t-il fini par trouver le bonheur en Amérique ?

La jeune femme resta perplexe. A sa grande

honte, elle dut reconnaître qu'absorbée par son propre malheur elle ne s'était guère interrogée sur ce qu'éprouvait Erich. Il lui fallut choisir ses mots avec soin et sonder son cœur pour répondre, en toute sincérité :

— Je me demande si quelqu'un au monde avait le pouvoir de le rendre heureux. Personnellement, je n'y suis pas arrivée.

— Mais vous étiez sa femme…

— Il est parfois difficile, même pour une épouse aimante, de rivaliser avec une sonate de Mozart ou une fugue de Bach. La musique représentait tout pour Erich ; c'était l'amour de sa vie. Aux Etats-Unis, il s'est entièrement consacré à sa carrière, et il a connu un début de succès. Peut-être était-ce suffisant pour le rendre heureux.

Ulrike hocha pensivement la tête ; apparemment, elle comprenait ce que l'Américaine exprimait à demi-mot. Leur entretien fut interrompu par le retour de l'infirmier, qui leur apporta un délicieux café, de la crème et des pâtisseries. Ce fut un plaisant intermède.

— Excusez ma gourmandise, mais j'ai eu une urgence ce matin : une appendicite. Je n'ai donc pas pu assister à la première messe et je me suis rendue à l'église plus tard, à l'heure du déjeuner. Je n'ai rien avalé de la journée !

Elle ponctua cette remarque d'un sourire mutin et ajouta avec un soupir :

— Cela ne me fait pas de mal de sauter un repas ! Si j'étais mon propre patient, je m'obligerais à suivre un régime. C'est assez extraordinaire de se plaindre de trop bien manger dans un hôpital, vous ne trouvez pas ? C'est pourtant ce qui m'arrive : pour mon malheur, nous avons un excellent cuisinier ! C'est Kurt von Kleist qui nous a déniché ce cordon-bleu, et comme tous les cuisiniers viennois, il met un point d'honneur à se surpasser dans les desserts !

— Si je comprends bien, Kurt s'intéresse à la bonne marche de l'établissement ?

— *Natürlich !* Je pensais que vous le saviez.

— Oh, je le connais très mal, se défendit Megan en rougissant malgré elle. Je l'ai vu pour la première fois il y a deux jours.

Sous le regard attentif du médecin, elle rougit de plus belle. Comment affirmer ne pas connaître un homme avec lequel elle avait partagé de délicieux moments d'intimité ? Cette situation en porte-à-faux la mettait extrêmement mal à l'aise.

Voyant ses joues s'empourprer, Ulrike observa à brûle-pourpoint :

— C'est un homme très séduisant.

La jeune femme acquiesça avec gêne. Une image s'imposait à son esprit : le regard bleu de Kurt lorsqu'il avait levé les yeux de son catalogue, quand elle était entrée dans son bureau. Le temps qu'il avait mis à s'apercevoir de sa présence ne l'avait pas empêchée de succomber instantanément à son charme, bien qu'elle s'en défendît.

— Kurt von Kleist est un homme d'une grande bonté, reprit le médecin.

Megan ne put se retenir de ciller. On pouvait prêter à son irrésistible beau-frère de nombreuses qualités, mais le terme « bonté » ne semblait guère coller au personnage ! Ulrike poursuivit gravement :

— Il a eu son lot de malheurs, dans la vie : trois doigts paralysés, la mort de presque tous les membres de sa famille, celle de sa femme… et pourtant il est resté très attentionné, altruiste, même. C'est lui qui a fondé cet hôpital.

— Oh… je l'ignorais.

— Sans sa générosité, les habitants de Kleisthof-im-Tirol devraient encore faire des kilomètres pour recevoir des soins. Après la mort de sa femme, il a beaucoup sacrifié à la construction de cet établissement, auquel il a donné le nom de Ste Elisabeth.

Elisabeth, l'Anglaise qui avait épousé un von Kleist et dont la photo trônait encore dans la chambre de Kurt, à Vienne...

— J'avais déchiffré le nom sur la façade, mais je n'avais pas fait le lien, bredouilla Megan.

— Chaque année, le jour de la Sainte-Elisabeth, les von Kleist organisent chez eux un grand bal de charité auquel sont conviés tous les notables de la ville et des environs. Les dons réunis à cette occasion servent à renflouer les caisses de l'hôpital. Ce bal doit d'ailleurs avoir lieu dans quelques jours. Serez-vous encore parmi nous ?

— Je ne sais pas au juste. En fait je suis venue en Autriche pour régler une affaire très précise, et tout s'est décidé au dernier moment. A ma connaissance, je ne suis pas invitée à cette fête et...

— Oh, mais vous devez rester ! Ce bal est un événement, vous verrez : les von Kleist ouvrent à cette occasion la grande salle de réception, les décorations sont fastueuses, le banquet est un véritable festin ! Quant aux toilettes et aux bijoux de ces dames... *Gott im Himmel !* Si j'étais communiste, je trouverais sans doute ces festivités décadentes, mais puisque je ne suis qu'un humble médecin, elles me ravissent. J'y suis conviée chaque année en tant que directrice de cet hôpital : cela me permet d'exhiber le collier de perles que m'ont offert mes parents lorsque j'ai passé ma thèse ! Mes fonctions font de moi... l'invitée d'honneur, en quelque sorte, et Kurt von Kleist ouvre toujours le bal avec moi ; personnellement, je crois aussi que ce petit rite lui permet de ne pas offenser celles qui aimeraient à leur tour être honorées d'un tel privilège ! La vie d'ici est très provinciale, vous savez... Après cette première danse, je m'isole dans un coin et je passe la soirée à admirer les splendeurs du Schloss, je rêve à l'ancien temps, au jour où le jeune Mozart est venu y donner un concert...

Le sourire d'Ulrike s'estompa tandis qu'elle ajoutait :

— C'est terrible. On oublie vite que ce bal et cet hôpital doivent leur existence à la mort tragique d'une jeune femme, mort qui aurait pu être évitée...

— Que s'est-il passé ?

— Vous n'êtes pas au courant ? C'était il y a sept ans, à Noël. Je débutais dans la médecine, mes diplômes en poche, et j'étais venue passer les fêtes chez mes grands-parents, car ils se faisaient vieux. Pendant plusieurs jours, le village a été pratiquement coupé du reste du monde, à cause d'une tempête de neige qui faisait rage sur la région. Les cantonniers n'arrivaient plus à déblayer les routes. Un soir, alors que nous nous apprêtions à nous coucher, j'ai entendu les clochettes d'un traîneau, et quelques secondes plus tard, on frappait à la porte. C'était Karl Weber qui était descendu au village dans un traîneau tiré par un cheval. Il m'a annoncé qu'il y avait eu un accident au Schloss ; j'étais le seul docteur à la ronde, on avait besoin de moi. Je n'oublierai jamais ce voyage sous la neige... C'était la première fois que je voyais le château, et j'étais très impressionnée. Dès mon arrivée, j'ai été conduite au chevet d'Elisabeth von Kleist. Je me suis immédiatement rendu compte que son état nécessitait une hospitalisation d'urgence... Elle avait besoin d'une transfusion de sang, et il aurait fallu lui faire des radios. Or nous ne disposions sur place d'aucun équipement.

— Quel cauchemar... Mais comment était-ce arrivé ?

— C'est une bien triste histoire... Pour faire

plaisir à sa fille, elle avait confectionné une guirlande de gui et de houx, avec des rubans rouges ; elle a tenu à l'accrocher elle-même au plafond, en haut du grand escalier... Elle a glissé de l'escabeau et a roulé jusqu'au bas des marches.

Dans un éclair Megan se souvint du vertige qu'elle avait ressenti au moment de descendre l'escalier pour la première fois.

— Oh mon Dieu ! s'exclama-t-elle d'une voix étranglée.

— Aussi étonnant que cela puisse paraître, elle ne s'était pas rompu le cou et n'avait aucune vertèbre brisée. Mais elle avait une blessure à la tête, et elle saignait beaucoup. C'était une question de minutes... L'hôpital le plus proche se trouvait à une vingtaine de kilomètres de là, il nous aurait fallu un quart d'heure en voiture, mais hélas, les routes étaient impraticables. J'ai fait ce que j'ai pu pour la sauver, la maintenir en vie, espérant le miracle... Jamais je ne me suis sentie aussi désemparée. Elle s'éteignait à petit feu sous nos yeux, et nous étions complètement impuissants. La malheureuse était inconsciente : au moins elle n'a pas souffert.

Les yeux pâles d'Ulrike s'étaient emplis d'une indicible tristesse, et une larme perlait à ses paupières tandis qu'elle poursuivait :

— Son époux est resté agenouillé à son chevet ; il pleurait, priait, lui tenait la main comme pour la retenir. Les autres veillaient à l'entrée de la chambre, domestiques compris. Elisabeth était non seulement très belle, mais également très aimée. Il n'y avait plus rien à faire, qu'à attendre la fin. Au milieu de la nuit, la petite Liesl est entrée dans la chambre de sa mère ; elle avait tout juste deux ans, mais elle sentait qu'il s'était passé quelque chose. Son père l'a prise dans ses bras et ils sont restés ensemble jusqu'au matin. A l'aube, tout était fini.

Il y eut un long silence pendant lequel l'Autrichienne lutta contre ses émotions. Puis elle reprit d'une voix plus posée :

— Après l'enterrement, Kurt m'a demandé si je serais prête à rester à Kleisthof — j'exerçais à Linz, à l'époque — pour l'aider à fonder un hôpital. Il s'était juré qu'aucune tragédie de ce genre ne se renouvellerait... J'étais stupéfaite, d'autant qu'il aurait pu me reprocher la mort de sa femme. Je n'étais bien sûr coupable d'aucune négligence, mais il est humain, dans pareil cas, de rejeter la faute sur quelqu'un. Je ne savais pas encore que Kurt von Kleist était un homme hors du commun... J'ai finalement accepté sa proposition. Il a alors persuadé son père de mettre en vente des tableaux qui faisaient partie de la collection familiale, et avec le soutien de Wilhelm et de Gabrielle, il a organisé le premier bal de charité au profit de l'hôpital. Kleisthof-im-Tirol est aujourd'hui doté du meilleur équipement, grâce à lui, et je n'ai qu'à me féliciter des compétences du personnel médical ! L'argent qu'il a englouti dans ce projet, alors qu'il n'habite même pas ici en permanence, est inimaginable...

— Vous avez dû également donner beaucoup de vous-même, observa Megan avec admiration.

— Je consacre beaucoup de temps à mon travail, concéda Ulrike après un instant de réflexion. Il m'arrive pafois d'aspirer à une tranquille vie de famille !

— A trente-deux ans, vous pouvez encore concilier votre carrière et votre vie sentimentale, non ?

Au lieu de répondre, l'Autrichienne regarda sa montre et s'exclama :

— Déjà ! Allons, venez, je vous emmène déjeuner dans le meilleur restaurant de la ville ! Ces gâteaux n'étaient qu'un en-cas...

Quelques minutes plus tard, Megan eut l'agréable surprise de se retrouver assise à la terrasse de l'auberge qu'elle avait remarquée dans la matinée, au cours de sa promenade. Les tables étaient judicieuscment abritées du soleil par l'épais feuillage d'un hêtre centenaire. Le long du mur étaient alignés des pots de géraniums aux couleurs vives. Une légère brise jouait dans la chevelure de la jeune femme, faisant virevolter les mèches folles qui s'étaient échappées de son chignon. Elle huma l'air pur de la montagne avec délectation, puis son attention fut attirée par les fresques qui décoraient la façade du restaurant.

Tout au long du repas, Ulrike lui expliqua l'origine de ccs peintures, qui représentaient les faits et gestes d'animaux fabulcux, les exploits de personnages légendaires issus du folklore local. Elle en savait long sur les coutumes de son pays, et Megan ne se lassait pas d'écouter ses savoureuses anecdotes.

— Je crains que mon séjour ne s'achève trop tôt, soupira-t-elle en repoussant son assiette. J'ai tant de choses à voir...

— Vous ne comptez pas rester longtemps?

— Non. Comme je vous le disais, j'ai fait ce voyage dans un but bien précis. Quand Kurt reviendra de Vienne avec les documents que je dois signer, plus rien ne me retiendra chez les von Kleist. J'aimerais passer quelque temps à Salzbourg — je n'en connais que l'aéroport — puis à Vienne, pour y écouter un ou deux opéras.

— La saison lyrique est terminée à Vienne, mais le festival de Salzbourg bat son plein, précisa Ulrike. Il ne faut pas manquer le théâtre de marionnettes et...

Sa voix fut couverte par un bruit de moteur : une

voiture de sport blanche venait de se garer devant
l'auberge et déjà le conducteur s'écriait :

— Ulrike, *mein Herzenfreund, wie geht's ?*

Le visage de l'Autrichienne s'éclaira en le voyant.
Radieuse, elle se leva et répondit :

— Peter ! Quelle bonne surprise ! Venez nous
rejoindre !

Il descendit de voiture et marcha vers les deux
femmes. C'était un jeune homme châtain, de taille
moyenne, sans signe distinctif particulier ; il portait
un costume de toile beige, et ses yeux vifs pétillaient
d'intelligence derrière ses lunettes à monture
d'écaille. Tout en prenant une chaise, il salua
distraitement Megan en allemand.

— Vous pouvez parler anglais, s'esclaffa Ulrike.
Megan est Américaine.

Les traits de Peter s'animèrent soudain.

— Pas possible ! s'exclama-t-il avec un accent
typiquement « yankee » D'où venez-vous ?

— De Los Angeles, répondit la jeune femme avec
l'inexplicable soulagement que l'on éprouve en ren-
contrant un compatriote en terre étrangère. Et
vous ?

— Chicago. Eh bien, Ulrike, c'est à vous de faire
les présentations !

— Où avais-je la tête ? Megan, permettez-moi de
vous présenter Peter Swanson, ingénieur. C'est un
ami charmant, quoique un peu turbulent. Peter,
voici Megan von Kleist, ma cousine par alliance.

— Vous êtes mariée ? s'étonna le jeune homme.
Et avec un von Kleist ?

— Je suis veuve.

— Ah... Mais il me semble vous avoir déjà
rencontrée... J'y suis ! Je vous ai vue sur la place du
village, avant-hier. Vous êtes montée dans une
limousine. Riki, vous ne m'aviez pas dit que vous
étiez parente des « châtelains » !

— Je ne suis pas vraiment leur parente, rectifia l'Autrichienne. C'est une longue histoire, Peter, dans laquelle je ne préfère pas entrer pour le moment.

— Soit, sourit Peter sans insister davantage.

Puis il se tourna vers Megan et lui adressa un sourire charmeur.

— Pardonnez ma curiosité, mais justement j'essaie depuis des jours d'avoir une entrevue avec Kurt von Kleist et il refuse de me voir.

La jeune femme se rappela tout à coup la conversation téléphonique qu'avait eue Kurt avec un dénommé Swanson, le jour de son arrivée. Elle avait été frappée d'entendre son hôte s'exprimer successivement en allemand puis en anglais, et son irritation ne lui avait pas échappé.

— Kurt est à Vienne en ce moment, déclara-t-elle prudemment.

— Encore un moyen de m'éviter, grimaça Peter.

Ulrike décida d'intervenir : la conversation prenait un tour déplaisant.

— Vous êtes très élégant aujourd'hui, Peter ! Et... très propre.

Cette remarque provoqua l'hilarité du jeune homme, qui expliqua à sa compatriote :

— Riki ne perd pas une occasion de me rappeler que lors de notre première rencontre, j'étais couvert de boue de la tête aux pieds.

— Quand je l'ai vu entrer dans l'hôpital, renchérit le médecin, j'ai cru un instant que nous étions envahis par les extra-terrestres. C'était un spectacle ! Il laissait derrière lui une traînée de vase dégoulinante et nauséabonde, il boitait, et pour compléter le tableau, il avait une fleur rose accrochée au-dessus de l'oreille !

— Que vous était-il arrivé ? interrogea Megan.

— Je travaillais dans un pré...

— Il cueillait des fleurs, pour être exact, intervint Ulrike.

— Je disais donc que j'étais dans un pré, poursuivit Peter, impassible, pour mener à bien une étude géobotanique, c'est-à-dire que je cherchais dans la flore alpine toute anomalie suspecte qui aurait pu indiquer la présence dans le sous-sol de certains gisements minéraux. Vous me suivez? Il se trouve que j'ai mis le pied sur un terrier de lapin, par inadvertance, et que je me suis foulé la cheville. J'étais seul, ce qui était idiot, soit dit en passant; mais nous ne tenions pas à attirer l'attention de la population sur notre projet... Bref, il avait plu, le champ était boueux, et le temps de me traîner lamentablement jusqu'à ma voiture, je m'étais transformé en une créature digne de figurer dans un film d'horreur.

— Et vous êtes parvenu à arriver à l'hôpital?

— Je pouvais encore conduire, même si ce n'était qu'au ralenti. Je souffrais simplement d'une luxation, ce qui a beaucoup déçu mon amie Riki. Pour elle, seule une double fracture aurait pu justifier l'état dans lequel j'avais mis son couloir!

— Vous exagérez, protesta Ulrike en rosissant comme une écolière.

Cet échange amusa Megan. La directrice de l'hôpital avait un faible pour l'ingénieur américain, c'était clair.

— Vous dites que vous travaillez dans la... géobotanique, c'est cela?

— Oui, c'est une nouvelle technique mise au point par les Soviétiques pour la détection des minerais. Dans mon cas, je suis à la recherche de gisements de cuivre, alors j'analyse la mousse, les œillets, et certaines espèces de menthe, particulièrement sensibles à ce métal.

— C'est extraordinaire! Je n'avais jamais

entendu parler de cela ! Mais êtes-vous géologue ou botaniste ?

— En fait, je suis ingénieur des mines. Je travaille pour la compagnie de mon oncle Max. Ou plutôt je *devrais* travailler, si seulement Kurt von Kleist n'était pas si...

— Peter, s'interposa calmement Ulrike, je vous rappelle que Megan fait partie de la famille von Kleist.

L'ingénieur eut la grâce de paraître gêné. Son air piteux le rajeunissait de dix ans.

— Excusez-moi, Megan, j'avais oublié. Je ne voulais pas vous offenser. Mais voyez-vous cette affaire m'empoisonne, et je ne supporte ni l'obstination ni l'arrogance de ces « seigneurs ». Pardonnez-moi si je m'égare... Oui, Riki, vous me faites les gros yeux parce que pour vous, Kurt von Kleist est un saint ; moi, je le trouve entêté et déraisonnable. Mais parlons plutôt de vous, Megan, avant que je ne commette des écarts de langage : quel bon vent vous a amenée en Autriche ?

— Oh, une petite affaire de famille à régler. J'aimerais toutefois profiter de mon séjour pour faire du tourisme. Je compte aller à Salzbourg, notamment, avant de repartir.

— Pourquoi ne profiteriez-vous pas de ma voiture ? proposa aimablement l'Américain. Je dois justement me rendre là-bas dans quelques jours. Et vous, Riki, que diriez-vous d'une journée de congé ? Nous pourrions y aller tous les trois !

— D'accord pour Salzbourg, accepta Ulrike avec un sourire. Bon, mais pour le moment le devoir m'appelle, je dois vous quitter. Peter, auriez-vous la gentillesse de tenir compagnie à notre amie cet après-midi ?

— Mais naturellement, Riki : je ne peux rien vous refuser, répondit-il galamment.

Le médecin régla l'addition, puis salua une dernière fois ses amis et partit en direction de l'hôpital. Après son départ, les deux jeunes gens s'attardèrent sur la terrasse.

— J'ai une prédilection pour ce pays, commenta l'ingénieur en se renversant dans son fauteuil. J'y suis venu en touriste il y a six ans, et je n'en suis jamais reparti ! Je sortais de l'école, je n'avais pas de travail, et ma femme venait de demander le divorce. Mais l'oncle Max m'a pris sous son aile, et je suis tombé amoureux de l'Autriche...

Ils passèrent une bonne partie de l'après-midi à explorer les rues de la ville, puis Peter raccompagna Megan chez les von Kleist.

— Merci pour cette délicieuse journée, conclut la jeune femme en descendant de l'auto. J'attends avec impatience notre excursion à Salzbourg.

— C'est une ville fascinante, vous l'aimerez beaucoup.

Elle lui sourit amicalement.

— Cette maison est vraiment un palais, observat-il en détaillant la façade du Schloss.

— Vous n'êtes jamais venu ?

— Non. J'ai rencontré von Kleist à deux reprises, mais il m'avait donné rendez-vous en ville. A ce propos, Riki m'a demandé de l'accompagner au bal de charité. Je ne sais pas encore si j'irai. Je ne prise guère ce genre de festivités...

— A priori moi non plus, rétorqua la jeune femme.

Puis elle le dévisagea pensivement. Ulrike avait dû rassembler tout son courage pour l'inviter à cette réception.

— Si Ulrike vous l'a demandé, vous ne pouvez pas la laisser tomber, décréta-t-elle gentiment. Et puis au moins, je ne me sentirai pas perdue !

— Alors je viendrai, accepta Peter en riant. Je ne

sais pas si von Kleist sera content de me voir, mais il faut bien s'épauler, entre compatriotes ! *Auf wiedersehen,* chère amie !

Il la salua d'un geste de la main, puis il contourna la fontaine et accéléra en direction du portail.

Le même soir, Megan jouait du piano pour Liesl et Adelaïde lorsque la bonne entra dans le salon de musique pour lui annoncer qu'elle était demandée au téléphone. Intriguée, elle la suivit le long des interminables corridors, jusqu'au boudoir de Gabrielle. Installée derrière son bureau Louis XV, celle-ci lui tendit le combiné et lui expliqua d'un ton sec :

— C'est Kurt qui est en ligne. Il voulait s'assurer que vous alliez bien.

Puis elle s'empara d'un bloc-notes et entreprit de rayer rageusement des mots sur une liste.

Megan lui tourna le dos et murmura timidement :
— Allô ?

La liaison n'était pas excellente, mais malgré les grésillements qui parasitaient la ligne, la voix de Kurt n'avait rien perdu de sa gravité sensuelle.

— Bonsoir, Megan, comment allez-vous ?
— Très bien, Kurt, merci.

— J'ai regretté de ne pas vous dire au revoir ce matin. Pour tout vous avouer, vous me manquez. J'aimerais tant vous avoir ici avec moi, sans personne pour nous déranger...

Dans le miroir qui lui faisait face, la jeune femme vit la rougeur lui monter aux joues. Mais avant qu'elle n'ait eu le temps de répondre, Kurt reprit, un rire dans la voix :

— Pauvre Megan ! Je suis cruel de vous troubler alors que Gabrielle doit être à côté de vous. J'appelais pour savoir si vous aviez passé une bonne journée, et si vous profitez pleinement de vos vacances.

— Oh oui, aujourd'hui je me suis promenée dans Kleisthof. C'est une charmante petite ville !

— Liesl était avec vous ?

— Non, j'y suis allée seule. Mais Kurt, il m'est arrivé quelque chose d'incroyable. J'ai fait par hasard la connaissance de la cousine d'Erich.

— Ulrike Müller ?

— Exactement.

Elle marqua une hésitation. Devait-elle également mentionner sa rencontre avec Peter ? Non, inutile : les deux hommes ne semblaient pas être en très bons termes.

— J'ai beaucoup sympathisé avec Ulrike, poursuivit-elle. Elle m'a demandé si je voulais aller à Salzbourg avec elle cette semaine.

— Vous vous liez facilement ! Tant mieux. J'ai beaucoup d'admiration pour Ulrike, je suis content que vous la connaissiez. J'aurais dû songer à vous la présenter, mais... je ne savais pas si vous aviez envie de connaître la famille d'Erich.

Megan changea délibérément de sujet.

— Comment s'est déroulé votre journée ?

— Assez bien, à part un échange de vues assez acerbe entre mon gérant et un jeune peintre plein de talent que j'ai aidé à exposer. Il me faudra trancher la question, ce qui va me retarder. Je pense être de retour un jour seulement avant le bal. Vous pourrez arriver à vous distraire d'ici là ?

— Bien sûr ! J'ai prévu une excursion avec Ulrike, comme je vous le disais, et Liesl et moi envisageons d'aller à Innsbruck avec le chauffeur. Sinon, je peux toujours me rabattre sur la musique ! J'adore votre piano, Kurt. C'est le genre d'instrument dont rêve tout musicien.

— Oui, je sais.

Il y eut un long silence, puis Kurt déclara avec emportement :

— Megan, j'en ai assez de vos atermoiements d'ingénue. Je veux que vous veniez me rejoindre. Vous pouvez prendre l'avion à Salzbourg demain matin et arriver ici avant midi.

— Mais, Kurt…

— Ne discutez pas, Megan. Vous savez aussi bien que moi combien nous avons envie de nous retrouver.

— Kurt, vous n'avez pas le droit !

— N'ai-je pas raison, Megan ?

Elle ferma les yeux, saisie de vertige, et retint son souffle. Le désir l'envahissait avec la violence de la vague. Il ne fallait pas… Mais être à Vienne avec Kurt ! Elle imaginait sans mal le plaisir de chaque instant, les promenades d'amoureux, les terrasses des cafés, le coucher de soleil derrière les flèches de la cathédrale, la musique tzigane…

— Megan, vous voulez bien venir à Vienne ?

— Oui, dit-elle dans un souffle.

— *Sehr gut…*

Il était calme à présent, maître de lui. Il avait gagné. Sans doute avait-il l'habitude de voir les femmes lui céder… La question obsédante revint hanter Megan : ne serait-elle rien de plus qu'une maîtresse passagère ? Ses doigts se crispèrent sur le combiné. Kurt était veuf depuis sept ans, à quoi bon se faire des illusions sur sa vie amoureuse ? Il ne vivait certainement pas en ermite ! De là à croire aux insinuations d'Adelaïde, il y avait cependant un pas : Kurt devait mener ses aventures discrètement…

— Vous êtes encore là, Megan ?

— Oui. Vous désiriez me dire autre chose ?

— Repassez-moi Gabrielle, j'aimerais lui demander de réserver votre billet.

— Très bien… Alors… bonsoir, Kurt.

— Bonne nuit, jolie Megan. A demain.

La jeune femme tendit le combiné à Gabrielle, sans explication. L'Autrichienne écouta un moment, puis ses yeux noisette s'agrandirent de surprise et elle jeta à Megan un regard haineux. Confuse, celle-ci détourna la tête et courut se réfugier dans le salon de musique, en maudissant son manque d'assurance. Pourquoi se conduisait-elle comme une gamine prise en faute ?

Elle trouva Adelaïde allongée sur le sofa avec un roman. Liesl, perchée sur le tabouret du piano, avait courageusement travaillé son morceau en l'attendant.

— Ecoutez ce que ça donne, Tante Megan !

Elle se mit à jouer avec application. Son sérieux était touchant, mais le résultat laissait à désirer.

— Tu vas recommencer, Liesl. Les notes sont justes, il reste à respecter le tempo. Regarde. *Trois*, quatre, un, deux, et *trois*, quatre, un deux, *trois*… Tu comprends ?

— Oui, je crois. J'essaye !

La seconde mouture était meilleure, mais encore maladroite.

— Liesl, ne pense pas à moi, pense à la musique. Ne te contente pas d'imiter ce que tu entends. Il faut *sentir* ce que Haendel a voulu faire passer dans ce morceau.

— Sentir, répéta pensivement la fillette, comme si elle venait de faire une découverte importante. C'est drôle, Fräulein Brecht n'a jamais employé ce mot-là…

Après s'être concentrée sur la partition, elle reprit l'exercice et cette fois, elle se laissa emporter par le rythme, l'harmonie musicale, le sentiment. Dans son enthousiasme elle fit bien quelques fausses notes,

mais elle avait compris l'essentiel. Megan la gratifia
d'un sourire plein d'encouragement.

— C'était mieux, n'est-ce pas ? s'exclama fièrement Liesl. J'aime votre façon de dire les choses,
Tante Megan. Pourrez-vous me donner une autre
leçon demain ?

Le visage de la jeune femme se ferma soudain.
Elle repoussa de son front une mèche de cheveux et
répondit en affectant le plus grand calme :

— Non, malheureusement, car je ne serai pas ici.
Je vais passer quelques jours à Vienne. Je partirai le
matin.

— Quoi ? Pourquoi Vienne ? C'est *Vati* qui vous a
demandé d'y aller ? Et notre promenade à Innsbruck ? Oh, est-ce que je peux venir avec vous ?

— N... non, ma chérie, pas cette fois, bredouilla
Megan.

Elle s'aperçut qu'Adelaïde avait levé le nez de son
livre et la dévisageait curieusement. Rougissante,
elle reprit d'une voix plus ferme :

— C'est effectivement ton père qui m'a invitée.
Je ne suis jamais allée à Vienne. Tu ne peux pas
m'accompagner, mais si tu as besoin que je te
rapporte quelque chose, dis-le-moi.

— Combien de temps comptez-vous rester là-
bas ? s'enquit l'adolescente tandis que Liesl boudait.

— Je l'ignore. Kurt a chargé Gabrielle de s'occuper de ma réservation, pour le voyage.

— Je vois...

Adelaïde se leva gracieusement du divan, referma
son livre et déclara :

— Bon, je vous souhaite une bonne nuit.

Elle quitta la pièce et se dirigea vers le bureau de
sa mère adoptive.

Pendant ce temps, Liesl n'avait pas quitté la jeune
femme des yeux.

— Vous allez partir ! lança-t-elle d'un ton accusateur.

— Mais je reviendrai. Je vais seulement passer quelques jours avec ton père ; il tient à me faire visiter Vienne.

— Moi aussi, je connais Vienne ! revendiqua la fillette avec acrimonie. Pourquoi m'interdisez-vous de venir ?

— Voyons, Liesl, il n'est pas question de ça...

— Si ! Vous ne voulez plus de moi ! Je croyais que vous m'aimiez bien, ce n'est pas vrai, je...

— Oh, cesse de récriminer, Liesl !

La fillette se replia tout à coup sur elle-même, comme si elle avait reçu une gifle. Ses yeux saphir s'emplirent de larmes, et avec un sanglot elle se laissa tomber du tabouret et quitta le salon en courant. Le premier mouvement de Megan fut de la suivre, puis elle se ravisa. Non, elle n'allait pas courir après Liesl. Elle ne lui devait aucune explication, et n'avait pas à se justifier devant elle. A quoi rimaient ces caprices, ces enfantillages ! Liesl avait beau être une enfant adorable, elle avait hérité des traits de caractère qui rendaient les von Kleist si dominateurs, si possessifs. Cela ne lui faisait pas de mal d'être pour une fois remise à sa place.

« Mais alors pourquoi ce sentiment de culpabilité ? » se demanda Megan non sans irritation.

Elle haussa les épaules et chassa résolument de son esprit l'image des grands yeux tristes de la fillette. Après avoir jeté un dernier regard au piano, elle soupira, éteignit la lumière du salon et regagna sa chambre. Là, elle essaya de se calmer en faisant ses bagages pour le lendemain. Il ne lui fallut pas longtemps pour inspecter le contenu de sa garde-robe et mettre le nécessaire dans la plus petite de ses deux valises : une jupe, un pantalon, une veste légère et des chemisiers qu'elle pouvait combiner à l'infini. Elle ajouta à cela quelques foulards, deux paires de souliers, sa lingerie et des bijoux fantaisie. Pour le voyage, elle porterait une robe bleue, toute simple. Et si Kurt l'emmenait dans un endroit chic, elle pourrait toujours s'offrir une toilette plus élégante.

A peine venait-elle de boucler la valise qu'elle se rappela avoir oublié d'emporter une chemise de nuit. Un sourire rêveur se dessina sur ses lèvres. Elle avait ce qu'il fallait. Avant son départ, elle s'était en effet offert une ravissante chemise de nuit vert amande, délicate et soyeuse. Bien qu'elle dormît seule, elle nourrissait une prédilection immodérée pour la lingerie fine et les dentelles. Elle ouvrit le tiroir de sa commode, en sortit sa dernière emplette et passa la main sous le tissu presque transparent ; elle pouvait lire au travers les lignes tracées au creux de sa paume. « Laquelle était la ligne de cœur ? » se demanda-t-elle. Puis elle haussa les épaules. Non, elle n'était pas amoureuse. Sa liaison avec Kurt ne signifiait rien de plus que la satisfaction d'un désir réciproque. Elle se promit de ne pas l'oublier.

Après un sommeil peuplé de doux rêves, elle fut réveillée par la bonne qui lui apportait son petit déjeuner. Elle se prépara en chantonnant joyeusement, soulevée par l'excitante anticipation des jours à venir. Elle souriait encore lorsque le chauffeur lui ouvrit la portière de la limousine, et qu'elle se glissa sur le siège en cuir. Là, à sa grande déconvenue, elle découvrit une autre occupante à l'arrière de la Mercedes.

— Surprise ! sourit victorieusement Adelaïde. Puisque vous alliez passer la journée à Vienne, Gaby m'a suggéré de vous accompagner. J'avais justement besoin de m'acheter une nouvelle robe pour le bal.

Par le hublot de l'avion, Megan découvrit que le beau Danube bleu était en réalité un fleuve aux eaux jaunâtres, ou plutôt marron. Cette nouvelle déception ne fit qu'accroître sa morosité et la tristesse qu'elle avait éprouvée en rendant sa valise à la bonne avec une explication embarrassée : « J'avais mal compris, finalement je n'aurai pas besoin de mes bagages... »

Le vol avait été rapide, et déjà l'avion amorçait sa descente vers l'aéroport. L'Américaine n'avait pas échangé un mot avec sa compagne, absorbée dans la lecture d'un livre. Le regard perdu dans les nuages, elle avait remâché son humiliation. Quelle sotte elle avait été d'interpréter aussi librement l'invitation de Kurt ! Heureusement, il n'en saurait rien puisqu'elle s'était rendu compte de sa bévue avant de partir ; elle avait ainsi eu le temps de confier sa valise à la domestique... Comment aurait-il réagi s'il avait compris qu'elle s'attendait à passer la nuit avec lui ?

Megan et Adelaïde descendirent ensemble de l'avion, mais au moment de prendre l'escalier roulant, l'adolescente poussa un petit cri et s'écarta du flot des passagers pour remettre en place la bride de sa chaussure. Megan arriva seule en haut de l'escalator qui débouchait dans le hall d'arrivée. Fluette et gracieuse dans sa robe-chemisier, elle n'avait pas conscience des regards posés sur elle, ni des hommes qui se retournaient sur son passage pour admirer sa silhouette et sa chevelure flamboyante. Ses yeux inquiets scrutaient la foule, à la recherche de Kurt. Et soudain, il se dressa devant elle, grand et solide, le sourire chaleureux. Il semblait un point d'ancrage, un havre, au beau milieu de tous ces voyageurs pressés. Sant mot dire il la prit par les épaules, la dévisageant avec tendresse.

— Bonjour, murmura la jeune femme, électrisée par son contact.

— Bonjour, Megan, répondit-il d'une voix rauque. Je suis content que vous soyez venue.

Il se pencha vers sa bouche et l'effleura d'un baiser furtif. Quand elle leva des doigts tremblants pour lui caresser le visage, il chuchota :

— Pas ici.

Et il la prit par le bras pour l'entraîner vers la sortie. Au même instant, Adelaïde s'écria derrière eux :

— Kurt, Megan ! Attendez-moi !

La jeune femme sentit le bras de son compagnon se crisper rageusement quand il se retourna sur l'adolescente. L'incrédulité se peignit sur son visage.

— Que signifie cette plaisanterie ? maugréa-t-il entre ses dents. Quel besoin aviez-vous d'amener un chaperon ?

— Mais Kurt, je… je… bredouilla-t-elle.

Adelaïde les avait rejoints, rayonnante d'une bonne humeur suspecte, comme si elle voulait se donner de l'assurance.

— Bonjour, Kurt ! lança-t-elle avec désinvolture. J'espère que vous ne m'en voudrez pas de m'être invitée. Gaby a pensé que je pouvais accompagner Megan et m'acheter une robe neuve pour le bal. J'étais tellement occupée ces jours-ci que…

— Alors tu n'es ici que pour la journée ? l'interrompit son oncle.

— Bien sûr ! Nous reprendrons l'avion ce soir, à neuf heures.

— « Nous ? » répéta Kurt en plissant le front. Je vois.

Il se tourna vers l'Américaine, qui se contenta de hausser les épaules avec résignation, puis décréta sèchement :

— Puisque le temps nous est compté, ne le gaspillons pas. Avez-vous des bagages à prendre, Megan ?

— Non, murmura-t-elle en pensant tristement à la valise qu'elle avait laissée au château. Pour une journée, je n'avais besoin de rien...

— Bon. Adelaïde, as-tu assez d'argent sur toi ?

L'adolescente éclata d'un rire qui sonnait faux.

— On n'en a jamais asssez ! rétorqua-t-elle.

Mais devant le visage sombre de Kurt, elle s'empressa d'ajouter avec sérieux :

— Je pense avoir suffisamment. Gaby m'a permis de mettre l'achat de ma robe sur son compte, et je dois emmener Megan au...

— C'est moi qui m'occuperai de distraire Megan, trancha Kurt.

Il sortit un portefeuille de sa poche, tendit une liasse de billets neufs à l'adolescente ébahie, et la congédia.

— Tiens, tu as fait ton devoir en escortant Megan, tu peux maintenant disposer. Tu as la journée devant toi. Quand tu auras trouvé la robe de tes rêves, tu pourras aller au Prater, ou au cinéma, tu es libre de ton emploi du temps. Il te suffira de venir chez moi vers sept heures et demie, et je vous conduirai à l'aéroport.

— Mais comment vais-je aller en ville, d'ici ? Puis-je venir avec vous ?

— Non. On m'attend à la galerie, je n'ai pas le temps de te déposer. Je te suggère de prendre la navette jusqu'au terminus de Landstrasser Hautstrasse. Tu verras, c'est très pratique. Et puisque tu prétends être une adulte responsable, tu te débrouilleras très bien toute seule, je te fais confiance. *Auf Wiedersehen*, Adelaïde !

La mine déconfite, la jeune fille n'osa insister davantage. D'ailleurs Kurt ne lui en laissa pas le temps : à longues enjambées il se dirigeait déjà vers la sortie. Megan avait du mal à le suivre. Ils se frayèrent un passage à travers la foule ; les gens

s'écartaient spontanément devant eux, tellement
Kurt avait l'air pressé et furieux. Il finit par remarquer que sa compagne trottinait péniblement à ses
côtés, et il la prit par la taille pour la guider vers le
parking. Autour d'eux s'agitaient des porteurs affai-
rés, des familles rassemblaient leur progéniture, les
gens s'interpellaient dans toutes les langues. Cet
aéroport était une véritable tour de Babel. Et au
beau milieu de ce grouillant tumulte, encore sous le
choc du malentendu dont elle avait été victime,
Megan se surprit à penser :

« Pour la première fois, me voici seule avec
Kurt. »

Il lui sembla alors que Vienne, berceau de la
musique et capitale de la joie de vivre, lui ouvrait les
bras.

7

CETTE sensation de légèreté fut de courte durée. Pleine de remords, Megan demanda à Kurt, tandis qu'ils traversaient le parc de stationnement :

— Vous ne voulez vraiment pas qu'Adelaïde nous accompagne ?

— Non. Pourquoi, elle vous manque déjà ?

— Elle est si jeune, toute seule dans cette grande ville...

— Nous sommes à Vienne, Megan. Il n'y a pas de délinquance comme à New York. Je vous assure qu'elle ne risque rien. Mais dites-moi, vous pensiez sincèrement que je vous demandais de venir seulement pour la journée ?

La jeune femme se mordit la lèvre. Son compagnon s'était arrêté de marcher, et attendait sa réponse.

— Je... je ne savais qu'en penser. Vous aviez confié à Gabrielle le soin de tout arranger, et c'est elle, apparemment, qui a...

Un coup de klaxon impatient les interrompit.

— Venez, nous poursuivrons cette discussion dans la voiture.

Il la poussa vers un cabriolet bleu marine. Une

fois assise, elle voulut attacher sa ceinture de sécurité, comme l'exigeait la loi autrichienne, mais elle s'aperçut qu'elle restait coincée entre le siège et la portière.

— Tiens ! s'exclama-t-elle en extirpant un ouvrage de bandes dessinées.

— Charlie Brown fait encore des siennes, observa Kurt en jetant le livre sur la banquette arrière. Je suppose que personne n'est monté avec moi depuis que j'ai emmené Liesl dans le Tyrol cet été. Alors, vous l'attachez, cette ceinture ?

Avec impatience, il tendit la main vers la portière de sa passagère, mais ses longs doigts fermes, au lieu d'agripper la boucle, se refermèrent sur la gorge de Megan. Suffoquée et surprise par la soudaineté de son geste, elle subit passivement son assaut ravageur tandis qu'il prenait possession de sa bouche. Quand il redressa la tête, son regard clair était voilé par le désir.

— Petite peste, murmura-t-il d'une voix sourde. Pourquoi leur avez-vous permis de bouleverser nos plans ? Pourquoi n'avoir pas dit que vous ne rentreriez pas ce soir ?

Elle songea avec désarroi : « Quelle raison aurais-je invoquée ? Désolée, Gabrielle, je ne rentrerai pas ce soir parce que j'ai l'intention de coucher avec Kurt ! » C'était absurde. A haute voix, elle répondit d'un ton fataliste :

— Je n'ai su qu'au dernier moment qu'il n'était pas prévu que je reste. J'ai alors cru vous avoir mal compris.

Kurt émit un rire sarcastique.

— Allons donc, vous saviez très bien ce que je voulais ! contra-t-il.

Puis il la lâcha et démarra.

— Je dois malheureusement retourner à la galerie. Si j'avais prévu ce contretemps, je me serais arrangé pour me libérer. Tant pis pour cette fois.

Megan ne répondit pas.

Le long de l'autoroute qui les ramenait vers la ville, Kurt lui indiqua du doigt le Wienerwald, les légendaires bois de Vienne. Ils longèrent ensuite le canal du Danube dont les eaux, contrairement au fleuve, étaient étonnamment bleues. Puis ils se dirigèrent vers le cœur de la capitale. L'Américaine ne tarda pas à être totalement séduite par la variété de l'architecture, qui allait du style Renaissance aux audaces les plus contemporaines, en passant par le baroque. D'humbles boutiques jouxtaient de véritables palais, des cafés criards s'adossaient aux murs des églises, la moindre ruelle respirait la joie de vivre, et les passants souriants semblaient se mouvoir au rythme de *la Flûte enchantée*.

Quand ils arrivèrent à la galerie, la jeune femme était parfaitement détendue. A l'intérieur, une harmonie de couleurs neutres et d'éclairages indirects, savamment camouflés, offrait un cadre idéal aux tableaux surréalistes actuellement en exposition. Kurt présenta sa compagne à l'ensemble de ses collaborateurs, avant de régler avec eux certains détails techniques. Elle profita de ce temps pour étudier les peintures, toutes signées du même nom. Elle en tira une impression mitigée. Chaque toile semblait être la reconstitution de quelque rêve bizarre et angoissant, peinte en couleurs vives et de façon très méticuleuse.

— Ça vous plaît ? demanda Kurt derrière son épaule, au moment où elle s'y attendait le moins.

— Je... je ne sais pas au juste. C'est étrange, déroutant. Et comme je vous le disais, je ne m'y connais pas en peinture.

— Alors vous avez besoin d'un guide. Attendez...

L'artiste est généralement ici à cette heure de la journée.

Il s'excusa et disparut dans la pièce du fond, pour revenir quelques secondes plus tard accompagné d'un jeune barbu qui devait être « l'artiste ». Il fonça droit sur Megan et murmura en lui baisant la main :

— *Küss die Hand, gnädige Frau.*

Peu habituée à ce genre d'égards, elle cherchait vainement une réponse appropriée quand le peintre tendit un doigt couvert de peinture vers l'une de ses créations et entreprit de lui en expliquer les tenants et les aboutissants dans un allemand rapide et totalement incompréhensible. Elle chercha Kurt du regard, pour l'appeler à l'aide, mais il était occupé avec des clients. Tout en ruminant une sombre vengeance, elle se résigna donc à suivre son « guide » ; arborant un sourire béat, elle ponctuait régulièrement ses explications d'un « *Ja* » ou « *sehr gut* » dénué de sens. Ce calvaire fut pour elle le moment le plus surréaliste de la visite !

Lorsque Kurt daigna enfin la libérer, elle attendit qu'ils fussent sortis de la galerie pour lui jeter d'un ton accusateur :

— Vous l'avez fait exprès ! Vous saviez pertinemment que je ne comprendrais pas un mot de ce que ce peintre voulait me dire !

— Bien sûr, sourit-il sans la moindre trace de contrition. Il fallait bien vous occuper pendant que je réglais mes affaires. Quant à notre éminent ami, rassurez-vous : quand il se lance dans la description de l'école du Réalisme Fantastique et de la place qu'il y tient, on ne peut plus le suivre. Vous n'auriez pas compris même s'il avait parlé anglais !

Il s'amusa de l'expression indignée de la jeune femme.

— Calmez-vous, *mein Schatz*. Je suis maintenant

libre pour la journée, et je compte employer mon temps à vous faire découvrir ma ville. Non, pas par là : nous ne prenons pas la voiture. J'ai une autre idée...

Il lui prit la main et l'entraîna vers le parvis de la cathédrale. Là, à la grande joie de Megan, il héla un fiacre noir et rouge tiré par deux chevaux gris pommelé. Un jeune cocher en habit de velours et haut-de-forme sauta à terre, leur ouvrit la portière et s'inclina respectueusement devant eux.

— C'est pour nous ? murmura la jeune femme avec ravissement.

— Rien que pour nous, répondit Kurt en l'aidant à monter. J'ai pensé qu'il serait plus original de se promener en calèche.

Il s'installa à ses côtés sur le siège en cuir noir, lui enlaça les épaules et l'attira doucement contre lui. Déjà sa main caressait distraitement son bras sous le tissu léger de la robe, et elle tressaillit. Il se tourna alors vers elle, sentit son émoi et suggéra, la respiration un peu hachée :

— Si nous allions chez moi, au lieu de faire la tournée des monuments ?

Le cœur battant à tout rompre, elle baissa pudiquement les yeux. Le moment qu'elle attendait secrètement était enfin venu ; il lui suffisait de dire oui, et dans moins d'une heure, elle serait dans le lit de Kurt, et il lui apprendrait à aimer, ferait d'elle une femme. Le regard brillant, elle leva la tête vers lui, ses lèvres s'arrondirent pour former le mot, quand il lui posa un doigt sur la bouche et secoua lentement la tête.

— Non, je retire ma question, chuchota-t-il. Ce n'est pas notre jour. Ça aurait pu l'être, si nos projets n'avaient pas été bouleversés. Je ne veux pas que l'on se contente de voler ces précieux instants, avec la menace de voir Adelaïde débarquer à l'improviste.

Il lut la déception dans les yeux verts de Megan, et ajouta avec un sourire un peu triste et pourtant moqueur :

— Je sais ce que vous ressentez. Je suis frustré, moi aussi, mais nous ne sommes plus des adolescents. Quand je rentrerai au château...

Il s'interrompit, l'embrassa sur le bout du nez et observa d'un ton dégagé :

— Vous auriez dû apporter un chapeau. Vous allez encore avoir des coups de soleil !

Puis il fit un signe au cocher, qui tira sur les rênes. Le fiacre s'ébranla, et la visite guidée commença.

— A votre droite, vous avez...

Les roues en bois cahotaient doucement sur les pavés. La calèche suspendue se balançait d'un mouvement régulier. L'air était embaumé de senteurs estivales.

Une horloge sonnait six heures quelque part lorsque Megan et Kurt sortirent de l'ascenseur. L'appartement des von Kleist se trouvait juste en face. Il occupait à lui seul la moitié de l'étage dans ce luxueux immeuble moderne.

Morte de fatigue mais ravie de sa journée, la jeune femme entra dans le vestibule en virevoltant sur la pointe des pieds et en chantonnant une valse.

— Oh, Kurt ! s'exclama-t-elle en riant, quel merveilleux après-midi ! Et quel bel appartement !

L'entrée ouvrait sur un immense salon meublé dans un style résolument contemporain, élégant et sobre. Une épaisse moquette d'un gris argenté étouffait tous les bruits, ce qui contribuait à créer une atmosphère feutrée. Deux petits sofas se faisaient face dans l'embrasure de la fenêtre, arrondie en forme de véranda, et un piano à queue en bois d'ébène brillait doucement dans un coin. L'ensemble offrait un plaisant contraste avec l'écrasante opulence du Schloss. Megan respira profondément après avoir regardé autour d'elle.

— C'est beau ! On dirait l'œuvre d'un décorateur américain ! plaisanta-t-elle.

— Navré de vous décevoir, c'est moi qui ai conçu la décoration. Mais l'architecte était américain. Il fallait quelque chose de sobre et d'aéré pour mettre en valeur ma collection de tableaux abstraits.

— Hmmm..., murmura la jeune femme en promenant son regard sur les toiles. Magnifique.

Kurt l'observait, intrigué, un sourire indulgent aux lèvres. Il finit par lui demander :

— Chère amie, seriez-vous ivre, par hasard ?

— Pas du tout ! protesta-t-elle en feignant l'indignation. Je n'ai rien bu de la journée, vous le savez, sauf ce vin, à déjeuner. Mais je dois reconnaître que tout ce que j'ai vu aujourd'hui me monte à la tête...

Elle bâilla sans retenue, comme une enfant, et ajouta :

— Je m'étonne de tenir encore debout.

— Alors pourquoi ne pas vous asseoir ? suggéra son compagnon en l'entraînant vers un sofa.

De la fenêtre on pouvait voir les jardins du Prater et la grande roue dans laquelle montait Orson Welles dans *le Troisième Homme*. Megan se mit à fredonner la musique du film.

— Je vois que vous avez dépassé vos limites, conclut Kurt en riant.

Il l'installa sur le sofa, arrangea les coussins, puis il lui enleva ses souliers et se mit à lui masser les pieds.

— Comme c'est bon..., murmura-t-elle en s'abandonnant à son massage.

Elle ferma les yeux, ses longs cils dorés frémirent sur ses joues. Il y avait quelque chose d'incroyablement érotique dans la façon dont Kurt caressait ses pieds menus, ses chevilles. Si seulement elle n'était pas si fatiguée...

— Pauvre Megan ! Vous êtes épuisée. Je n'aurais pas dû essayer de vous montrer toute la ville en une seule journée. Là... détendez-vous. Je vais faire du café.

— Mmm... Excellente idée. Mais je vous en prie, ne mettez pas de crème dans le mien, je le préfère...

Sa voix s'effilocha, et elle plongea dans une douce torpeur, rêva d'un univers de douceur où elle se sentait en sécurité, et quelqu'un l'embrassait tendrement...

Elle se réveilla en sursaut et s'écria en se redressant vivement :

— Quelle heure est-il ?

Elle frotta ses yeux encore pleins de sommeil et l'image de Kurt assis en face d'elle sur l'autre sofa entra en dansant dans son champ de vision, d'abord floue, comme dans la mise au point d'un gros plan.

— Calmez-vous, lui dit-il. Vous n'avez dormi qu'une demi-heure. Votre café n'a pas même eu le temps de refroidir.

Megan secoua vigoureusement la tête et prit la tasse qui l'attendait sur la table basse, encore brûlante.

— Oh je suis désolée... J'ai eu peur d'avoir manqué l'avion pour Salzbourg.

Elle avala une gorgée de café et sourit.

— Il est délicieux ! Adelaïde est arrivée ?

— Pas encore. A mon avis, elle attendra la dernière minute, telle que je la connais.

— C'est une drôle de fille...

— Une enfant gâtée, vous voulez dire ! Gabrielle lui cède tout. Elle n'en fait qu'à sa tête.

— Je ne suis pas vraiment d'accord avec vous, objecta Megan.

Kurt fronça le sourcil.

— Parce que Gaby refuse de la laisser poursuivre ses ambitions absurdes ? Parce qu'elle ne la pousse pas dans son grand rêve hollywoodien ? Allons donc ! Elle a eu tout à fait raison d'encourager Adelaïde à faire des études sérieuses, et il est normal qu'elle lui demande de l'aider à redécorer la maison. Bien sûr, Adelaïde est trop ingrate pour comprendre tout cela. Mais si elle avait été élevée différemment...

— C'est-à-dire ? questionna Megan.

— Elle vous a sûrement parlé de son père et de sa triste fin ? « Le brillant coureur automobile tragiquement fauché avant d'avoir atteint les sommets de la gloire » ! Non, Megan, ne me regardez pas comme si j'étais un monstre : je sais ce qu'il en coûte à une fille de quinze ans de perdre son père. Mais il n'était pas le demi-dieu qu'elle se plaît à décrire. C'était un irresponsable qui n'hésitait pas à risquer sa vie et l'avenir de son enfant pour assouvir des ambitions démesurées. Il n'était pas de taille à réaliser son rêve, mais il s'obstinait.

— Alors Arnold Steuben n'était pas un pilote plein d'avenir ?

— C'était un excellent mécanicien, mais quand il était au volant, il prenait des risques inutiles et négligeait les précautions élémentaires qui, si elles sont respectées, sauvent la vie d'un coureur. Il allait au suicide. Il a fini par trouver la mort à cause d'un pneu usé, ce qui est révélateur ; il aurait naturellement dû vérifier ce détail avant la course. Lors des deux derniers Grand Prix, aucun sponsor n'a voulu le financer. Il a donc dû payer tout seul son équipe, il s'est endetté et a brûlé son capital. Adelaïde ne le sait pas, mais Willi et Gabrielle payaient déjà ses études bien avant la mort de son père.

— Pourquoi ne pas lui dire la vérité ? Ce serait

peut-être une mauvaise passe pour elle, au début, et après elle deviendrait sans doute plus docile ?

— Je ne sais pas. Sans doute... Mais quoi qu'il en soit, Gabrielle est sa tutrice légale, et elle refuse de ternir l'image de Steuben, et d'enlever ses illusions à Adelaïde. Vous savez, Gaby était très jeune quand elle s'est retrouvée orpheline, alors pour elle le souvenir des parents est quelque chose de sacré. Je crois malheureusement qu'elle commet une erreur, et que c'est elle qui y perd, étant donné l'attitude de sa pupille à son égard... Mais je ne peux que me plier à sa décision : j'essaie, dans la mesure du possible, de ne pas me mêler de ses affaires, et réciproquement. A ce propos, je m'étonne qu'elle ait pris la liberté de modifier la durée de votre séjour à Vienne sans me consulter. Il faudra que je lui en touche deux mots...

Les joues de la jeune femme s'empourprèrent.

— Je ne comprends pas pourquoi elle a fait cela, balbutia-t-elle.

— Vraiment ? Dans vingt ans vous comprendrez.

Leurs regards se croisèrent, une onde de désir brûlant parcourut Megan comme à chaque fois qu'elle voyait s'assombrir les yeux bleus de Kurt. Elle crut un instant qu'il allait tendre la main vers elle, mais un regard à sa montre dut le faire changer d'avis. Il soupira profondément.

— Pourriez-vous me jouer quelque chose au piano, Megan ? Je ne vous ai pas encore entendue.

Elle hocha la tête et se leva. Ses pieds nus ne firent pas de bruit sur la moquette. Après s'être assise au piano, elle l'essaya distraitement ; il avait un son juste, mélodieux, mais rien de comparable avec celui du salon de musique.

— J'ai acheté ce crapaud pour Liesl, commenta Kurt comme s'il avait lu dans ses pensées. J'avais pensé prendre celui du Schloss puis je me suis dit que ce serait criminel.

— Vous avez eu raison, mieux vaut le laisser dans son cadre... Kurt, puis-je me permettre de vous dire quelque chose d'important, au sujet de Liesl ?

Il acquiesça d'un signe de tête.

— Voilà, je l'ai entendue jouer et je la crois très douée, mais... mais à mon avis son professeur ne lui convient pas. Je ne mets pas en doute les compétences de Fräulein Brecht, seulement sa pédagogie. Elle n'arrive pas à stimuler Liesl, à lui faire comprendre que les gammes sont un exercice fastidieux par lequel il faut passer pour l'oublier ensuite au profit de... la musique proprement dite.

— Vous la jugez donc inapte ?

— Pas nécessairement. Loin de moi l'idée de vous conseiller de la renvoyer. Peut-être, en revanche, pourriez-vous lui parler, la sensibiliser aux problèmes de Liesl. Et si cela ne suffit pas... pourquoi ne pas donner vous-même des cours à votre fille ?

Comme il la dévisageait curieusement, elle se demanda si elle l'avait blessé. Son expression était indéchiffrable ; elle s'aperçut alors que la cicatrice de sa main gauche était devenue très blanche, comme s'il essayait de plier les doigts.

— Vous seriez un excellent pédagogue, Kurt, parce que vous avez le don de la musique. Votre handicap n'y change rien, même si vous ne pouvez plus jouer.

Il se mura dans un interminable silence. Megan crut que ses propres nerfs allaient craquer, tellement l'atmosphère était tendue. Soudain il se leva.

— Non ! s'écria-t-il avec une rage mal contenue.

Debout devant la fenêtre, les mains dans les poches, il poursuivit d'une voix atone :

— Je vous suis reconnaissant de m'avoir fait part de vos observations. Je les crois judicieuses, et je suis touché de l'intérêt que vous témoignez à ma fille. Je lui chercherai un meilleur professeur. Je vous prie, en revanche, de ne plus faire aucune allusion à des ambitions auxquelles j'ai renoncé quand vous n'étiez même pas encore née.

Le visage de la jeune femme se contracta douloureusement. En voulant bien faire, elle venait de gâcher l'intimité naissante qui s'installait entre eux. Quelques paroles bien intentionnées avaient suffi pour les séparer. Elle aurait pourtant dû se douter qu'un homme aussi orgueilleux que lui ne supporterait pas la moindre allusion à son infirmité !

Elle envisagea un instant de lui présenter des excuses, puis se ravisa. Cela ne ferait qu'empirer les choses, accroître le malentendu. Autant se résigner dès maintenant à une courtoisie distante de sa part, et renoncer à gagner son amitié ! Avec un soupir, elle referma le couvercle du piano, marcha jusqu'au sofa et se rechaussa en silence. Adelaïde choisit ce moment pour arriver, toute excitée par sa nouvelle robe et le film qu'elle venait de voir. C'était aussi bien.

Megan ouvrit à peine la bouche pendant le voyage du retour. Elle essayait sans succès de tirer le bilan de cette étrange journée qui avait si bien commencé pour s'achever sur une note discordante. Jusqu'à l'aéroport de Vienne, Kurt n'avait pas desserré les dents, ponctuant le babillage insouciant d'Adelaïde par des hochements brusques. Ce fut seulement au moment de l'embarquement qu'il se radoucit. Alors que Megan lui tendait timidement la main et bredouillait : « M... merci pour cette charmante journée, Kurt », il l'attrapa par le poignet et la serra contre lui pour l'embrasser.

— Pardonnez-moi de m'être montré si... *verdriesslich*, murmura-t-il. Les hommes sont de grands enfants : ils deviennent maussades et irritables s'ils n'obtiennent pas ce qu'ils veulent.

Megan avait encore les lèvres enflammées par ce dernier baiser quand elle s'installa dans l'avion. Sa compagne l'observa avec une désagréable insistance, puis lança négligemment :

— J'espère que vous n'êtes pas tombée amoureuse de Kurt ?

— Comment ? Oh, bien sûr que non !

— Tant mieux...

Pendant quelques secondes, Adelaïde avait eu dans le regard la même expression que Gabrielle dans ses grands moments. L'Américaine frissonna inexplicablement, puis ferma les yeux.

Le lendemain matin, Megan téléphona à Ulrike et lui demanda si elle pouvait la retrouver quelque part pour déjeuner. Elle en voulait encore terriblement à Gabrielle, et préférait l'éviter afin de ne pas provoquer d'esclandre. Elle fut donc enchantée lorsque sa nouvelle amie l'invita chez elle.

Quand le chauffeur la déposa à l'adresse indiquée, la jeune femme réalisa qu'elle se trouvait devant la maison des grands-parents d'Erich : un cottage aux murs blanchis à la chaux, propre et coquet, avec des volets rouges et un balcon fleuri au premier étage.

Ulrike l'accueillit avec un sourire chaleureux et la précéda dans le salon. Le mobilier n'avait pas dû changer depuis le temps des parents d'Eva ; bois sombre et patiné, entretenu avec amour pendant plusieurs générations de Müller, cuivres étincelants, et surtout, un splendide poële en faïence qui avait dû faire la fierté de ces petites gens. Sous un grand crucifix en bois d'olivier étaient exposées des photos de toute la famille, depuis les émouvants clichés couleur sépia jusqu'aux Polaroïd.

— J'ai douze neveux et nièces, commenta l'Autri-

chienne en suivant le regard de son invitée. Je les
gâte à la folie, car je ne sais pas si j'aurai un jour
des...

Elle s'interrompit, et ce fut avec émotion qu'elle
montra ensuite à Megan les portraits de ses grands-
parents, humbles et sévères, puis celui d'Eva. La
mère d'Erich était telle que se la représentait la
jeune femme : candide, vulnérable, incapable de
calcul, d'une beauté simple et rayonnante. Dans son
costume brodé et son tablier blanc en dentelle, elle
était l'innocence même, avec ses yeux bleus et ses
cheveux d'un blond presque argenté. Megan sentit
une colère froide monter en elle. « La proie du
seigneur », songea-t-elle avec amertume...

En début d'après-midi, après un délicieux déjeuner, Ulrike dut retourner à l'hôpital. Elle emmena
son amie avec elle et la laissa dans le petit réfectoire,
pendant qu'elle allait rendre visite à ses patients.
Attablée devant un café, Megan regarda autour
d'elle. Un bruit de vaisselle lui parvenait des cui-
sines. L'ameublement, froid et fonctionnel comme
dans tous les hôpitaux, était cependant réchauffé par
de belles aquarelles accrochées aux murs, et les
fenêtres de la salle donnaient sur les rosiers du
jardin. Dans un coin sommeillait un piano droit...

Après avoir siroté son café, la jeune femme
rangea sa tasse dans le passe-plat et se dirigea vers le
piano d'un pas résolu. Elle éprouvait un besoin de
jouer impératif, non seulement pour entretenir l'agilité de son doigté mais aussi pour se détendre.

L'instrument était désaccordé, les touches s'en-
fonçaient trop mollement, mais elle avait la capacité
de restituer en elle la justesse des notes et elle ne se
laissa pas décourager par ce détail. Pour commencer, elle se chauffa avec un pot-pourri tout en
arpèges et en trilles, dont la difficulté n'était qu'apparente, puis elle s'amusa à jouer quelques mor-

ceaux de ragtime. « Et maintenant ? » se demanda-t-elle ensuite, laissant ses doigts décider à sa place.

Une main frêle et blanche, veinée de mauve, se posa sur son bras.

Megan se retourna en sursautant et découvrit une vieille dame assise dans un fauteuil roulant.

— *Bitte,* articula-t-elle d'une voix venue du fond des âges, s'il vous plaît, ne vous arrêtez pas de jouer. J'aime tant la musique…

— Qu'aimeriez-vous entendre ? s'enquit l'Américaine en souriant.

Son terrible accent l'obligea à expliquer qu'elle était étrangère, invitée par son amie le Dr Müller. La malade hocha la tête, et sans l'interroger davantage elle affirma aimer tous les genres de musique.

La pianiste attaqua son « récital » par une valse de Brahms, alerte et sautillante, puis *la Marche turque* de Mozart. A mesure qu'elle puisait dans son répertoire, elle constata que son auditrice manifestait un net penchant pour les musiques légères, qui devaient lui rappeler sa jeunesse. Son visage ridé, déformé par la douleur, se détendait progressivement.

« Dire qu'il m'arrive de me plaindre alors que je suis jeune, en pleine santé, et que j'ai toute la vie devant moi », songea Megan.

Elle continua de jouer avec une vigueur et une conviction accrues, faisant appel à sa mémoire pour retrouver les notes des valses de Strauss, de Lehár et de Waldteufel. Elle fut bientôt entourée d'un véritable public : des malades, une ou deux infirmières, un prêtre même, attirés par le son du piano, se groupaient dans le réfectoire ; certains prenaient un café pour mieux savourer l'instant. Leur présence ne dérangeait pas la jeune femme : elle savait leur faire plaisir, en toute modestie. Lorsqu'elle fut à court d'inspiration — son répertoire étant pratiquement épuisé — elle fut saluée par des applaudissements enthousiastes. « Savent-ils seulement que je suis une pianiste de second ordre ? » se demanda-t-elle avec une pointe d'amertume.

Des commentaires admiratifs fusaient de toute part, auxquels elle répondait par de modestes sourires. Elle vit soudain Peter Swanson se détacher d'un petit groupe massé autour du comptoir, une assiette à la main.

— Bravo, vous êtes excellente ! commenta-t-il en tendant à sa compatriote un gâteau choisi à son intention. Goûtez-moi cela, c'est fameux. J'étais venu en fait pour confirmer à Riki que notre petite excursion à Salzbourg aura bien lieu demain, et j'arrive au beau milieu d'un concert ! Je ne savais pas que vous jouiez si bien du piano, Megan.

Il s'était assis à côté d'elle et la dévisageait avec une insistance qui la mettait mal à l'aise.

— Merci, Peter. Mais je n'ai aucun mérite : c'est mon métier.

— Oh, j'ignorais…

— Avant, je jouais beaucoup mieux.

— Avant ?

— Oui, au début de mon mariage, quand j'accompagnais mon époux en concert. Mais il y a longtemps que je ne travaille plus sérieusement, et je suis maintenant pianiste dans un bar. J'ai beaucoup perdu.

— Vous pourriez recommencer à vous entraîner, suggéra l'ingénieur.

— A quoi bon ? Je ne serai jamais concertiste, je me suis fait une raison. Je n'ai pas assez de talent, ni de formation.

— Un musicien a-t-il jamais assez de talent ? Même lorsqu'on l'admire, il aspire à une perfection plus grande. N'est-ce pas ce que disait Beethoven ?

Megan sourit.

— Quand j'entends jouer les plus grands pianistes, je sais que je ne leur arriverai jamais à la cheville. Pourtant je vendrais mon âme pour jouer comme eux. Mais voilà, il me manque le « génie » ! Et même si je l'avais, je serais handicapée : mes mains sont beaucoup trop petites. Plusieurs morceaux me sont inaccessibles.

— Montrez-moi, dit Peter en prenant ses doigts dans les siens. Vous avez des mains ravissantes ! Personnellement, je trouve que vous seriez monstrueuse si votre écartement vous permettait de couvrir une octave et demi, comme Rachmaninoff. L'effet serait des plus curieux... Mais avec les miracles de la chirurgie plastique, tout est permis. Ah, voici justement une spécialiste capable de nous renseigner sur la question ! Riki, pourriez-vous rallonger les doigts de Megan d'au moins trois centimètres ?

Ulrike venait vers eux, un peu fatiguée mais souriante ; quand elle vit les mains enlacées de Peter et de Megan, elle pâlit. Elle feignit pourtant un intérêt poli pour demander :

— Qu'est-ce que vous racontez, Peter ?

La jeune femme s'empressa de retirer sa main, car elle avait senti combien ce geste innocent avait blessé son amie. Pendant ce temps, l'ingénieur avançait une chaise et expliquait à Ulrike l'origine de cette plaisanterie. Elle parut se détendre un peu, rassurée.

— Riki, j'étais venu confirmer notre rendez-vous de demain, pour Salzbourg. Vous n'avez pas changé d'avis, j'espère ?

— Oh, j'aimerais beaucoup vous accompagner, mais je ne sais s'il est prudent que je m'absente. Frau Grünwald est sur le point d'accoucher, et elle risque de mettre au monde des jumeaux...

— Voyons, Riki, vous avez sous vos ordres deux

excellents médecins-accoucheurs ! Ne me dites pas qu'ils ne peuvent pas vous remplacer ! Et si vous ne prenez pas de temps en temps un ou deux jours de congé, vous allez vite être hors d'état de nuire !

Ulrike hocha la tête avec soumission, et gratifia Peter de son plus beau sourire, sans la moindre trace de coquetterie.

— Vous tenez vraiment à ce que je vous accompagne ? demanda-t-elle doucement, avec un regard amoureux.

— Oui, Riki, répondit le jeune homme en lui prenant la main. Oh oui !

Par la suite, Megan devait conserver de Salzbourg le souvenir d'une vallée encaissée entre deux montagnes boisées, de rues animées, grouillantes de monde, et d'admirables spécimens d'architecture baroque.

Elle avait déjà traversé la ville à deux reprises, lors de son arrivée et pour prendre l'avion à destination de Vienne, mais elle n'avait rien vu de ce site enchanteur qui existait depuis au moins cinq siècles avant Jésus-Christ, du fait sans doute de sa position privilégiée.

Elle avait été baptisée du nom de Salzbourg parce qu'elle se trouvait jadis sur la route du sel. Patrie de Mozart, elle attirait aujourd'hui une foule de touristes mélomanes, qui ne manquait pas le pélerinage jusqu'au numéro neuf de la Getreidegasse, là où se dressait encore la petite maison natale de Wolfgang Amadeus.

Grâce aux explications éclairées d'Ulrike, l'Américaine ne se lassait pas de découvrir les trésors recelés par cet ancien fief épiscopal : la forteresse de Hohensalzbourg, qui dominait la cité, la fontaine de Neptune, les églises baroques ou gothiques, les ponts qui enjambaient la Salzach. Elle fut frappée par le contraste entre la ville moderne, en forme de damier, et le dédale des rues tortueuses qui composaient la vieille ville.

Les trois amis finirent par arriver sur Dom Platz, la place de la cathédrale. Megan n'avait jamais vu pareil monument. Edifié dans le plus pur style baroque italien, il avait une façade en marbre et de gigantesques tours qui brillaient au soleil.

— Quand je voyais des reproductions de cathédrales européennes, murmura la jeune femme, je ne les imaginais pas si énormes... C'est magnifique.

— Celle-ci peut contenir jusqu'à dix mille fidèles, précisa l'Autrichienne. C'est l'un des plus beaux édifices baroques construits au nord des Alpes, nous en sommes très fiers. Voulez-vous visiter l'intérieur, Peter ?

— Non, pas cette fois, Riki, refusa l'ingénieur en secouant la tête d'un air embarrassé.

— Et vous, Megan ?

— Je suis encore en pantalon, je ne voudrais choquer personne...

— Très bien, soupira Ulrike.

Elle sortit un foulard de son sac, le noua sur ses cheveux blonds et ajouta :

— Vous ne m'en voudrez pas de vous abandonner quelques instants ?

— Bien sûr que non... Prenez votre temps, nous vous attendrons ici.

D'un pas pressé, elle disparut, comme happée par le portail en bronze de la cathédrale qui se referma lourdement derrière elle. Chacun des trois battants en bronze symbolisait respectivement la Foi, l'Espérance et la Charité. Megan admira les sculptures en silence, puis elle remarqua l'air sombre de Peter.

— Ulrike est très... dévote, à ce que je vois ? hasarda-t-elle timidement.

— Oui, grinça le jeune homme avec amertume.

Or, ce n'est pas mon cas ; et pour tout arranger, je suis divorcé ! Je me dis quelquefois « si seulement... »

Il serra les poings et reprit avec humeur :

— Et puis à quoi bon rêver ? Entre le travail et la messe, elle est bien trop occupée pour avoir besoin de moi !

L'Américaine préféra changer de sujet.

— Vous n'aviez pas dit que vous veniez à Salzbourg pour quelque chose de précis ? Jusqu'à maintenant, vous avez passé votre temps à garer la voiture !

Il n'était pas dupe de sa tactique, mais il lui fut apparemment reconnaissant d'orienter la conversation sur un terrain moins personnel. Avec un sourire, il expliqua :

— Je dois passer voir l'oncle Max, pour savoir s'il y a du neuf au sujet de l'affaire von Kleist. Depuis le temps que nous piétinons !

— Dans quelle branche travaille votre oncle, hormis l'exploitation minière ?

L'ingénieur haussa les épaules, évasif.

— Oh, il touche un peu à tout, maintenant. Avez-vous jamais entendu parler de Bachmann und Steiner Aktiengesellschaft ?

— Non ! s'esclaffa Megan. Et heureusement, car je serais incapable de prononcer un nom pareil ! Pouvez-vous éclairer ma lanterne ?

— C'est en gros la traduction allemande de « Bachmann, Steiner & Cie ». En général, on se contente de dire Bachmann Steiner pour désigner la compagnie. En fait on pourrait maintenant laisser tomber Steiner, car ses parts ont été rachetées il y a vingt-cinq ans. Bachmann, en revanche, est florissant ; Max Bachmann est le nom de mon oncle. Un homme remarquable... Au sortir de la guerre, l'Autriche était plongée dans le chaos, et sur le point d'être divisée en deux. Max était sans le sou quand l'armée lui a donné son congé ; comme presque tout le monde à l'époque… Il n'avait pas non plus de toit, et sa sœur, dernière survivante de la famille avec lui, venait d'épouser un soldat américain et s'apprêtait à partir vivre aux Etats-Unis. Je suis leur fils, comme vous l'avez deviné. Ils ont proposé à Max d'émigrer, mais il a refusé : il voulait rester en Autriche pour aider à la reconstruction de son pays. Avec un ami aussi entreprenant que lui — Emil Steiner — il a fondé une société spécialisée dans le bâtiment, et tous deux se sont lancés dans la restauration des édifices détruits par les bombardements. Inutile de vous dire qu'il y avait du travail. Leur entreprise a prospéré, ils ont commencé à employer du personnel. Au bout de quelques années, mon oncle a eu l'idée de développer la compagnie, de diversifier ses activités ; il s'est orienté vers le secteur industriel. Emil n'était pas d'accord pour ajouter des cordes à son arc, il n'aimait pas prendre de risques. C'est à ce moment-là que Max a racheté ses actions. Le pauvre Steiner a dû s'en mordre les doigts par la suite, car Max avait eu raison de voir grand et d'être ambitieux : l'avenir sourit aux audacieux. Mon oncle est aujourd'hui l'un des plus gros industriels du pays.

— Il ne s'est pas marié ?

— Non. Il n'en a jamais éprouvé le besoin, sans doute à cause de sa fortune… Il a toujours été très entouré. Il est arrivé que des amies à lui essayent de me materner, peut-être parce que je suis jeune et qu'elles se figuraient que j'étais l'héritier tout désigné de Bachmann & Cie. Elles n'avaient pas compris que mon oncle ne me laisserait pas un centime sans que je l'aie mérité ; et il a raison ! D'ailleurs, je ne veux rien de lui, en dehors de son estime. Il m'est très cher, et je lui souhaite de vivre centenaire !

Peter ponctua cette profession de foi d'un petit rire embarrassé.

— Vous devez me prendre pour un fanatique, Megan, s'excusa-t-il. Mais voyez-vous, certaines choses me tiennent à cœur et je deviens très susceptible quand...

Il fut interrompu par le son cristallin d'un carillon, dont l'écho emplissait toute la place. Les notes égrenaient du Mozart, puis du Haydn. Subjuguée, Megan essayait vainement de découvrir d'où venait le son ; il fallut que son compagnon lui indique la tour qui abritait les cloches.

— Il est onze heures, déclara-t-il quand le carillon se fut tu. Riki ne devrait pas tarder à revenir.

Effectivement Ulrike sortit de la cathédrale quelques secondes plus tard, en s'excusant encore de son absence auprès de ses amis. Puis tous trois poursuivirent leur promenade à travers la ville. Quand ils arrivèrent devant le Festpielhaus, grandiose bâtiment moderne qui abritait le festival Mozart, l'ingénieur observa :

— Quel hommage éclatant à l'enfant chéri de la ville !

Megan, en revanche, ne vit que les boutiques de souvenirs qui avaient poussé comme des champignons autour du grand complexe, et dont les vitrines étaient encombrées de bibelots, de bustes en plâtre et de petits Mozart en sucre. Sentant monter en elle une juste indignation, elle s'écria avec véhémence :

— On ne peut pas dire que de son vivant, Mozart ait été considéré comme « l'enfant chéri » de la ville ! Il a joué pour des rois et des empereurs, il s'est entièrement consacré à la musique, et il est mort dans le dénuement le plus total, oublié de tous ces ingrats ! On ne sait même pas où il a été enterré, car seuls les croque-morts et un chien ont suivi le cortège funèbre !

Peter la dévisagea avec curiosité, surpris par ce réquisitoire enflammé.

— A votre tour de vous montrer susceptible, plaisanta-t-il gentiment. Le malheureux Wolfgang a disparu depuis deux cents ans, laissez-le dormir en paix...

— C'est vrai, ce doit être le « génie méconnu » qui dort en moi, sourit-elle.

— Si nous cherchions un endroit pour déjeuner ? suggéra calmement Ulrike. Si nous tardons trop, nous n'allons plus trouver de table.

— Riki ne perd jamais le nord lorsqu'il s'agit de manger ! Mais vous avez raison, mon amie. Allons-y.

Il prit les deux femmes par le bras et les emmena vers un tranquille petit restaurant situé à l'écart des lieux les plus touristiques.

Après avoir déjeuné, ils empruntèrent un vieux pont en pierre pour traverser la rivière et gagner les quartiers modernes de la ville. Peter annonça alors son intention de passer au bureau de son oncle.

— Je ne serai pas long, précisa-t-il. Riki, emmenez donc Megan visiter le jardin de Mirabell, je vous y rejoindrai tout à l'heure. Je vous promets de me dépêcher.

Tandis qu'il s'éloignait, Ulrike entraîna l'Américaine vers un charmant parc d'agrément et lui expliqua qu'il faisait partie d'un domaine dans lequel un évêque du XVIIe siècle avait jadis installé sa maîtresse. Megan fronça les sourcils et observa en souriant :

— L'amour excuse tout, je suppose, et transgresse les préceptes de la religion !

— En effet... murmura le médecin d'un air pensif.

La jeune femme comprit en voyant son expression soucieuse qu'elle songeait à l'ingénieur ; elle fut prise d'une envie soudaine de la secouer. En fait, tous deux auraient eu besoin d'être ramenés à la raison. Ne sentaient-ils pas que les regards qu'ils échangeaient étaient un don du ciel, rare et précieux ? Que lorsque deux êtres s'aiment, ils peuvent surmonter toutes les difficultés, tous les obstacles ?

Toutefois elle se retint. Leur histoire d'amour ne la regardait pas, et qui était-elle pour se permettre de leur donner des conseils ? Elle était bien mal placée, en vérité, pour résoudre les problèmes de cœur d'autrui...

Les deux femmes déambulèrent plus de deux heures dans les jardins de Mirabell avant que Peter ne se décidât à revenir. Il avait la démarche légère et sautillante de quelqu'un qui vient d'apprendre une bonne nouvelle.

— Désolé de vous avoir fait attendre si longtemps ! lança-t-il en cachant mal sa jubilation. Je pensais en avoir fini rapidement, mais j'ai dû attendre une heure avant que l'oncle Max puisse me recevoir ; il s'entretenait dans son bureau avec une « jeune dame », m'avait dit la standardiste, et ne voulait être dérangé sous aucun prétexte. Alors j'ai patienté !

Il se mit à rire en ajoutant :

— J'avais fini par croire que cet entretien était d'une nature plus personnelle que professionnelle, mais j'ai changé d'avis quand j'ai vu la « jeune dame » en question : à ma connaissance, Max a toujours évité les complications sentimentales avec des mineures, et celle-ci semblait à peine sortie de l'école !

Ulrike écouta cette anecdote avec un sourire indulgent.

— Vous avez l'air de très bonne humeur, Peter, observa-t-elle. Votre oncle avait de bonnes nouvelles pour vous ?

— Ma foi, oui ! Excellentes ! Il semblerait que nous puissions enfin sortir de l'impasse dans laquelle nous a entraînés l'affaire von Kleist. Mon oncle vient apparemment de découvrir le talon d'Achille, ou tout au moins un moyen de venir à bout de leurs réticences aristocratiques ! Bientôt, je pourrai enfin me mettre au travail. J'aimerais d'ailleurs m'arrêter sur le chantier au retour, pour m'occuper de deux ou trois bricoles, alors si vous n'y voyez pas d'inconvénients...

Ulrike se leva du banc de pierre où elle s'était assise.

— Megan, voyez-vous une objection à ce que nous prenions le chemin du retour ? s'enquit-elle.

— Oh, absolument pas ! J'ai passé une très bonne journée et j'étais ravie de visiter Salzbourg avec vous. Mais j'ai assez marché pour aujourd'hui : vous connaissez la paresse des Américains !

Dans la petite voiture blanche qui les ramenait vers Kleisthof, Megan somnolait à moitié. A l'avant, Peter et Ulrike devisaient en allemand, et elle se laissa bercer par cette musique déjà familière, la tête remplie d'agréables souvenirs qu'elle chérirait toute sa vie durant. Il lui restait encore de nombreux lieux à découvrir dans la ville natale de Mozart, et elle n'avait pas encore eu le loisir de se repaître de musique, d'assister à tous les concerts ; mais dans quelques jours Kurt rentrerait de Vienne avec les documents prêts à signer, et elle serait alors libre de quitter le Schloss pour continuer seule son voyage. Elle pourrait aller où bon lui semblerait, prendre des billets d'opéra, ne manquer aucun récital...

Pourquoi cette idée n'était-elle plus aussi séduisante qu'avant son départ pour l'Autriche ? A Los Angeles, elle s'était promis de s'imprégner totalement de l'immense culture musicale de ce beau pays, et voilà qu'au lieu de songer à la musique, elle pensait de plus en plus au « seigneur » énigmatique du Schloss von Kleist. Sa personnalité l'intriguait... Mais était-ce aussi simple que cela ? Non, inutile de se leurrer, ce n'était pas le goût du mystère qui l'avait poussée dans les bras de Kurt, ni un amour immodéré pour l'exotisme, mais bel et bien une forte attirance physique. Physique, uniquement ?

Harcelée par toutes ces questions sans réponse, Megan finit par s'assoupir. Sa dernière pensée fut « Je ne sais pas comment toute cette histoire va finir... », et elle ferma les yeux.

Elle dormait profondément lorsque la petite Audi quitta l'autoroute pour s'enfoncer dans la forêt, et ne se réveilla que lorsque Peter coupa le moteur. La voiture était garée sur le bas-côté de la route, en bordure d'une prairie verdoyante envahie de fleurs sauvages. Sous un vieux chêne, une remorque métalisée semblait à l'abandon, et jurait avec ce paysage champêtre et serein. Peter ouvrit la portière.

— Je n'en ai pas pour longtemps, décréta-t-il, mais si vous voulez vous dégourdir les jambes...

Megan et Ulrike descendirent volontiers de voiture et firent quelques pas dans les hautes herbes, tandis que l'ingénieur se dirigeait vers la remorque. Il avait laissé le coffre arrière ouvert, et l'Américaine jeta un regard distrait à l'intérieur, où s'entassaient des instruments bizarres, hétéroclites. Elle remarqua alors que la remorque était garée le long d'un rail, une sorte de voie de roulage pour wagons qui serpentait à travers la prairie pour venir s'arrêter sous un grand chêne, encore plus noueux que le premier. La brise était douce et tiède, des papillons butinaient de fleur en fleur.

— Quelle sérénité ! soupira Megan.

— Oui, murmura Ulrike. Quel dommage de creuser des galeries dans un paysage aussi majestueux...

— Allons, Riki, vous n'allez pas recommencer avec vos sornettes ! plaisanta l'ingénieur qui venait de les rejoindre. Vous tenez le même discours que von Kleist. Je reconnais que c'est un très bel endroit, mais n'exagérons rien : il ne manque pas de champs dans ce pays ! Et puis ce n'est pas comme si la mine allait devenir une nuisance, puisqu'on ne la verra même pas du château. C'est d'ailleurs pour cela que je n'ai jamais compris leur hésitation... Regardez, la prairie forme un grand L autour de cette colline, là-bas, et le lac se trouve à plusieurs centaines de mètres du gisement principal ; il ne sera donc pas pollué. Quant au Schloss, il faut encore monter jusqu'au...

Le Schloss ? répéta Megan en lui coupant la parole. Le lac ? Mais enfin de quoi parlez-vous ?

— Vous avez dû remarquer que le lac est situé au pied de la colline sur laquelle est bâti le château ? rétorqua l'ingénieur. Vous êtes un peu désorientée parce que nous sommes arrivés par derrière, et que nous nous trouvons de l'autre côté du lac par rapport au château.

La jeune femme le dévisagea, bouche bée, puis elle regarda autour d'elle et finit par comprendre.

— Mais alors... balbutia-t-elle, nous sommes ici dans ma prairie...

— *Votre* prairie ? s'étonna Peter. Que voulez-vous dire ?

Elle haussa les épaules. Tout cela lui semblait si irréel !

— J'ai hérité de ce terrain à la mort d'Erich, mon époux, expliqua-t-elle d'une voix incertaine. Voilà pourquoi je suis venue ici. Kurt souhaite me racheter ma part afin de ne pas mutiler le domaine, ce qui se conçoit. Personnellement, je vois mal ce que je ferais d'un cadeau pareil...

Elle s'interrompit, décontenancée par l'attitude

de ses amis. Peter, la mine sombre, jurait à voix
basse, tandis qu'Ulrike secouait la tête avec effarement. Dans ses yeux délavés, Megan crut déceler
une lueur de remords.

— Mais enfin expliquez-moi ! s'écria-t-elle, saisie
d'un horrible pressentiment.

Elle les vit se consulter du regard.

— Eh bien, Riki, que pensez-vous maintenant de
votre idole ? marmonna l'ingénieur.

— Je ne sais que penser, avoua l'Autrichienne
avec un soupir déchirant.

— De quoi parlez-vous ? intervint Megan d'une
voix un peu plus aiguë.

— Vous n'avez pas encore compris, Megan ?
s'énerva Peter. Vous n'avez pas écouté notre
conversation, tout à l'heure ? Mais enfin réveillez-
vous ! Ouvrez les yeux ! Mon oncle Max a une
option, ou si vous préférez un droit de priorité, sur
l'exploitation minière de cette propriété. Il sait que
le sous-sol de cette prairie contient un important
gisement de cuivre, et maintenant que le cours du
métal a atteint sa cote la plus élevée, il souhaite
exercer son droit d'exploitation. Si l'opération à
lieu, elle rapportera gros à tout le monde.

Abasourdie, la jeune femme fut incapable d'ouvrir la bouche. Ulrike lui demanda doucement :

— Vous n'aviez pas connaissance de ce contrat
passé avec Bachmann ?

Elle secoua la tête en signe de négation. Elle était
devenue livide, ses immenses yeux verts restaient
écarquillés d'horreur.

— Pouvez-vous me dire combien vous a offert
von Kleist pour vous racheter la propriété ? interrogea l'ingénieur.

— Peter, vous n'avez pas le droit de… intervint Ulrike en posant sur son bras une main suppliante.

— Si, riposta-t-il avec humeur, c'est mon droit de savoir s'il a essayé de la duper !

Megan retrouva sa voix pour défendre Kurt. Il n'était pas possible qu'il ait abusé de sa confiance. Ce serait trop sordide...

— A ma connaissance, la somme que m'a proposée Kurt est très généreuse, affirma-t-elle. Je n'ai pas à me plaindre, d'autant que d'un point de vue juridique, il n'était pas certain que je puisse hériter.

— D'un point de vue juridique ! railla Peter. Allons donc, von Kleist n'est pas idiot ! S'il s'est déclaré prêt à vous indemniser, c'est que vos droits ne font aucun doute ! Alors, combien vous a-t-il offert ?

Elle le lui avoua.

Ecœuré, il enleva ses lunettes et se frotta longuement les yeux. Puis il les remit et déclara :

— Megan, si le gisement est aussi important que nous le pensons, von Kleist gagnera trois fois ce qu'il vous propose au cours de la première année d'exploitation.

Elle se détourna, très droite, la tête haute, pour cacher son émotion. Elle avait l'impression que son cœur saignait, que tout allait s'écrouler autour d'elle. Elle se força à marcher et suivit les rails qui couraient dans les hautes herbes. Des bribes de dialogue passaient et repassaient dans sa tête, comme un disque rayé : « De toute façon, même si je le voulais je ne pourrais pas garder cette propriété ? »

« Non, c'est impossible. Si vous êtes raisonnable, vous accepterez cet argent. »

Elle trébucha sur une racine et tomba à genoux, hagarde. Elle eut vaguement le réflexe d'amortir sa chute, et ne sentit rien. Tandis qu'elle ôtait les brins d'herbe accrochés à son pantalon, ses doigts se refermèrent sur une fleur décapitée. Elle examina pensivement les pétales rouges, ourlés de rose, et les caressa un à un ; ils étaient doux et tièdes, légèrement résistants malgré leur fragilité. Leur texture évoquait la peau d'un homme, se surprit-elle à songer... Elle serra si fort le poing qu'un ongle écorcha sa paume. L'œil vide, elle regarda se former au creux de sa main une goutte de sang, rouge comme le coquelicot.

Peter, qui l'avait suivie, s'approcha d'elle et l'aida à se relever.

— Riki ! appela-t-il. On a besoin de vous. Je vais chercher la trousse à pharmacie dans la remorque !

Quand Ulrike nettoya la coupure à l'alcool, Megan grimaça de douleur et sortit de l'hébètement dans lequel l'avaient plongée les révélations de l'ingénieur.

— Pardonnez-moi d'être si douillette, bredouilla-t-elle. Mais laissez, ce n'est qu'une égratignure sans gravité...

— Et en la désinfectant tout de suite, observa calmement le médecin, on ne prend pas de risques inutiles.

— Je suis désolé de vous avoir bouleversée de la sorte, s'excusa Peter. Mais je ne pouvais vous cacher la vérité. La compagnie Bachmann essaye depuis des mois de négocier avec von Kleist, et ce n'est que maintenant qu'il semble vouloir accepter un compromis. Il nous a fallu user de beaucoup de diplomatie. Nous ne savions pas qu'une tierce personne avait des droits sur cette propriété ; nous avions appris qu'elle avait été léguée à son frère cadet, et à sa mort, nous pensions qu'elle reviendrait à Kurt, tout simplement. Nous ne connaissions pas votre existence.

— Kurt a dû chercher des mois avant de retrouver ma trace, murmura Megan d'une voix éteinte.

— Et pendant ce temps, il jurait ses grands dieux

qu'il ne nous donnerait jamais le feu vert, qu'il ne voulait pas exploiter le gisement, et qu'il essayait de réunir assez d'argent pour racheter à mon oncle ses droits d'exploitation ! Or ce qu'il voulait, c'était uniquement vous évincer.

— Mais pourquoi s'est-il donné la peine de me contacter dès le départ ? protesta faiblement la jeune femme, en se raccrochant à ce mince espoir. Il aurait eu les mains libres s'il ne m'avait pas retrouvée, et personne n'aurait contesté ses droits sur l'héritage d'Erich !

— Vous oubliez une chose, intervint Ulrike : il craignait sans doute que vous ne vous manifestiez un jour. Le scandale aurait alors éclaté, c'était trop risqué.

L'Autrichienne soupira tristement avant de poursuivre :

— J'ai bien peur que Peter n'ait raison, bien que je me refuse encore à l'admettre. Si Kurt arrive à vous convaincre, si vous lui cédez vos droits en échange d'une indemnité dérisoire, il empochera des bénéfices considérables une fois que le gisement sera exploité.

Elle jeta un coup d'œil à sa montre, et commenta avec amertume :

— Voilà une belle journée qui se termine bien mal ! Peter, auriez-vous la gentillesse de me déposer à l'hôpital ? Il est encore tôt, et j'aimerais examiner deux ou trois patients avant de rentrer chez moi.

— Bien sûr, Riki. De toute façon, j'aimerais discuter davantage avec Megan.

Quand la voiture s'arrêta devant l'hôpital Ste Elisabeth, Ulrike serra la main de l'ingénieur et chuchota :

— Prenez bien soin de ma jeune amie. Elle m'a l'air... complètement désemparée.

Il lui serra amicalement les doigts et hocha la tête.

Megan ne vit même pas le médecin s'éloigner et franchir la porte vitrée de l'établissement. Elle avait les yeux rivés sur le clocher de l'église. Les rayons obliques et rosés du soleil incendiaient le dôme vert-de-gris. Sans regarder son compagnon, elle lui demanda soudain :

— Peter, où est le caveau des von Kleist ?

Il pencha la tête, interloqué, et la dévisagea par-dessus ses lunettes d'écaille.

— Comment ?

— Où se trouve le caveau des von Kleist ? Erich est enterré à New York, mais les autres doivent être ici. Quand j'ai fait le tour du cimetière, je n'ai pas vu une seule tombe portant leur nom. Où sont-ils enterrés ?

L'ingénieur haussa évasivement les épaules.

— Comment le saurais-je ? rétorqua-t-il avec une pointe d'agacement. Puisqu'ils appartiennent à la noblesse, ils doivent avoir une crypte sous l'église, uniquement réservée aux membres de leur illustre famille.

Le regard embrasé par la haine, mais apparemment satisfaite par cette réponse, Megan renversa la tête en arrière.

— C'est bien, commenta-t-elle d'une voix blanche. Je suis rassurée de savoir que même dans l'au-delà, ils ne se mêlent pas au commun des mortels. Les von Kleist sont d'ignobles menteurs, des escrocs qui ont toujours abusé des honnêtes gens, tous, jusqu'au dernier !

8

MEGAN faisait nerveusement les cent pas dans sa chambre. Elle sortait d'un bain parfumé au lilas, et sa peau avait pris une teinte rosée, presque nacrée sous ses dessous de dentelle noire. Elle s'assit, croisa puis décroisa ses longues jambes gainées de bas noirs ; elle finit par se relever et se remit à arpenter la pièce, incapable de tenir en place.

Quand elle entendit frapper à la porte, elle s'empara frénétiquement du châle qu'elle venait d'acheter, encore protégé par du papier de soie qu'elle déchira à la hâte, et s'en enveloppa pudiquement avant de demander en allemand :

— Qui est là ?

— C'est moi, Frau Megan. Greta.

La jeune bonne entra. Elle portait un uniforme bleu marine et un tablier blanc surchargé de broderies : c'était la tenue d'apparat des domestiques du Schloss. Elle déposa solennellement un plateau sur la table avant d'énoncer en articulant avec soin, pour mieux se faire comprendre de l'étrangère :

— Frau von Kleist espère que vous ne verrez pas d'inconvénient à prendre le dîner dans votre chambre. La salle à manger est occupée par le buffet qui sera servi plus tard dans la soirée, après le bal.

— C'est parfait, répondit Megan.

Greta souleva les couvercles avec cérémonie.

— Le menu vous convient ? s'enquit-elle avec inquiétude.

— Tout à fait. Vous transmettrez mes félicitations à la cuisinière.

Quand la servante se fut retirée, à moitié rassurée, la jeune femme regarda tristement le plateau. Comme d'habitude, elle n'avait pas faim, alors que les petits plats mitonnés par la cuisinière étaient si appétissants... Elle soupira. Depuis quelques jours elle ne mangeait pratiquement rien, bouleversée par les révélations de Peter Swanson au sujet de son héritage. Ce soir-là, elle était rentrée au Schloss complètement abattue, oscillant entre la fureur et le désespoir, le découragement et l'indignation. Quelle sotte elle avait été ! Tout le monde avait vu clair dans les manœuvres de Kurt, même Adelaïde, qui n'était encore qu'une adolescente. La jeune fille avait essayé de la mettre en garde, sans pour autant trahir son oncle, par loyauté envers sa famille d'adoption. Et elle ne l'avait pas crue ! Oh, si seulement elle l'avait écoutée...

Megan se ressaisit. Il était trop tard pour se lamenter, et à quoi bon ? Elle se voulait désormais invulnérable, vaccinée contre les trahisons des von Kleist et leurs ignobles manipulations. Et ce chagrin qu'elle éprouvait ? Ce n'était pas une peine de cœur, mais une juste indignation...

Que faire, à présent ? En revenant de Kleisthof, elle s'était armée pour affronter Gabrielle. Mais quand elle s'était trouvée en face d'elle, à la table du dîner, en présence de Liesl et d'Adelaïde, les mots s'étaient étranglés dans sa gorge. Non, celui qu'elle devait accuser était pour le moment absent, et jusqu'à son retour de Vienne il lui faudrait jouer le jeu, comme si elle ne se doutait de rien.

Tout en grignotant du bout des lèvres, afin de ne pas offenser la cuisinière, elle réfléchissait sur la conduite à suivre. Il lui faudrait tout son courage pour affronter Kurt...

Elle songea avec nostalgie à son amie Dorothy, qui savait si bien l'égayer et la soutenir dans les moments difficiles. Mais Dorothy était loin ! Gabrielle et Adelaïde avaient été trop absorbées par les préparatifs de la fête pour remarquer les cernes qui se creusaient sous les yeux de Megan, et la jeune femme dépérissait à vue d'œil.

Depuis qu'elle était rentrée de Salzbourg, elle n'avait pas parlé à Kurt. Il avait pourtant téléphoné à deux reprises, mais à chaque fois, elle avait trouvé un prétexte pour l'éviter. Elle ne pouvait supporter l'idée d'entendre sa voix charmeuse lui demander si elle se portait bien, si elle ne s'ennuyait pas trop... Et elle appréhendait le moment où elle se trouverait face à face avec lui, pour le mettre au pied du mur. Elle avait abordé la question avec Peter, et l'ingénieur lui avait proposé d'être présent lors de la confrontation ; elle avait toutefois décliné son offre, car elle voulait se prouver qu'elle était en mesure de tenir tête à un von Kleist, pour une fois.

Les derniers jours, elle avait délibérément évité Gabrielle et Adelaïde pour passer le plus clair de son temps en compagnie de Liesl. Toutes deux s'entendaient à merveille. Elles avaient visité ensemble un charmant village situé dans les Alpes ; c'était là que Megan avait acheté deux magnifiques châles en laine, entièrement brodés de fleurs. Le sien était blanc, et l'autre, choisi à l'intention de Dorothy, était bleu foncé.

La jeune femme ôta le triangle de laine de ses épaules, et le replia soigneusement dans sa boîte, sur la commode. Puis elle se dirigea vers l'armoire où étaient rangées ses robes ; elle surprit au passage son reflet dans la glace de la psyché. Avec en toile de fond le mur vieux rose de la chambre, elle ressemblait à un Toulouse-Lautrec : ses modèles n'avaient-elles pas, comme elle, des cheveux d'un roux flamboyant, un corps de danseuse, une peau laiteuse sous les dentelles noires ? Elle avait renoncé depuis longtemps à pouvoir bronzer un jour. Le résultat avait toujours été désastreux et surtout extrêmement douloureux ! Tant pis si elle n'avait pas les canons de la beauté californienne, c'est-à-dire un teint hâlé et une chevelure décolorée par le soleil ! Mais au fond, elle n'était pas mécontente de sa singularité, de sa crinière de tigresse qu'elle s'efforçait de domestiquer en chignon, de sa peau d'une blancheur de lys, uniformément neigeuse...

Même Erich, dans un moment d'égarement, y avait été sensible. C'était pendant cette nuit de cauchemar, après qu'elle lui eut annoncé son intention de le quitter. Fou de rage, il venait de lui déchirer sa tunique, pour l'humilier ; et quand il avait découvert la pointe de ses seins tels deux boutons de rose sur la neige, il avait murmuré : « Comme ta peau est blanche... » C'était la première fois en deux ans de vie commune qu'il prenait conscience de sa féminité, mais pour mieux l'humilier, une fois encore.

Megan chassa ces mauvais souvenirs et sortit de l'armoire une longue robe noire, très fluide, qui lui dénudait le dos jusqu'à la taille. Elle l'enfila avec détermination, savourant sa vengeance à l'avance. Du fond du cœur elle bénit Dorothy de l'avoir pratiquement forcée à emporter cette robe qu'elle jugeait pour sa part un peu trop provocante. Le drapé du bustier, noué autour du cou, laissait deviner les rondeurs fermes de sa poitrine, et de dos, la chute des reins était vertigineuse.

Si l'audace de cette tenue lui avait valu les assiduités de certains clients du *Polynesian Paradise,* ce soir, elle allait s'en servir comme d'un précieux atout. Ainsi armée, elle se sentait prête à affronter tous les von Kleist de la terre ; elle ne serait pas vêtue aussi richement que les femmes des notables, et ses boucles d'oreilles en jais ne pourraient rivaliser avec leurs rivières de diamants ou leurs colliers de perles, mais pour une fois, elle se sentait sûre de son pouvoir. Elle rayonnait de jeunesse et de beauté, et brûlait d'une implacable détermination : faire regretter à Kurt de lui avoir menti avec ses baisers, de l'avoir séduite pour mieux abuser de sa confiance.

Elle se donnait un dernier coup de peigne quand on frappa à la porte. Une petite voix demanda :

— Je peux entrer, Tante Megan ?

La jeune femme sourit en reconnaissant son unique alliée chez les von Kleist. La seule qui fût sincère.

— Bien sûr, ma chérie.

Liesl entra en sautillant dans la chambre. Elle portait la robe en mousseline rose qu'elle avait mise le soir de l'arrivée de Megan. Souriante, elle tendit fièrement le bras droit et secoua le poignet pour faire tinter les amulettes en argent de son bracelet tout neuf.

— Tante Megan, regardez ce que mon père m'a rapporté de Vienne ! C'est pour ma fête !

— Quel joli bracelet !

— Alors là il y a un cheval, et puis un tout petit piano, et un E comme Elisabeth, et encore un patin à glace, et...

En écoutant le babillage de l'enfant, Megan sentit s'atténuer un peu la tristesse qu'elle avait éprouvée le matin même en voyant la petite Liesl abandonnée de tous le jour de sa fête. Elle l'avait trouvée assise seule au salon, un bouquet de roses blanches sur les genoux ; stoïque, la fillette attendait que Karl vînt la chercher pour la conduire à la messe. Gabrielle vaquait fébrilement à ses occupations de dernière minute, et Kurt n'était pas encore rentré de Vienne. Personne n'avait songé à accompagner Liesl à l'église. Adelaïde aurait dû s'y rendre avec elle, mais nul ne savait où elle était passée ; elle était d'ailleurs restée introuvable pendant une bonne partie de la journée.

— Je peux venir avec toi ? avait demandé la jeune femme.

Son cœur s'était serré en voyant le sourire reconnaissant avec lequel la fillette avait accueilli sa proposition inespérée. Plus tard, dans l'église, Liesl avait placé son bouquet à l'entrée de la crypte des von Kleist, en mémoire de sa mère, et une larme solitaire avait coulé le long de son petit visage crispé par le chagrin. Megan s'était alors détournée pour masquer sa colère. Comment pouvait-on délaisser aussi cruellement une enfant ?

A la sortie de la messe, elle lui avait offert son cadeau : un disque dont elles avaient parlé ensemble. Comme ce n'était pas un présent très original, elle lui avait également promis de lui envoyer dès son retour, un petit souvenir de Disneyland, ce qui avait enchanté la fillette.

Gabrielle avait daigné se joindre à elles à l'heure du déjeuner.

— Avez-vous vu Adelaïde ? leur avait-elle demandé, très énervée. Mais enfin où a-t-elle bien pu passer ? C'est insensé ! Je l'ai cherchée toute la matinée. Elle sait pourtant qu'il reste encore mille choses à faire avant l'arrivée des invités !

L'après-midi de cette étrange journée s'était

déroulé dans le calme pour Megan et Liesl, avec une longue leçon de piano entrecoupée de cours d'allemand dispensés par la fillette avec le plus grand sérieux. Plus tard, Megan avait entendu dans la maison une violente altercation. Des voix de femmes. Elle avait compris qu'Adelaïde avait fini par rentrer.

Les ombres violettes du crépuscule s'allongeaient sur la pelouse du château lorsque des allées et venues affairées dans le hall avaient annoncé le retour du maître des lieux. L'Américaine avait soudain senti ses genoux se dérober sous elle. Non, elle n'était pas encore prête à défier le redoutable aristocrate; il lui fallait d'abord aiguiser ses armes. Après avoir bredouillé d'incompréhensibles excuses, elle avait couru se réfugier dans sa chambre...

Liesl, qui venait de montrer à Megan toutes les amulettes de son bracelet, conclut en disant :

— *Vati* m'a dit qu'il était désolé de n'avoir pas pu rentrer à temps pour nous accompagner à la messe ce matin. Il m'a chargée de vous remercier d'être venue avec moi, et il espère que j'ai été gentille avec vous en son absence.

— Tu as été charmante, et je me plais beaucoup en ta compagnie, lui assura la jeune femme en toute sincérité.

— Il m'a dit aussi qu'il était triste de ne pas vous avoir vue à son retour, tout à l'heure. Pourquoi êtes-vous partie en courant au moment où mon papa arrivait, Tante Megan ?

Gênée de devoir mentir à la fillette, la jeune femme improvisa.

— Je voulais me préparer pour le bal de ce soir. Il fallait que je me lave les cheveux, que je me fasse les ongles, et plein d'autres choses...

Liesl la regarda de la tête aux pieds.

— J'aurais préféré vous voir dans la jolie robe

que vous portiez l'autre jour, décréta-t-elle avec une franchise désarmante. Celle qui était dans les tons vert, mauve et bleu. Elle me plaisait beaucoup.

— C'est aussi une de mes préférées, mais elle n'est pas assez habillée pour un bal.

— Elle est pourtant plus belle que cette robe noire, objecta l'enfant en plissant son petit nez retroussé. De dos on dirait que vous êtes toute nue jusqu'à la taille, et par-devant, on ne voit que votre poitrine.

Megan resta coite devant tant de spontanéité. Comme beaucoup d'adultes, elle n'avait pas l'habitude d'entendre des réflexions aussi directes.

— Je ne suis plus une petite fille, remarqua-t-elle au bout d'un moment de silence.

— Moi je suis encore toute plate, mais bientôt je ne serai plus une petite fille non plus. *Vati* m'a dit que dans deux ans, il devra porter sur lui un des pistolets d'oncle Willi pour chasser les garçons qui me tourneront autour.

— C'est probable, convint la jeune femme en souriant.

Elle se regarda dans la glace, enroula une longue boucle cuivrée autour de son index, puis la laissa retomber en anglaise sur sa tempe.

Liesl poussa un profond soupir.

— Vous êtes prête ? demanda-t-elle. J'aimerais aller en haut voir la sallr de bal. Tante Gaby ne m'a pas encore permis d'y aller, parce qu'Adelaïde n'était pas là pour s'assurer que tout était en place et j'aurais dérangé les domestiques, paraît-il. Mais maintenant que tout est prêt, je veux entrer avant l'arrivée des invités. *Vati* m'a permis de veiller jusqu'à minuit, vous vous rendez compte ? Je suis si contente ! Et si je suis très sage, j'aurai même droit à boire un tout petit verre de champagne. On y va, Tante Megan ? Je ne veux pas monter toute seule...

— D'accord, Liesl, on y va, répondit la jeune femme en riant de l'impatience de la fillette.

« Si je ne suis pas prête maintenant, je ne le serai jamais », songea-t-elle en son for intérieur, tandis que l'enfant la tirait vers la porte.

La salle d'apparat était une sorte d'immense galerie située au deuxième étage. La porte d'entrée s'ouvrait à deux battants juste en haut du grand escalier. La première impression de Megan fut un scintillement de lumière. Derrière les fenêtres, on voyait le soleil se coucher de l'autre côté des montagnes dans un chatoiement d'or et d'orangés ; mais l'intérieur de la galerie était éclairé comme en plein jour par cinq lustres en cristal vénitien. La lumière jouait et se reflétait sur les facettes ciselées, sur le parquet ciré et dans les miroirs aux cadres dorés qui ornaient tout un mur, dans le sens de la longueur. Les hautes fenêtres taillées dans l'autre mur renvoyaient dans les glaces les derniers flamboiements du soleil couchant.

Liesl serra la main de sa tante.

— C'est beau, n'est-ce pas ? chuchota-t-elle d'une voix étouffée, comme si elle craignait de rompre l'enchantement des lieux.

— Je n'en crois pas mes yeux, répondit Megan sur le même ton.

Des domestiques en livrée mettaient la main aux derniers préparatifs, disposant judicieusement de longues tables chargées de coupes, de flûtes en cristal et de seaux à glace en argent massif. L'Américaine s'aperçut avec surprise qu'elle ne connaissait pas tous ces visages.

— Chaque année, Tante Gaby engage des gens du village pour le bal, expliqua la fillette. Il n'y a pas assez de personnel au château. Il a fallu près d'une semaine pour nettoyer toute l'argenterie et les verres. Gaby a dit qu'elle voulait que tout soit parfait, irréprochable ! Je l'ai entendue se disputer avec *Vati* à propos d'argent ; il pensait que la moitié des dépenses étaient...

L'enfant hésita sur le mot, puis le trouva :

— Superflues, c'est ça.

Megan la reprit avec sévérité.

— Tu ne devrais pas me raconter ces choses. Cela ne regarde que ton père et ta tante, et doit rester entre eux.

Liesl se renfrogna, sans pour autant lâcher la main de la jeune femme. Elles continuèrent leur exploration émerveillée sur la pointe des pieds, comme si elles avaient peur de salir le parquet fraîchement encaustiqué. Quand elles atteignirent l'estrade recouverte d'un dais et entièrement garnie de somptueux bouquets, Megan observa :

— . Quelles jolies roses ! Elles viennent du jardin ?

— Non, Tante Gaby les fait venir de Salzbourg ; celles qui poussent chez nous, dans la roseraie, n'ont pas de tiges assez longues. Regardez, les musiciens arrivent pour s'installer ! Tante voulait engager un orchestre de Munich, je m'en souviens, mais mon père s'y est oppposé. Il disait qu'après le bal, il ne resterait plus d'argent pour l'hôpital et que c'était ridicule.

— Voyons, Liesl, qu'est-ce que je t'ai dit ? protesta la jeune femme.

— Ce n'est pas de ma faute si je les entends se disputer ! Quelquefois, ils crient même très fort...

Les yeux écarquillés, la fillette poursuivit :

— Ça me rappelle ce qui s'est passé tout à l'heure. Vous avez entendu Tante Gaby se fâcher, quand Adelaïde est rentrée aujourd'hui ? Elle a dit qu'elle était allée voir un film à Salzbourg, alors Tante l'a traitée de petite ingrate, et d'autre chose aussi, un mot que je connais pas. Et puis elle a dit à

Adelaïde qu'elle ne méritait pas de venir au bal des von Kleist, et qu'elle devrait rester dans sa chambre ce soir. Adelaïde était furieuse ! La pauvre, elle venait de s'acheter exprès une jolie robe bleue, et elle ne pourra pas la porter... Tante Gaby se mettait moins souvent en colère du temps d'oncle Willi. Je l'aimais bien, oncle Willi. Mais je ne me souviens pas très bien de lui. J'étais trop petite.

Troublée par ce qu'elle venait d'entendre, Megan se demandait ce qu'elle pouvait répondre quand Liesl, avec l'insouciance des enfants, changea brusquement de sujet et retrouva sa bonne humeur.

— Je n'ai jamais vu un parquet aussi brillant ! s'exclama-t-elle avec ravissement. On peut se voir dedans. On pourrait presque patiner, comme sur la glace !

Elle lâcha sans prévenir la main de sa tante et s'élança en glissant sur le plancher verni ; elle pirouettait sur elle-même, virevoltait avec une grâce enfantine dans sa longue robe de mousseline rose. Ses cheveux d'or pâle tournoyaient sur ses frêles épaules, et son petit corps menu semblait soulevé, avec une légèreté aérienne, par des fées invisibles. En la regardant évoluer si gracieusement, Megan se remémora un vers de Shakespeare appris dans son enfance : « Que tous les elfes et les fées gambadent aussi légers que l'oiseau sur... »

Elle se rendit compte qu'elle venait de parler tout haut quand derrière elle une belle voix de baryton murmura :

— *Le Songe d'une nuit d'été*, c'est bien cela ? Et lequel des quatre elfes vous fait penser à ma fille ? Fleur des Pois, Toile d'Araignée, Phalène ou Grain de Moutarde ?

Megan porta une main à sa gorge et refusa de se retourner. Après un silence, elle répondit d'un ton enjoué :

— Oh, Liesl ressemble à Toile d'Araignée, bien sûr. Elle est si légère, si gracieuse, on la croirait portée par une brise...

Elle s'interrompit brusquement. Le doigt de Kurt descendait doucement le long de sa colonne vertébrale. Furieuse, elle pivota sur ses talons et le foudroya du regard.

— Pardonnez mon audace, je n'ai pu résister à la tentation, sourit-il sans l'ombre d'un remords.

Une lueur diabolique dansait dans ses yeux bleus, tandis qu'il la détaillait des pieds à la tête.

— Vous êtes... éblouissante. Quelle robe originale !

— Je l'ai dénichée par hasard, répondit-elle en haussant les épaules.

Puis elle reporta son attention sur la salle de bal où affluaient déjà de petits groupes d'invités richement parés, assez âgés pour la plupart.

— Ma toilette ne pourra rivaliser avec celles de toutes ces dames, ajouta-t-elle calmement.

— Mais elles échangeraient volontiers leurs bijoux contre votre beauté et votre jeunesse...

Kurt s'approcha de l'estrade et choisit parmi les fleurs une rose en bouton dont les pétales veloutés avaient une teinte abricot.

— Voici une parure plus belle que tous les bijoux, murmura-t-il. Et elle est assortie aux reflets de vos cheveux.

Il glissa la rose dans l'échancrure du décolleté de Megan, ses doigts s'attardèrent à peine sur le tissu noir. Elle se sentit bientôt enivrée par le doux parfum.

— Comme vous m'avez manqué ! soupira Kurt, la gorge étrangement nouée.

Elle leva les yeux vers lui. Elle se le rappelait moins grand et fut de nouveau frappée par son magnétisme. Son pouvoir de séduction, comme celui de tous les von Kleist, était inimaginable, irrésistible. Et comme il était élégant dans ce smoking... Des bribes de phrases vengeresses, accusatrices, traversèrent l'esprit de la jeune femme ; mais elle restait clouée sur place par son regard, subjuguée par son charme. Les mots qu'elle aurait dû prononcer lui revenaient pourtant en mémoire, elle ne les avait pas oubliés. Au contraire elle attendait ce moment depuis des jours, des nuits... Et elle se tenait là, devant lui, si près qu'il aurait pu l'embrasser. Elle se taisait.

— Megan, qu'y a-t-il ? demanda Kurt en voyant ses immenses yeux verts s'emplir d'angoisse.

« Je recommence, je recommence », se lamentait-elle intérieurement. Mais elle se contenta de secouer la tête ; même si elle avait eu le courage de lui parler, il y avait maintenant trop de monde autour d'eux.

— J'ai des choses à vous dire, j'aimerais vous voir, chuchota-t-elle. Mais pas ici.

« Oh non ! S'il sourit, je suis perdue... »

Il souriait.

— Moi aussi, j'ai des choses à vous dire, répliqua-t-il de sa voix chaude et sensuelle. Mais vous avez raison, le lieu est mal choisi.

Son regard se porta soudain derrière Megan et son sourire s'altéra, perdit de sa chaleur. Un petit homme rougeaud et râblé clopinait vers lui en traînant la jambe ; sa compagne s'essoufflait dans son sillage, vêtue d'une magnifique robe bleu pervenche qui eût été ravissante sur une femme moins replette et plus jeune. Ses diamants rivalisaient d'éclat avec les lustres. Arrivé devant Kurt, son mari se lança dans des présentations emphatiques, en français, tandis qu'elle se tortillait et gloussait de plaisir.

— Monsieur le comte, susurra-t-elle en s'inclinant devant lui.

— Enchanté, madame, répliqua Kurt en réussissant à conserver tout son sérieux.

Puis il présenta au couple de Français sa jeune belle-sœur. Celle-ci avait suivi la conversation, et attendit qu'ils soient partis pour demander à Kurt :

— Pourquoi vous appellent-ils « Monsieur le comte » ? J'ai entendu des gens vous appeler *Graf* von Kleist, mais je n'avais pas fait le rapport. Vous avez un titre, vraiment ?

— Il y a belle lurette que les titres de noblesse ne veulent plus rien dire. Je ne me sers jamais du mien. Je trouve cela... désuet. Ce Français que vous venez de voir est un autodidacte. Il était routier, et il a fini par fonder sa propre entreprise ; ses camions sillonnent l'ensemble des pays du Marché commun. Il est content de pouvoir présenter à sa femme un « aristocrate » en chair et en os, indépendamment du fait qu'il pourrait s'offrir plusieurs châteaux comme celui des von Kleist ! Mais je ne cherche pas à dénigrer les nouveaux riches. En cette période d'inflation galopante, qui voit le déclin des vieilles fortunes, ils sont les seuls à permettre encore l'existence de bals de charité comme celui-ci... Qui sait pour combien de temps ? Vous avez sans doute remarqué que la plupart de nos invités ont des têtes chenues...

Il s'interrompit, plongé dans de sombres pensées, et embrassa la galerie du regard, indifférent aux splendeurs étalées sous ses yeux. Megan n'osait troubler son silence. Ce fut lui qui reprit la parole.

— Pardonnez-moi, Megan, je ne voulais pas vous faire partager ma mélancolie. Mais je vous demande de m'excuser : Gabrielle me fait des signes frénétiques, et je vois que notre invitée d'honneur est arrivée.

— Ulrike ?

Kurt parut étonné, puis il murmura :

— C'est vrai, j'avais oublié que vous l'aviez déjà

rencontrée. Je suis heureux que vous la connaissiez. Ulrike Müller est une femme admirable.

Il la regarda s'avancer au milieu de la salle de bal, aussi modeste qu'à l'accoutumée dans sa longue robe noire et sage ; et soudain il fronça les sourcils avec un vif déplaisir.

— *Mein Gott !* maugréa-t-il, manifestement ulcéré.

Megan suivit son regard. Quand elle reconnut le jeune homme châtain qui accompagnait la directrice de l'hôpital, elle se raidit, brusquement ramenée à la réalité, à l'horrible réalité....

— Tiens, on dirait Peter Swanson, commenta-t-elle d'un ton glacial. J'ai eu le plaisir de faire également sa connaissance, à Kleisthof.

A partir de ce moment-là, Megan conserva du bal des souvenirs plutôt flous. Tout se noya dans un tourbillon. Elle prit brutalement congé de Kurt et se fraya un passage à travers la foule déjà dense pour aller à la rencontre de ses amis ; ils conversaient avec Gabrielle, parfaitement à l'aise dans son rôle d'hôtesse et rayonnante dans son fourreau de satin jaune. L'Américaine se jeta littéralement au cou de Peter et d'Ulrike, ignorant délibérément le regard réprobateur de Gabrielle et la soudaine pâleur de Kurt. Ensuite, lorsque celui-ci invita Ulrike pour la première danse de la soirée, conformément à la tradition, elle accepta joyeusement l'invitation du jeune ingénieur ; elle virevolta dans ses bras au son d'une valse enivrante et s'abandonna aux pires coquetteries. Elle en avait honte, mais c'était plus fort qu'elle. A la fin de la première danse Kurt rendit à Peter une Ulrike très nerveuse, puis il s'avança vers Megan, le visage sombre et résolu. Sans lui laisser le temps de l'inviter, elle choisit ce moment pour voler dans les bras d'un sexagénaire qui n'en croyait pas ses yeux. A son âge, être le cavalier de la plus jolie femme de la soirée! Il rougissait de plaisir.

Ensuite Megan ne compta plus les hommes avec qui elle dansa et flirta sans la moindre retenue. Elle n'aurait pu décrire aucun d'entre eux, ils lui étaient indifférents. En raison de la moyenne d'âge, le petit orchestre à cordes se limitait au répertoire classique des valses de Strauss et de Lehar. Liesl s'était portée volontaire pour tourner les pages du pianiste, tâche qu'elle accomplissait avec le plus grand sérieux.

La plupart des cavaliers de la jeune femme semblaient entrer dans une sorte de transe qui leur faisait perdre le sens commun dès qu'ils posaient la main sur son dos nu et cambré. Tout en tourbillonnant sur la piste de danse, riant comme une folle, elle repoussa plus d'une suggestion scabreuse; il ne lui était pas difficile de faire semblant de ne pas comprendre un mot d'allemand, en dehors des politesses de rigueur.

A mesure que la soirée avançait, elle avait de plus en plus conscience de l'aspect scandaleux de sa conduite; son comportement était on ne peut plus déplacé, inexcusable, à la limite de l'hystérie. Elle se donnait en spectacle. Mais cette gaieté excessive était pour elle le seul moyen d'éloigner Kurt, ou du moins de l'oublier. A un moment donné, elle surprit le regard inquiet qu'Ulrike posait sur elle, mais il était trop tard pour revenir à la raison. Si ce tourbillon effréné cessait brutalement, si elle se calmait et réfléchissait, il lui faudrait alors admettre l'inacceptable et s'avouer vaincue. Car elle savait désormais qu'elle venait une fois de plus de succomber, de tomber follement amoureuse d'un von Kleist.

Lorsque les musiciens firent une pause à minuit, Megan eut l'impression que le monde s'arrêtait de tourner. Réduite à l'immobilité, les cheveux défaits et les yeux brillants, un verre de champagne à la main, elle souriait distraitement à un homme qui n'avait d'yeux que pour la rose orange déjà fanée entre ses seins. Il remplit sa coupe et lui demanda dans un anglais hésitant si elle voulait visiter sa villa à Gastein ; Kurt vint interrompre la conversation. Il serrait contre lui une petite Liesl tout ensommeillée.

— Veuillez m'excuser, mais ma fille aimerait souhaiter bonne nuit à sa tante avant d'aller se coucher.

Et sans se soucier des protestations de Megan, il l'entraîna vers l'escalier. Au premier étage, il confia la fillette à Greta qui se chargea d'aller la mettre au lit. Puis il saisit la jeune femme par le poignet et l'obligea à le suivre au rez-de-chaussée ; elle trébuchait en descendant les marches, mais il n'en avait cure.

Dans le corridor ils croisèrent plusieurs invités qui se dirigeaient maintenant vers le somptueux buffet servi dans la salle à manger. Au passage, Kurt leur sourit aimablement, salua certains d'entre eux avec flegme, sans toutefois relâcher sa pression sur le poignet de Megan. Hagarde, elle s'attendait à entendre un sinistre craquement d'os. La brutalité de Kurt laissait présager le pire. « Il faut que je reprenne mes esprits », songea-t-elle avec effarement. Pour l'instant il n'était pas question de ralentir le pas, car si elle tombait, il était capable de continuer son chemin en la traînant derrière lui sur le parquet ciré. Elle était à bout de souffle lorsqu'il la poussa sans ménagement dans son bureau et referma la porte à clef.

Pantelante, échevelée, debout sur le tapis d'Orient, elle regardait la pièce dans laquelle elle avait rencontré Kurt pour la première fois. Et lui la regardait d'un œil froid, glacé par le mépris.

Sous cet examen impitoyable de sa personne, elle

prit conscience du triste spectacle qu'elle devait offrir. Des mèches de cheveux collés par la sueur restaient plaquées sur ses tempes, et la rose orangée de son corsage, écrasée par une affolante succession de poitrines masculines, se flétrissait lamentablement. Dans un silence éloquent, Kurt enregistra chaque détail puis, le front rembruni, il se tourna vers le bar.

— J'ai besoin d'un remontant. Vous aussi, je suppose. Que voulez-vous boire ?

— Oh, ce qu'il vous plaira du moment que ce n'est pas...

— Du rhum, acheva-t-il. Oui, je me souviens.

Il lui servit du bourbon.

— Quoi qu'en disent les Ecossais, observa-t-il d'un ton laconique, ce sont les Américains qui fabriquent le meilleur whisky.

Appuyé contre le rebord de sa table, comme la première fois, il fit signe à Megan de s'asseoir. Comme elle ne bougeait pas, il s'exclama avec irritation :

— Pour l'amour du ciel, Megan, ne restez pas debout, les bras ballants ! Vous ne vous êtes pas reposée une minute de toute la soirée.

— Ah, vous avez remarqué ? railla-t-elle.

— Comme si vous ne le saviez pas ! D'ailleurs je ne suis pas le seul...

Il vida son verre d'un trait et alluma une cigarette avant d'ajouter :

— Ce comportement... débridé visait sans doute à me faire comprendre par des voies peu subtiles que vous aviez eu vent de l'option Bachmann.

Megan se laissa tomber dans un confortable fauteuil en cuir. Le bourbon lui brûlait la gorge mais lui faisait du bien. Elle commençait à ressentir les effets de la fatigue.

— Peter m'en a parlé il y a quelques jours, le jour de notre excursion à Salzbourg.

Kurt plissa le front.

— Et depuis, vous n'en avez pas touché mot à Gabrielle ? s'étonna-t-il.

— Non. J'estime que cette affaire doit être réglée entre vous et moi. Je ne veux en discuter avec personne d'autre.

— Vous en avez cependant parlé avec le neveu de Max Bachmann ! releva-t-il sèchement. Et après avoir entendu sa version quelque peu partiale des événements, vous êtes arrivée à la conclusion que j'étais un propriétaire féodal et rapace dont l'unique ambition était de dérober son héritage à une malheureuse veuve sans défense.

Megan arqua son sourcil délicat et rétorqua d'un ton pointu :

— Vous ne trouvez pas votre tirade un rien... emphatique ?

— Emphatique, eh bien parlons-en ! s'énerva-t-il en écrasant rageusement sa cigarette dans le cendrier. Vous ne pensez pas en avoir fait un peu trop, ce soir, à vous pavaner comme une bacchante, et à vous jeter au cou de n'importe qui ?

Elle se leva d'un bond. Ses yeux d'émeraude lançaient des éclairs.

— Je ne vous permets pas de m'injurier ! explosa-t-elle. Et au cas où vous ayez la mémoire courte, je vous rappelle que c'est *moi* qui fais les frais de cette lamentable escroquerie !

Il la dévisagea longuement avant de pousser un soupir résigné.

— Une « lamentable escroquerie »... Bien sûr, c'est ce que vous devez croire. Je me suis empêtré dès le début dans cette histoire, ce qui ne me ressemble guère. Tous les gens qui me connaissent vous diront que je fais normalement preuve d'une certaine habileté dans les transactions, mais dans le cas qui nous intéresse... Trop de problèmes émotionnels sont entrés en jeu, je ne pensais plus très clairement.

Il passa une main lasse sur son front et reprit :

— J'avais espéré qu'une fois que vous me connaîtriez... Me croirez-vous si je vous affirme qu'à aucun moment je n'ai cherché à vous duper ? Que pas une seule fois je n'ai envisagé de faire des bénéfices sur votre dos en autorisant Bachmann à exploiter votre propriété ? Je puis vous assurer que ma seule ambition est de racheter cette option minière et de conserver cette prairie intacte.

— Si vous dites vrai, pourquoi avoir octroyé à Bachmann un droit de priorité ? C'est quand même vous qui lui avez vendu cette option ?

— Non, c'est mon père. Il avait besoin d'argent liquide, c'était pour lui une forme d'hypothèque qui pouvait être levée par la suite. Il a englouti des sommes considérables dans la restauration du Schloss, vous savez. Il mettait un point d'honneur à moderniser la demeure des von Kleist, et à réparer des ans l'irréparable outrage... Avez-vous une idée du coût d'un pareil projet ?

Megan fit non de la tête.

— Mon père non plus ne se rendait pas compte de ce qu'il avait entrepris. Après avoir vendu toutes ses actions, les bijoux de ma mère et avoir tout dépensé, il s'est retrouvé à court d'argent. Alors il s'est tourné vers Max Bachmann qui s'était porté acheteur d'une option à terme sur les droits d'exploitation minière de la prairie. Mon père ne s'imaginait pas que Bachmann voudrait un jour exercer ses droits. Pour lui, cette opération constituait un moyen noble et honorable d'emprunter de l'argent, un peu comme ces dandys, sous la Régence, qui ne payaient jamais leur tailleur.

Megan ne parlait pas. Elle le regardait et découvrait sur son visage fatigué des rides qu'elle ne connaissait pas. Il avait l'air si las, si vulnérable... Quand il se tourna pour prendre un dossier sur son bureau, sa mèche brune lui tomba sur le front ; il la repoussa avec impatience. La jeune femme sentit son cœur s'emplir d'un étrange émoi ; elle avait envie d'aller vers lui, de le serrer contre elle, de poser une main fraîche sur son front soucieux...

Il lui tendit la chemise en carton.

— Tenez, voici le contrat qu'ont rédigé mes avocats. J'aimerais que vous vous donniez au moins la peine de le parcourir avant de prendre votre décision. Il est écrit en allemand, bien entendu, mais vous trouverez une traduction en anglais. La somme que je vous propose est raisonnable, compte tenu du prix du terrain nu dans cette région. Inutile d'ajouter que je ne serai jamais en mesure de vous donner ce que Bachmann consentirait à vous offrir. Pour réunir cette somme, j'ai déjà été obligé de me séparer de certains biens de famille, je ne peux rien faire de plus. S'il vous plaît, Megan, dites-moi que vous lirez ce document. Faites cela pour moi.

Elle sentit tous ses muscles se crisper, et son visage se ferma. Puis elle redressa la tête et s'obligea à se tenir droite en dépit de la fatigue qui l'éreintait, picotant ses membres comme des aiguilles. Son regard était devenu glacial, alors que quelques secondes plus tôt, elle était prête à se laisser amadouer.

— Qu'y a-t-il, Megan ? Qu'ai-je dit pour vous contrarier ?

Elle eut un rire bref, sinistre.

— « S'il vous plaît, Megan, faites cela pour moi ! » J'entends encore Erich prononcer ces mêmes paroles, avec le même sourire, quand il m'a demandé de l'épouser...

Kurt s'approcha d'elle à pas lents.

— Vous feriez bien de vous rappeler que je ne suis pas Erich, énonça-t-il d'une voix lente, presque menaçante.

— Etes-vous vraiment si différent de lui ?

Ils se mesuraient du regard, en silence. L'air de la pièce semblait soudain chargé d'électricité. Quelqu'un frappa à la porte. Kurt indiqua d'un geste qu'il ne fallait pas y faire attention, mais le signal se répéta avec insistance. Etouffant un juron, il se décida alors à aller ouvrir. D'un geste large et brusque, il tourna la poignée. C'était Gabrielle ; elle levait la main pour frapper de nouveau. Ses yeux fiévreux allèrent de Kurt à Megan, et une expression de surprise se peignit sur son visage de poupée quand elle vit le dossier dans les mains de la jeune Américaine. Toutefois elle se garda d'y faire allusion.

— Kurt, tes invités te réclament, annonça-t-elle simplement.

— Entendu, j'arrive. Vous venez, Megan ?

— Non, je crois que j'ai assez... dansé pour la soirée. Je vais aller me coucher.

— Très bien, murmura-t-il en s'effaçant pour laisser la jeune femme sortir du bureau.

Quand ils furent dans le couloir, il referma la porte derrière lui et demanda :

— Acceptez-vous d'examiner ma proposition ?

Elle se taisait. Gabrielle l'observait avec un détachement feint, dans une pose de mannequin. Un ravissant pendentif en topaze serti de diamants brillait sur le satin jaune d'or de sa robe. Avec un geste maniéré, elle posa une main possessive sur le bras de Kurt et minauda.

— Allons, Kurt, viens. Nous nous devons à nos invités. Ils nous attendent.

Sans même lui accorder un regard il la repoussa, agacé, et répéta, les yeux rivés à la jeune femme :

— Megan, acceptez-vous d'examiner ma proposition ?

Elle continuait de les dévisager, muette. Quelle dette avait-elle envers ces deux aristocrates arrogants, si sûrs de leur pouvoir ? Elle en aimait un, et redoutait l'autre, parfois. Mais Gabrielle ne pourrait plus rien contre elle une fois qu'elle serait partie ; quant à Kurt, qui l'avait si bien manipulée, elle l'aimait sans espoir de retour. Décidément, ils avaient l'air trop sûrs d'eux.

— Oh, je parcourrai votre contrat, Kurt, si vous y tenez vraiment. Mais à votre place, je ne nourrirais pas trop d'espoir. Vous ne pouvez quand même pas me demander de comprendre votre désir de conserver cette propriété intacte. Après tout, je ne suis qu'une vulgaire coureuse d'héritage.

Megan jeta son châle en laine sur ses épaules et frissonna dans sa légère chemise de nuit vert amande. Il faisait bon sur le balcon, mais le sol en marbre était froid sous ses pieds nus. Elle longea la terrasse baignée de lune, passa devant les portes-fenêtres des suites vides et obscures.

L'aile qu'elle occupait était réservée aux hôtes de passage, rares étaient donc les pièces occupées. La grande demeure, enfin, ne bruissait plus. Deux heures s'étaient écoulées depuis que les derniers invités étaient descendus de la salle de bal avec des rires étouffés ; c'étaient maintenant les domestiques qui montaient et remontaient les escaliers, étourdis de fatigue mais chargés de nettoyer avant le matin. A la fenêtre de sa chambre, incapable de dormir, la jeune femme avait regardé s'éteindre une à une les lumières du deuxième étage sur le gazon. Seul un carré brillant éclairait à présent la pelouse, au premier, lampe solitaire qui brûlait dans la nuit. A pas furtifs, Megan se glissa jusqu'aux marches en pierre qui descendaient du balcon au jardin désert.

Elle courut librement dans l'herbe humide de rosée, puis s'arrêta pour dégager sa chevelure prise sous le châle. Un profond soupir lui échappa. Devant elle, au pied de la colline, scintillaient doucement les eaux du petit lac. Le cœur empli d'une étrange nostalgie, Megan se mit à fredonner la poignante *Sonate au clair de lune* de Beethoven. C'était le morceau qu'elle avait joué lors de son premier récital ; quand le public avait applaudi, après le déchirant accord final, elle avait croisé le regard de sa mère. Elle avait les larmes aux yeux…

Un frémissement derrière elle l'avertit d'une présence.

— Megan, murmura Kurt.

Elle sursauta violemment, serra son châle sur ses épaules.

— Je croyais que… tout le monde était couché, balbutia-t-elle.

— Le maître de maison fait souvent une ronde après le départ de ses invités. Que faites-vous debout ? Vous n'arrivez pas à dormir ?

— J'ai essayé. Je n'ai pas réussi à fermer l'œil.

— Je me sens agité, moi aussi.

Elle le regarda mais ne put déchiffrer son expression. Il s'était débarrassé de sa veste et de sa cravate, et sa chemise était déboutonnée, les pans rentrés à la hâte dans sa ceinture. Elle le vit osciller légèrement sur ses pieds, chanceler, presque. « Tombait-il de sommeil ou avait-il bu ? » se demanda-t-elle.

Ils restèrent ainsi face à face, silencieux. Enfin Megan murmura, pour rompre ce silence pesant :

— Le bal a été un succès, non ? Vous êtes content ?

— Du point de vue des invités, c'était un succès,

oui. Ils se sont beaucoup amusés. Mais pour les caisses de l'hôpital, c'est un échec total. Une fois les factures réglées, nous pourrons nous estimer heureux si nous ne sommes pas déficitaires.

— Après tout le mal que vous vous êtes donné... compatit Megan en toute sincérité.

— Oh, c'est Gabrielle qui s'est chargée de presque tout, avec l'aide d'Adelaïde. C'est justement là le problème. Je n'ai pas réussi à lui faire comprendre que même les von Kleist n'échappent pas aux contingences financières, à l'inflation par exemple, et qu'il nous faudra bien réduire notre train de vie.

Il aspira une longue bouffée avant de poursuivre :

— Je ne l'ai pas encore dit à Gabrielle, mais ce bal de charité est le dernier que nous donnons. C'est devenu une opération nulle, et d'autre part, Ulrike et moi avons entrepris les démarches nécessaires pour faire passer l'hôpital sous le contrôle du ministère de la santé.

— Mais... vous aviez construit cet établissement à la mémoire de votre femme...

— Aussi longtemps que je vivrai, je garderai intact le souvenir d'Elisabeth, répondit Kurt avec un sourire indéfinissable.

Megan sentit son cœur s'étreindre d'une absurde jalousie.

— Vous avez dû l'aimer beaucoup, murmura-t-elle, honteuse de sa réaction mesquine.

— Oui. Elisabeth était l'amour de mes vingt ans. Nous nous sommes rencontrés à Cambridge, nous étions tous deux étudiants. Nous aurions pu vivre heureux pendant le restant de nos jours. Nous n'avons pas eu cette chance. Il y a sept ans, j'ai construit cet hôpital comme si je voulais me punir d'être encore en vie alors qu'elle reposait sous la dalle froide de la crypte... Mais maintenant, tout en continuant de chérir sa mémoire, je sais qu'il est temps pour moi de tourner la page.

Il regarda pensivement en direction du lac inondé de lune.

— Avez-vous lu le contrat ? s'enquit-il soudainement. En avez-vous bien saisi le contenu ?

— Je l'ai parcouru.

— Avez-vous compris pourquoi je désirais conserver ce terrain ?

— Non, avoua-t-elle. Si vous laissiez Bachmann réaliser son projet d'exploitation, vous en tireriez des bénéfices considérables. Je ne comprends pas votre entêtement puisque vous m'avez avoué avoir besoin d'argent. Pourquoi tenez-vous tant à garder cette prairie… intacte ?

— Parce qu'elle fait partie d'un patrimoine vieux de trois cents ans, que mes ancêtres se sont acharnés à conserver. Il est normal que les grandes familles s'éteignent peu à peu : elles ont joué leur rôle dans l'histoire, il n'a pas toujours été glorieux mais a eu le mérite d'exister. Et il ne m'appartient pas à moi, leur descendant, de dilapider ce témoignage fragile d'une époque… révolue. Car je ne me fais pas d'illusions, ce domaine disparaîtra un jour. Mais je ne veux pas hâter sa disparition, ni être l'artisan de ce qui, pour moi, est un pillage.

— Ce ne serait pas nécessairement un pillage, Kurt. Bien étudié, un projet d'industrialisation dans cette région pourrait créer de nombreux emplois, inciter les jeunes à rester au pays, améliorer leur niveau de vie…

— Non, je refuse d'envisager l'exploitation de ce gisement. Dès qu'ils auront creusé leurs galeries et installé leurs machines, l'air deviendra pollué, ainsi que les eaux du lac. Je ne veux pas assister à pareil massacre. Vous vous plaignez du smog de Los Angeles, Megan, mais au fond, vous l'acceptez comme une fatalité. De même que vous ne songez pas à protester lorsque dans votre pays, des promoteurs morcellent de ridicules lotissements pour y tasser davantage de locataires ! Non, vous ne pouvez pas comprendre les raisons qui me poussent à vouloir conserver mon patrimoine.

— Moi aussi, j'ai un patrimoine ! s'indigna la jeune Américaine. Et j'en suis fière ! Ce n'est pas parce que je n'ai jamais possédé de terres que...

— Tout cela pourrait être à vous, Megan, l'interrompit Kurt en désignant le domaine d'un geste large.

— Que... que voulez-vous dire ?

— J'ai longuement réfléchi à la question, et la solution m'est apparue. Il faut que vous redeveniez une von Kleist, Megan, une vraie von Kleist, sans aucune ombre attachée à votre nom. Vous porterez des enfants, et vous vous battrez pour leur transmettre cet héritage. Megan, je veux que vous soyez ma femme.

9

MEGAN resta clouée sur place comme frappée par le tonnerre. Son visage était devenu livide au clair de lune, ses yeux formaient deux lacs insondables et troublés par les souvenirs du passé.

— Kurt, je ne trouve pas ça drôle, finit-elle par articuler avec difficulté.

— Je ne plaisantais pas, affirma-t-il tranquillement.

Elle secoua lentement la tête, atterrée par l'amère ironie de la situation. L'homme qu'elle aimait venait de lui demander sa main, et au lieu de se réjouir, elle avait envie de disparaître à dix pieds sous terre.

— Vous voulez vraiment une réponse ? murmurat-elle d'une voix à peine audible. Vous me parlez d'abord de votre femme que vous aimiez tant, et vous me proposez ensuite de vous épouser uniquement pour conserver quelques hectares de terrain ! Je devrais être flattée, me sentir honorée, je suppose ?

Kurt écrasa sa cigarette dans l'herbe humide. Il se tenait devant elle, les poings sur les hanches, les jambes légèrement écartées. Avec l'arrogance du seigneur de droit divin, il embrassait ses terres du regard, sûr de lui et de son impunité. « Nous appartenons à deux races différentes », songea Megan en frissonnant.

— Vous tremblez, observa Kurt d'une voix douce. Vous avez froid ? Ce n'est pas étonnant, vous êtes à peine couverte...

Elle prit conscience de la légèreté de sa tenue, à la limite de l'indécence. Sous les franges du châle, les rayons de lune dessinaient en transparence le modelé de ses cuisses et de ses longues jambes. Rougissant violemment, elle baissa la tête. Kurt la prit alors dans ses bras et se mit à rire.

— Ne soyez pas pudibonde, Megan. J'aime vous regarder.

Elle voulut s'écarter de lui, flairant le danger comme une biche aux abois, mais il la maintenait étroitement serrée contre lui.

— J'aime vous regarder, j'aime vous toucher... Comme ce serait bon de dormir ensemble, Megan, d'être mari et femme...

Elle savait que ses sens étaient sur le point de la trahir. Déjà elle s'alanguissait, prête à s'abandonner dans ces bras puissants, quand soudain une voix impérieuse en elle la ramena à la raison.

— Non ! s'écria-t-elle dans un sursaut d'orgueil.

Elle avait réussi à se dégager suffisamment pour ne plus sentir le brûlant désir de Kurt ; pourtant il ne la lâcha pas. Déjà sa main longue et ferme se glissait sous son châle, caressait tendrement son corps arqué à travers l'étoffe légère et soyeuse.

— Quelle incurable romantique vous faites, Megan ! plaisanta-t-il d'une voix rieuse. Je vous offre mon nom, ma fortune, un titre, même, mais vous attendez des déclarations passionnées ! *Sehr gut.* Acceptez-vous de m'épouser si je vous dis que je vous aime ?

La jeune femme tressaillit. Sans le savoir il venait

de la frapper en plein cœur. Ces paroles qu'il prononçait avec mépris, elle aurait tout donné pour les entendre énoncées avec sincérité. Blessée au plus profond de sa chair, elle se défendit tant bien que mal et riposta avec un sourire suave, pour mieux enfouir sa douleur :

— Vous seriez prêt à tout pour garder ce terrain, n'est-ce pas, Kurt ? Vous iriez même jusqu'à vous vendre à moi comme un gigolo...

Elle comprit aussitôt qu'elle était allée trop loin. Les mâchoires serrées, Kurt la dévisageait sans bouger, terriblement menaçant. Quand il parla, ce fut d'une voix sourde et rauque.

— Vous avez le droit de vous interroger sur mes motifs, mais je ne vous permets pas d'attaquer mon honneur.

Il lui arracha brutalement son châle et la moula contre son corps viril et tendu. Ses doigts se perdirent dans sa chevelure flamboyante tandis qu'il l'obligeait à renverser la tête en arrière pour subir son assaut.

— Et je ne vous permets pas non plus de nier qu'il existe entre nous quelque chose de plus fort que toutes les idées absurdes que vous vous faites de l'amour !

Il prit sauvagement possession de sa bouche.

De toutes ses forces elle lutta pour ne pas céder. Elle voulait lui refuser au moins ce triomphe, cette amère victoire. Mais comment résister quand elle l'aimait de tout son être ? Pendant quelques secondes, elle durcit stoïquement les lèvres, puis son désir fut le plus fort.

Avec un gémissement de plaisir elle lui offrit sa bouche, goûta la sienne avec ardeur. Elle avait envie de lui depuis si longtemps !... Elle écarta les pans de sa chemise, enfouit son visage contre sa poitrine ; elle entendait battre son cœur sous sa joue... Alors quand il la souleva dans ses bras, elle ne songea plus à résister. Il traversa la pelouse, gravit les marches de l'escalier en pierre qui montait au balcon, à l'autre extrémité de la terrasse. Megan s'aperçut alors que deux escaliers symétriques descendaient au jardin, et elle comprit que Kurt l'emmenait dans sa chambre, celle dont la lampe était restée allumée. C'était la projection de ce petit rectangle de lumière qu'elle avait vue de sa fenêtre...

Il poussa la porte vitrée laissée entrouverte, et déposa la jeune femme sur un grand lit à baldaquin aux tentures de velours marron. Elle ferma les yeux en s'étendant sur le couvre-lit tissé de fils d'or ; l'éclat de la lampe était trop vif. Elle lui demanda doucement de l'éteindre.

— Non, murmura-t-il.Je veux te regarder, et je veux que tu me regardes.

Elle sentit percer dans sa voix une pointe de cruauté, mais il était trop tard pour revenir en arrière. Déjà Kurt enlevait ses chaussures, sa chemise, qu'il laissa négligemment tomber sur le tapis. Megan dévorait des yeux son torse nu et musclé, ses larges épaules hâlées. Lorsqu'il s'allongea près d'elle, un reste d'orgueil lui fit de nouveau fermer les yeux ; elle craignait qu'il n'y lût tout l'amour qu'elle éprouvait pour lui. Mais il l'obligea à se tourner vers lui en agrippant ses longs cheveux cuivrés.

— Ouvre les yeux, Megan, ordonna-t-il d'une voix dangereusement calme. Ouvre les yeux et regarde-moi.

Quand elle lui offrit ses prunelles de jade il sourit.

— Maintenant je veux t'entendre dire mon nom.

— C... comment ? bredouilla-t-elle, un peu effrayée par sa violence contenue.

— Dis-le ! Je veux t'entendre me dire qui je suis !

Son front s'était rembruni, une étrange lueur brillait dans son regard fiévreux. Ce fut alors qu'elle comprit, et le nom jaillit de ses lèvres comme un oiseau libéré de sa cage.

— Kurt... Tu es *Kurt !*

— Ne l'oublie jamais. Je ne veux plus que tu me confondes avec un autre.

Ensuite il se calma et mit toute sa fougue dans la tendresse avec laquelle il baisait son front, ses joues, sa gorge ; quand elle cherchait sa bouche de ses lèvres brûlantes, il se dérobait pour mieux la faire attendre, enflammer son désir. Avec un gémissement rageur elle finit par empoigner ses cheveux bruns, sa nuque, pour faire avidement descendre sa bouche vers la sienne. Quand ses lèvres furent devenues écarlates et gonflées sous l'ardeur de ses baisers, elle cria grâce en riant de bonheur. Kurt se redressa légèrement et regarda la masse de ses cheveux roux étalés sur l'oreiller.

— J'aime tes cheveux, ils ont un parfum de fleurs sauvages... Mais quand je les touche, j'ai peur de me brûler... Je ne veux plus que tu les attaches.

— Mais j'ai l'air plus grande avec un chignon, murmura-t-elle en souriant.

— Tant pis. Fais-moi plaisir.

Avec une infinie lenteur il retroussa sa chemise de nuit, dénuda son corps neigeux. L'ourlet en dentelle frôla ses cuisses, son ventre nacré, sa poitrine ronde et ferme, sa gorge offerte, sa chevelure incandescente... Sous les caresses de Kurt, oublieuse du monde entier, du passé, elle se sentit enfin devenir femme. C'était la première fois qu'un homme rendait hommage à sa beauté avec une telle délicatesse et une telle ardeur. Leurs corps se mêlaient, se repoussaient pour mieux se retrouver ensuite, et quand Kurt humecta de sa langue la pointe rose de son sein, elle se cambra pour s'offrir entière à sa passion. Elle était prête à aller jusqu'au bout de cet enivrant voyage et frissonna de plaisir lorsqu'il poursuivit son exploration ; il frotta son menton où naissait une barbe drue contre son ventre rond et murmura :

— Je n'ai jamais vu une peau aussi blanche que la tienne...

Megan se figea. De très loin lui revenait l'écho d'une autre voix étrangère, cruelle, qui disait : « Comme ta peau est blanche... » Erich. Tout ce qu'elle venait de vivre était soudain maculé de boue, de chagrin, d'humiliation. Elle s'était juré que jamais plus elle ne s'exposerait à la destruction de son âme, à la mort.

— Kurt, arrête ! supplia-t-elle avec le désespoir de quelqu'un qui se noie.

Il se redressa, étonné, les yeux brûlants de désir.

— Je t'ai fait mal ? Pardon...

— Non, je... je te demande seulement d'arrêter. Je ne veux plus... J'ai changé d'avis.

Elle chercha frénétiquement sa chemise de nuit afin de couvrir sa nudité. Kurt la dévisageait avec acuité, la respiration hachée.

— C'est une plaisanterie...

— Non. Absolument pas. Va-t'en, je t'en prie.

Il pesait encore sur elle de tout son poids, le corps indécis. Puis, sans un mot, il se leva, boutonna son pantalon, remit sa chemise. Elle s'aperçut que ses doigts tremblaient légèrement. Pour cacher son désarroi, elle serra contre elle sa chemise de nuit vaporeuse.

— Pourquoi, Megan ? Je sais que certaines femmes aiment s'amuser à ce petit jeu, mais je ne m'attendais pas à cela de ta part.

Elle baissa la tête comme s'il allait la gifler. Mais il semblait très calme à présent, presque glacial. Elle tressaillit, la mort dans l'âme. Elle le désirait tant...

— Vous ne m'aimez pas, lança-t-elle d'un ton accusateur. Vous me jouez la comédie pour mieux vous servir de moi. Cela fait sans doute partie de vos machinations pour vous approprier mon héritage !

— Je ne vous ai jamais caché que je voulais garder la prairie, à n'importe quel prix. Je pensais que vous aviez compris.

Après un long silence, Kurt ajouta :

— Megan, *mein Schatz,* sachez que vos « machinations » sont plus redoutables que les miennes... Pauvre enfant ! Je comprends qu'Erich vous ait violée si vous lui avez joué un tour aussi pendable.

Avec un cri d'horreur qui s'étrangla dans sa gorge, la jeune femme se recroquevilla sur elle-même, la tête enfouie dans l'oreiller.

— Allez-vous-en ! sanglota-t-elle. Sortez d'ici, partez, et ne me touchez plus jamais !

— Megan, vous êtes ici dans *ma* chambre, lui fit-il observer tranquillement.

Jamais elle n'avait ressenti pareille humiliation, même lorsque Erich avait abusé d'elle. Les joues en feu elle se leva, tremblante et confuse ; Kurt la regardait sans ciller. Elle serrait contre elle sa chemise de nuit et se retourna pour l'enfiler avec maladresse.

— Quelle pudeur ! railla-t-il cruellement. Mais n'ayez crainte, votre nudité ne risque pas de me transformer en bête fauve. La seule idée de vous toucher me révulse ! Je méprise les allumeuses.

Galvanisée par cette insulte, Megan redressa fièrement la tête et se tourna vers lui en ajustant le col de sa chemise de nuit.

— Auriez-vous un peignoir à me prêter pour que je regagne ma chambre ? J'ai dû... perdre mon châle.

Une lueur admirative, bien que fugitive, brilla dans les yeux de Kurt. Puis, sans un mot, il disparut dans la salle de bains attenante et revint avec un peignoir vert. Il contourna le lit, passa devant la porte-fenêtre, et là s'immobilisa soudain, le regard fixe. Toute expression de dédain avait disparu de son visage, il semblait pétrifié. Et tout à coup il lâcha le peignoir et sortit de la chambre en courant après avoir crié en allemand : « *Feuer !* »

D'abord, la jeune femme ne comprit pas ; mais un regard à la fenêtre lui suffit. La nuit claire était striée de lueurs orangées. C'était un incendie. Et la fenêtre où rougeoyaient de hautes flammes était celle de sa chambre.

Megan s'empara machinalement du peignoir, et décida instinctivement de couper par le balcon. Kurt avait dû passer par l'intérieur pour aller chercher de l'aide, ou un extincteur. Il fallait faire vite.

Elle vola plutôt qu'elle ne courut jusqu'à sa chambre. Avant d'atteindre la porte-fenêtre, l'odeur âcre du bois qui brûle lui emplit les poumons. La chaleur qui émanait du brasier faillit la suffoquer au moment où elle pénétra dans la pièce en feu. C'était une véritable fournaise. L'air était irrespirable. A travers un rideau de fumée jaunâtre traversé d'étincelles incandescentes, Megan se rendit compte de l'ampleur du sinistre. Toute une partie de la pièce avait déjà été dévorée par les flammes. La coiffeuse en acajou était à moitié carbonisée, le vernis fondait et se boursouflait avec d'horribles craquements. Elle vit le miroir de la psyché se craqueler sous ses yeux à cause de la chaleur. Les tentures de soie s'étaient envolées en fumée, et des nuages de cendres flottaient au plafond, portés par le courant d'air. Déjà les flammes s'attaquaient au grand lit à baldaquin ; dans la lumière incertaine de l'incendie, derrière le feu qui dansait, les couvertures désordonnées formaient un petit tas inerte comme si un corps humain était couché là... Megan se sentit prise d'une violente nausée. Elle aurait pu être couchée dans le grand lit et ne s'apercevoir de rien avant qu'il ne soit trop tard.

— Megan ! *Mein Gott,* j'ai cru, j'ai cru...

La jeune femme se retourna brusquement. Appuyée au chambranle de la porte qui donnait sur le couloir, Adelaïde, terrorisée, toussait et pleurait, le corps agité de violents soubresauts.

— Mon Dieu, Megan, où étiez-vous ? répéta-t-elle en hoquetant de frayeur. J'étais sûre que vous...

La jeune fille ne put terminer sa phrase. Kurt entra en coup de vent dans la chambre, un extincteur à la main. Il regarda rapidement autour de lui, puis, de sa main gauche, il se mit en devoir d'enlever la goupille qui verrouillait l'extincteur. Ses doigts raides ne lui obéissaient pas. Megan tira alors sur la goupille. Pendant une fraction de seconde ils se regardèrent dans les yeux ; leurs visages se touchaient presque. L'instant d'après la mousse carbonique jaillit du tuyau et Kurt écarta la jeune femme pour s'attaquer au foyer d'incendie. Quelques minutes plus tard, il avait maîtrisé les flammes.

— Je crois que tout est éteint, marmonna-t-il en laissant tomber l'extincteur vide.

Après avoir ouvert les deux autres fenêtres pour chasser la fumée âcre, il passa une main noircie sur ses yeux rougis. Sa chemise et son pantalon étaient déchirés par endroits, tachés de suie.

— Les dégâts ne sont pas aussi importants qu'à première vue. Le feu a dû se déclarer dans la partie droite de la chambre et se limiter aux... Seigneur, c'est là où est votre lit ! Si vous...

— Je n'étais pas là, s'empressa-t-elle de trancher. Tenez, prenez ce fauteuil et détendez-vous un peu. Vous devez être sur les nerfs.

Elle le guida avec sollicitude vers un siège en cuir épargné par les flammes, où il s'assit sans se faire prier. Puis il leva vers Megan son visage noir de suie, et elle vit une lueur moqueuse s'allumer dans ses yeux injectés de sang.

— *Liebling*, plaisanta-t-il en souriant d'un air harrassé, je suis sur les nerfs depuis le jour où je vous ai rencontrée.

Une toux violente le fit se retourner vers la porte. Ce fut seulement à cet instant qu'il remarqua la présence de l'adolescente.

— Adelaïde ? *Was machst du hier ?*

Très pâle, elle s'approcha d'eux avec hésitation.

— Je... je suis arrivée ici la première. J'étais dans ma chambre, en face, je regardais dehors et... j'ai vu des flammes.

Elle se tordait nerveusement les mains et poussa soudain un gémissement de douleur.

— Tu es blessée ? demanda Kurt.

Elle secoua énergiquement la tête en signe de négation mais garda les mains serrées contre son tee-shirt.

— Laissez-moi voir, intervint Megan avec une douce insistance.

Elle saisit les poignets de la jeune fille et étouffa aussitôt une exclamation horrifiée. La paume de sa main droite était boursouflée de cloques violacées. Adelaïde pleurait maintenant à chaudes larmes, le visage défiguré par la souffrance.

— Je... je croyais que vous étiez couchée, expliqua-t-elle. Je ne voulais pas qu'il vous arrive quelque chose...

— Chut... C'est fini, à présent. N'y pensez plus. Il faut panser cette brûlure. Kurt, pourriez-vous me trouver du tulle gras et des pansements ? C'est une brûlure superficielle, mais ça doit faire très mal.

— Je pense avoir ce qu'il vous faut, répondit Kurt. Je reviens tout de suite.

Quand il fut sorti, Megan installa Adelaïde dans un fauteuil et alla lui chercher un verre d'eau à la salle de bains. Peu à peu sa respiration redevint régulière, et elle parut se calmer.

— C'est de la faute de Kurt... marmonna-t-elle entre ses dents.

— Que voulez-vous dire ? s'indigna Megan.

— Oh, rien...

— Si ! Vous venez de formuler une accusation, expliquez-vous !

L'adolescente serra très fort le poignet de sa main brûlée avant d'affirmer d'une voix tremblante :

— Je crois que c'est Kurt qui a mis le feu à votre chambre.

— Mais voyons, c'est absurde !

— Pas vraiment... Réfléchissez, rien de plus simple ! Il entrc subrepticement, vous trouve endormie, et il lui suffit de jeter un mégot mal éteint dans la corbeille à papier. Le tour est joué ! Les preuves se volatilisent en fumée, et il est sûr de récupérer la prairie !

— On se croirait en plein film policier ! c'est rocambolesque ! Mais comment pouvez-vous croire votre oncle capable d'une chose pareille ? C'est affreux !

— C'est une hypothèse parfaitement sensée, persista la jeune fille. Je vous l'ai dit, il est prêt à tout pour conserver son patrimoine.

— Il n'irait certainement pas jusqu'au meurtre.

— Alors peut-être a-t-il seulement cherché à vous effrayer en mettant le feu à votre chambre...

— Oh, pour l'amour du Ciel, Adelaïde, cessez de me débiter vos sornettcs ! J'ignore l'origine de cet incendie mais je sais que Kurt n'y est pour rien, alors taisez-vous !

— Ah bon ? Comment le savez-vous ? Pourquoi ne m'écoutez-vous pas ? Personne ne me prend au sérieux !

Megan lui jeta un regard empli de pitié. Elle eut l'impression, soudain, d'être beaucoup plus vieille que l'adolescente. D'une voix radoucie elle répondit avec calme :

— Je sais que Kurt n'est pas en cause parce qu'au moment où l'incendie s'est déclaré j'étais avec lui, dans sa chambre.

Les yeux noisette d'Adelaïde s'écarquillèrent, et pour la première fois elle remarqua le peignoir trop grand que portait Megan sur sa chemise de nuit. Mais elle n'eut pas le temps d'émettre de commentaire car déjà Kurt revenait. Les deux adultes examinèrent sa brûlure, convinrent que ce n'était pas très grave, et Kurt lui fit un pansement après lui avoir administré deux comprimés analgésiques. Puis il se dirigea avec elle vers la porte.

— Je vais demander à quelqu'un de vous préparer une autre chambre, dit-il en se tournant vers l'Américaine.

— Non, Kurt, pas maintenant, refusa-t-elle. Les domestiques doivent être épuisés après le bal, je m'étonne d'ailleurs que nous n'ayons réveillé personne... Laissez-les dormir, le jour va bientôt se lever. Et ne vous inquiétez pas pour moi. De toute façon, je ne pourrais plus m'endormir.

Elle remarqua ses traits tirés, ses pommettes plus saillantes encore qu'à l'ordinaire à cause de la fatigue, et elle fut envahie d'une étrange émotion. Avec hésitation, elle lui effleura le bras.

— Je vous en prie, Kurt, allez vous coucher. Vous devez être épuisé, ne vous rendez pas malade.

— Touchant... persifla l'adolescente d'un ton acide.

Les adultes l'ignorèrent. Ils se dévisageaient éperdument. Megan était trop fatiguée, trop vulnérable, pour dissimuler plus longtemps les sentiments qu'elle lui portait. Il devait lire dans ses yeux à livre ouvert...

— Nous parlerons plus tard, articula-t-il d'une voix enrouée.

Quand la porte se fut refermée derrière Kurt et Adelaïde, la jeune femme se laissa tomber à son tour dans le fauteuil rescapé et renversa la tête en arrière. D'où elle se trouvait, la partie gauche de la chambre, avec l'armoire et la commode contenant ses vêtements, était restée parfaitement intacte. Seule l'odeur de fumée témoignait de l'incendie qui avait ravagé la pièce. Mais à droite, tout n'était que décombres fumants. Les soieries calcinées tombaient des murs en lambeaux, les meubles étaient réduits en cendres.

Qui avait bien pu commettre un aussi abominable forfait ? Quel esprit dérangé avait bien pu sacrifier une chambre aussi belle uniquement pour lui faire peur, ou la... supprimer ? Et pour quels motifs ? Kurt était naturellement innocent. D'ailleurs, il recourait à des méthodes plus subtiles et plus efficaces que l'incendie. Gabrielle ? L'Autrichienne la détestait sans doute assez pour vouloir lui nuire, mais jamais elle n'aurait été jusqu'à incendier un précieux mobilier. Et le Schloss lui tenait trop à cœur, elle n'aurait pas voulu risquer de le détruire.

Restait Adelaïde. Dans l'esprit de Megan se forma bientôt l'intime conviction que l'adolescente était responsable de l'incendie. Mais pourquoi ? Qu'espérait-elle gagner par un geste aussi suicidaire ? Elle souffrait certes de problèmes psychologiques, mais de là à commettre un acte aussi insensé... Peut-être espérait-elle que si elle sauvait Megan des flammes, sa tutrice et son oncle lui voueraient une admiration sans bornes et accepteraient enfin de financer son voyage à Hollywood... ?

La jeune femme se leva. Elle savait ce qu'il lui restait à faire. Elle avait commis une erreur en acceptant d'être hébergée par les von Kleist, sur leur territoire. Sa présence parmi eux avait uniquement attisé des conflits personnels auxquels elle était étrangère. Il eût été plus raisonnable de rester au village, dans une chambre d'hôtel. Si elle séjournait plus longtemps au château, ce serait à ses dépens. Or elle s'était promis de rentrer à Los Angeles saine de corps et d'esprit...

Elle sortit ses valises de la penderie et commença de faire ses bagages.

A l'autre bout du fil, l'homme répéta en allemand :

— Je ne comprends pas. Parlez plus clairement, s'il vous plaît.

« Mais je ne peux pas être plus claire », songea Megan avec irritation. Elle essaya encore d'un ton plus posé.

— *Bitte,* j'aimerais parler à Peter Swanson. Peter Swanson ! Je sais qu'il a une chambre dans votre hôtel.

— Le réceptionniste resta d'abord muet, puis marmonna :

— *Jawohl, ein Moment.*

La jeune femme poussa un soupir de soulagement. Dans l'appareil, elle entendait les pas de l'homme qui s'éloignait. Elle leva la tête et se regarda dans la glace, distraitement. Sa tunique et son pantalon rose indien détonnaient curieusement dans le boudoir blanc et doré de Gabrielle, mais son visage était d'une pâleur d'ivoire, comme le téléphone. Elle n'avait pas fermé l'œil de la nuit.

Après avoir bouclé ses bagages, une demi-heure plus tôt, elle avait entendu les premiers signes de vie dans la maison. Les domestiques étaient sur le pied de guerre. Une bonne était venue frapper à sa porte, mais elle l'avait poliment renvoyée. Elle s'était rapidement assurée qu'elle n'avait rien laissé dans la penderie ou la commode, et son regard était alors tombé sur le dossier de Kurt, abandonné sur une chaise. Elle l'avait rangé dans son sac à main, avec son passeport et son billet de retour.

Elle avait alors compris qu'elle signerait ce contrat. Tout en faisant ses valises, elle y avait mûrement réfléchi. L'argent, finalement, ne comptait guère pour elle. La somme que lui proposait Kurt lui semblait tout à fait honnête, elle n'aurait su que faire si elle avait disposé d'un montant supérieur. Ce qu'elle n'avait pas accepté, c'était qu'il ait cherché à l'amadouer par le biais de la séduction. Voilà pourquoi, au départ, elle avait décidé de ne pas signer. Certes, elle était peut-être lâche de céder si facilement, mais elle en avait assez de se battre, et surtout de se sentir aussi vulnérable. Elle ne voulait donner à personne des raisons de l'attaquer.

Une idée moins raisonnable lui avait également traversé l'esprit, bien qu'elle se fût empressée de la repousser : si elle cédait la prairie et si Kurt s'obstinait quand même à la courtiser, cela ne prouverait-il pas qu'il l'aimait ?

Oui, mais s'il n'essayait pas de la retenir ? S'il ne cherchait pas à la revoir ? « Au moins, je ne tarderai pas à être fixée », avait-elle conclu en soupirant.

De toute façon, la première chose à faire était de quitter le Schloss. Une fois partie, elle trouverait bien quelqu'un, à Kleisthof ou à Salzbourg, s'il le fallait, pour légaliser sa signature afin de certifier l'authenticité du contrat. Et tout serait réglé.

Partir ! Si seulement elle arrivait à haïr Kurt, à le détester pour toutes les humiliations qu'elle avait endurées ! Mais au lieu de lui en vouloir, elle repensait à ses brûlantes caresses, à leur désir insatisfait...

Elle avait jeté un dernier regard en direction du lit

saccagé, dévoré par les flammes, et l'image d'un autre lit, celui de Kurt, s'était superposée à celle de ce désastre.

Avec un haussement d'épaules, elle avait saisi ses valises et avait quitté la chambre, en prenant soin de bien fermer la porte derrière elle. Les von Kleist dormaient encore, apparemment, et les domestiques chargés des travaux de la matinée ne semblaient pas être au courant du sinistre. Autant laisser Kurt les en informer ! Dans le couloir, elle avait croisé une femme qui croulait sous une brassée de roses à peine écloses, destinées à la poubelle. Une autre descendait l'escalier en portant des pupitres, un valet ramassait les coupes et les assiettes disséminées sur les guéridons.

Megan avait arrêté une jeune bonne, et lui avait demandé de lui indiquer le téléphone. La petite Autrichienne l'avait alors escortée jusqu'au bureau de Gabrielle : c'était l'appareil le plus proche, l'autre se trouvant dans le bureau de Kurt. Tant pis, il lui fallait risquer sa chance si elle voulait joindre la seule personne capable de l'aider : son compatriote. Mais si la maîtresse de maison la surprenait...

Elle avait fiévreusement feuilleté l'annuaire de Kleisthof, et avait fini par trouver le numéro de l'auberge où résidait Peter. Elle attendait maintenant avec impatience d'entendre sa voix familière à l'autre bout du fil. Elle lui aurait sauté au cou lorsqu'enfin il répondit.

— Swanson *hier. Wer ist das, bitte ?*

— Peter ! Megan à l'appareil.

— Ah c'est vous ! Cela me fait plaisir d'entendre le son de votre voix ! J'étais fou d'inquiétude. Vous êtes encore en vie ?

— Bien sûr ! protesta-t-elle avec vigueur. Je me porte comme un charme...

Ce pieux mensonge la fit frémir des pieds à la tête

au moment même où elle le proféra. Elle s'empressa d'ajouter avec contrition :

— Je suis désolée de vous avoir tiré du lit.

— Non, vous avez bien fait. Mais vous allez bien, vous en êtes certaine ?

— Pourquoi n'irais-je pas bien ?

— Oh, simple question... Hier soir, quand j'ai vu von Kleist vous emmener pratiquement par la force et que vous ne reveniez pas...

Megan eut un petit rire amusé. Le bal lui semblait déjà si loin, après les dramatiques événements de la nuit !

— Mais enfin, Peter, qu'allez-vous imaginer ? Vous pensiez qu'il m'avait enfermée dans un donjon ? Je ne suis pas revenue parce que j'étais fatiguée, et que j'avais bu un peu trop de champagne ; Kurt voulait me parler, et après notre discussion je suis montée me coucher.

Peter ne fut pas dupe. Elle avait tendance à oublier qu'il avait quand même trente ans, une certaine expérience de la vie derrière lui, et un solide sens des réalités. Sinon il n'aurait pas réussi en affaires. Mais il avait l'air si jeune, si naïf avec ses lunettes d'écolier... Il avait pourtant tout de l'homme mûr lorsqu'il rétorqua avec impatience :

— Ecoutez, Megan, je sais pertinemment qu'il s'est passé quelque chose entre vous deux hier, une scène, ou une empoignade quelconque, si vous me pardonnez l'expression. Franchement, j'étais très inquiet. J'ai bien vu la tête que faisait von Kleist pendant que nous dansions ensemble. Il avait l'air désespéré, fou furieux. Alors ne me racontez pas que vous aviez trop bu, ou d'autres histoires du même genre. Il y a dû y avoir une scène entre vous deux quand il a découvert que vous étiez au courant pour l'option.

— Bon, bon, ne vous énervez pas, Peter. D'accord, je reconnais que nous avons eu des mots, mais je vous assure que ce n'était rien de terrible.

— Vraiment ? J'étais prêt à aller lui parler moi-même, mais Ulrike a insisté pour qu'elle et moi restions en dehors de toute cette affaire. Vous la connaissez, vous savez l'adoration qu'elle porte à Kurt von Kleist ; elle maintiendra envers et contre tous que c'est un vrai aristocrate, qu'il est chevaleresque jusqu'au bout des ongles, même si les siens sont déformés...

— Peter, c'est une plaisanterie de mauvais goût ! s'indigna la jeune femme.

Il y eut un silence, puis l'ingénieur reprit avec gravité :

— Vous avez raison, et je m'en excuse, Megan. Von Kleist ne m'est pas très sympathique, mais j'ai tendance à oublier qu'il est un de vos parents... Pour en revenir à notre discussion, j'étais bourrelé de remords hier soir. Je n'aurais jamais dû vous laisser lui parler seule. J'aurais dû vous aider.

— Vous pouvez encore m'aider maintenant. Auriez-vous la gentillesse de venir me chercher ici en voiture ? J'aimerais quitter le château aussi vite que possible.

— C'est aussi grave que cela, Megan ? Que vous ont-ils fait ?

— Ce matin, rien. Je ne les ai pas vus, personne n'est levé sauf les domestiques. C'est seulement que... maintenant que tout est réglé, ma présence ici n'est plus nécessaire et je préfère ne pas m'attarder. Vous voulez bien venir me chercher, Peter ? Nous parlerons de tout cela de vive voix.

— Très bien, j'arrive tout de suite. Je devrais être au Schloss d'ici une demi-heure, pas plus.

— Merci, Peter, soupira-t-elle avec soulagement. A bientôt.

Elle reposa le combiné. Tout était fini. Dans

quelques minutes Peter viendrait la chercher et l'emmènerait. Si elle devait établir d'autres contacts avec les von Kleist, ce serait par avocats interposés, pour faciliter le transfert de la propriété au nom de Kurt. A moins qu'il ne vienne la trouver... Elle se berça un instant de cette douce illusion, puis se ressaisit. A quoi bon rêver ? Non, Kurt ne la suivrait pas si elle partait, il n'essaierait même pas de la chercher. Il avait obtenu d'elle ce qu'il voulait.

Megan se repentit soudain d'avoir fait appel à Peter. L'Américain avait dû en conclure, à tort, qu'elle était prête à vendre la prairie à Max Bachmann. Dès qu'ils seraient au village, elle s'empresserait de dissiper ce malentendu. Mais cela n'allait pas être facile car elle ignorait ce qui, au juste, avait motivé sa décision, au-delà des prétextes qu'elle se donnait. Et si finalement Kurt avait réussi à lui faire partager la vénération anachronique qu'il portait au patrimoine séculaire de ses ancêtres ? « La véritable réponse est sans doute ailleurs », songea-t-elle avec un triste soupir ; « c'était tout simple : elle aimait Kurt et ne pouvait se résoudre à lui faire du mal ».

Elle se tourna vers la porte pour quitter le bureau. Elle voulait se tenir prête devant le château, valises en mains afin de ne pas faire attendre Peter. Avec l'impétuosité qu'elle lui connaissait, il était capable d'attaquer le Schloss pour la libérer, s'il ne la voyait pas arriver. Elle sourit intérieurement à cette pensée. Peter faisait parfois si gamin, à côté d'un homme comme Kurt !

Son sourire se figea. Adelaïde se tenait devant elle. « Curieux », songea Megan, « cette habitude qu'avait l'adolescente de s'appuyer au chambranle des portes au moment où l'on ne s'attendait pas à la voir surgir, telle quelque esprit malin »...

— Vous partez ? s'enquit-elle sans essayer de dissimuler sa satisfaction.

Une lueur de triomphe pétillait dans ses yeux noisette. Hormis sa main bandée, elle semblait égale à elle-même, très contente d'elle.

Megan la dévisagea froidement.

— Oui, je pars, répondit-elle. Je ne sais si c'est le résultat que vous escomptiez en mettant le feu à ma chambre cette nuit, dans ce cas vous avez réussi. Mais ne vous faites pas de souci : je signerai le contrat de Kurt avant de quitter le pays.

Adelaïde la regarda avec stupeur, puis son visage mobile prit une expression effarée. Grimaçante de colère, elle s'écria :

— Idiote ! Vous n'allez pas faire *ça !* Vous allez tout gâcher !

— Que… que dites-vous ?

— Vous ne pouvez pas faire une chose pareille ! Je me suis donné tant de mal, et maintenant vous risquez de tout faire échouer…

Ce fut au tour de Gabrielle d'apparaître dans le couloir.

— Que se passe-t-il ? interrogea-t-elle d'une voix dure en voyant sa fille adoptive sangloter et secouer furieusement la tête.

Avec un cri étranglé, Adelaïde l'écarta brutalement et s'enfuit en courant. L'Autrichienne la suivit du regard avant de se tourner vers Megan. « A-t-elle entendu notre conversation ? » se demanda la jeune femme, saisie d'une panique soudaine. Toutes ces complications alors qu'elle s'apprêtait à quitter tranquillement le Schloss…

Gabrielle la fixait curieusement des yeux, et son visage avait une expression étrange, impénétrable. Peut-être était-ce son maquillage encore plus soigné qu'à l'ordinaire… A cette heure pourtant matinale, elle semblait sortir tout droit des pages glacées d'un magazine de mode. Elle portait un foureau corail en soie sauvage et une petite veste assortie. Un détail bizarre contrastait avec l'élégance de sa tenue : elle tenait à la main quelque chose qui ressemblait à un chiffon.

Très mal à l'aise, Megan hasarda timidement :

— Bonjour, Gabrielle. Etes-vous reposée, après la longue journée d'hier ? Le bal était vraiment très réussi ; vous vous êtes donné tant de mal...

Comme son hôtesse ne répondait pas tout de suite, elle ajouta :

— Pardonnez-moi d'être entrée dans votre bureau, mais je suis sur le point de partir et j'avais besoin de passer un coup de fil.

Les yeux perçants de Gabrielle ne cillèrent pas.

— Le Dr Müller va venir vous chercher, je suppose ?

— Non. J'attends Peter Swanson.

— Ah, l'Américain. Je vois...

— Je suis navrée de devoir partir si... soudainement, mais je crois que c'est préférable, s'excusa Megan.

— Effectivement, convint l'Autrichienne d'un ton glacial. Vous n'auriez jamais dû venir ici. Kurt est-il prévenu de votre départ ?

— Non. Mais après ce qui s'est passé, il ne devrait pas s'étonner.

Gabrielle tendit alors à la jeune femme le paquet informe qu'elle tenait contre elle. Megan reconnu le tissu de laine blanche surpiqué de grosses fleurs du même ton.

— Voici quelque chose qui vous appartient, je crois, énonça froidement Gabrielle. Un jardinier l'a trouvé ce matin sur la pelouse et me l'a apporté. J'ai tout de suite pensé à vous : vous êtes la seule ici à avoir l'idée de porter une chose pareille.

La jeune femme rougit. Au petit jour, dans sa hâte, elle ne s'était pas rendu compte, en faisant ses valises, qu'elle oubliait son châle. Elle voyait encore

Kurt le lui arracher et le jeter à terre avant de la soulever dans ses bras...

— Merci, bredouilla-t-elle. J'ai dû le faire tomber hier soir, quand je suis sortie prendre l'air.

Elle essaya machinalement de démêler les longues franges soyeuses. Le châle, humide de rosée, n'était plus qu'un chiffon taché d'herbe. Au bas du triangle, l'empreinte d'une chaussure d'homme... Les yeux de Gabrielle semblaient aimantés par cette marque révélatrice.

— Quel dommage ! s'exclama Megan. J'espère que j'arriverai à le faire nettoyer par un teinturier...

L'Autrichienne ne disait rien, ne bougeait toujours pas.

— Excusez-moi, Gabrielle, mais je dois aller ranger ce châle dans ma valise.

Gaby s'écarta avec une réticence manifeste pour lui céder le passage, et la jeune femme, oppressée, courut vers le grand escalier, au pied duquel elle avait laissé ses bagages. Deux minutes plus tard, lorsqu'elle repassa dans le couloir, l'Autrichienne était toujours à la même place, immobile.

Ses valises à la main, Megan poursuivit son chemin et ne s'arrêta qu'une fois arrivée sur le perron du château, à l'air libre. Elle respira profondément. Le ciel était d'un bleu d'azur, sans un nuage, et une légère brume matinale, accrochée aux branches des arbres, annonçait une forte chaleur pour l'après-midi. Le corps souple des dauphins luisait sous les jets d'eau de la fontaine, des gouttelettes irisées retombaient en pluie sur le gravier de l'allée circulaire.

La jeune femme jeta un coup d'œil à sa montre. Peter ne devait pas tarder à arriver... Sa petite Audi blanche monterait à l'assaut de la colline verdoyante, contournerait la pelouse, tel le destrier du preux chevalier qui vient au secours de la belle pour l'arracher aux griffes du mal et l'emmener loin, très loin... Megan sourit de cette comparaison romanesque.

« Allons, il est temps que je quitte la vieille Europe », songea-t-elle avec mélancolie.

Et soudain son cœur s'arrêta de battre. Elle avait oublié de dire au revoir à Liesl !

« Oh non, comment ai-je pu faire une chose pareille ? »

Liesl était la seule à lui avoir témoigné de la considération et de l'amitié durant son séjour au Schloss. La seule en qui elle pouvait avoir confiance, dont elle n'avait pas à se méfier. Megan avait compris la solitude de la fillette, le besoin qu'elle avait de la compagnie d'une femme adulte qui lui tînt lieu de mère. Elle ne pouvait la quitter ainsi, sans un adieu. Ce serait trop cruel.

Elle laissa ses bagages sur le perron, contre la balustrade de pierre, et se mit à la recherche de Gabrielle. Elle la trouva au pied de l'escalier, en train de donner des ordres à des domestiques.

— S'il vous plaît, savez-vous où se trouve Liesl ? Est-elle encore dans sa chambre ? Je veux la voir avant de partir...

L'Autrichienne réfléchit avant de répondre.

— Non, elle n'est pas dans sa chambre. Je crois que Kurt s'est levé très tôt ce matin pour la conduire chez les Weber. Elle voulait monter sa pouliche.

« Comment a-t-il pu se lever tôt après une nuit aussi éprouvante ? » se demanda Megan.

— Je n'ai pas spécialement envie de voir Kurt, souligna-t-elle d'un ton aussi neutre que possible.

— Vous ne le verrez pas, lui assura Gaby. Il a dû aller s'enfermer dans son bureau après avoir laissé Liesl à l'écurie. Si vous voulez bien m'attendre un moment, je peux sortir avec vous dans le parc. Liesl doit être en train de galoper du côté du lac, je suis sûre que nous la trouverons. Et puis il fait si beau, ce matin, cela nous fera du bien de nous promener un peu, vous ne pensez pas ?

Désarçonnée par l'amabilité de son hôtesse, la jeune femme acquiesça d'un signe de tête. Tandis que Gabrielle disparaissait dans la galerie de portraits, elle l'attendit patiemment à l'entrée du salon de musique. L'Autrichienne pouvait se permettre de se montrer moins agressive envers elle maintenant qu'elle ne représentait plus aucun danger pour le patrimoine des von Kleist...

Gabrielle la rejoignit quelques minutes plus tard, et la fit sortir par la porte de derrière, du côté des terrasses. Megan revit avec émotion les jardins qui avaient servi de décor à sa dernière rencontre avec Kurt, au clair de lune. La pelouse dévalait paisiblement vers le petit lac. Mais il n'y avait aucune trace de Liesl.

— Je ne la vois nulle part, observa l'Américaine.

— Ce doit être à cause des arbres qui bordent le lac. Je suis certaine de l'avoir vue prendre cette direction. Continuons un peu, nous n'allons pas tarder à la trouver.

— Mais Peter va arriver d'une minute à l'autre, protesta Megan.

Malgré son envie de dire adieu à la fillette, elle ne voulait pas faire attendre son ami.

— Oh, je vous assure qu'il vous attendra, répliqua Gabrielle d'un air pincé.

Comme pour atténuer l'acidité de son timbre, elle reprit d'une voix mielleuse, faussement gaie et pleine d'allant :

— Les hommes sont toujours prêts à patienter pour de jolies filles comme vous ! N'est-ce pas ? Allons, venez, Liesl serait dans tous ses états si vous nous quittiez sans lui dire au revoir. Le lac n'est plus très loin. Telle que je la connais, elle a dû vouloir faire prendre un bain à son cheval. Il fait si beau !

C'était une merveilleuse journée, effectivement, décida Megan en lui emboîtant le pas. Dans l'après-midi, la chaleur serait intenable. Elle regrettait déjà de ne pas avoir pris son chapeau en paille pour se protéger des rayons du soleil. Gabrielle avait été jusqu'à enlever sa petite veste corail, elle d'habitude si guindée, et la portait repliée sur le bras, dans une attitude un peu rigide quand même. « Elle n'arrivera jamais à quitter son rôle de châtelaine », pensa l'Américaine ; mais elle n'éprouvait plus de rancœur contre cette femme prisonnière de son personnage, seulement une vague pitié. Bientôt tout ce déchaînement de passions ne serait plus qu'un souvenir lointain...

Quand elles arrivèrent au bord de l'eau qui clapotait doucement sous la brise, Megan sentit cependant grandir son irritation.

— Je ne vois Liesl nulle part !

— Mais puisque je vous dis qu'elle est là, je l'ai vue ! insista Gabrielle.

— Ecoutez, je suis désolée mais je dois vraiment retourner au château. J'aurais aimé la voir, mais Peter m'attend sûrement et il doit s'impatienter.

— Regardez, là-bas ! s'écria l'Autrichienne en lui prenant le bras. Vous l'avez vue, dans le taillis ? Elle joue à cache-cache avec nous, la coquine ! Liesl ! Liesl ! Tu peux te montrer, je sais que tu es là !

Quand elle se tut, seul le piaillement des oiseaux lui répondit. Pourtant elle insista, sans lâcher le bras de la jeune femme.

— Liesl ! Montre-toi ! Ta tante Megan doit partir !

Nouveau silence.

— Bon, je suppose qu'elle veut que nous jouions avec elle. Venez, Megan, allons la chercher !

— Gabrielle, c'en est assez. Si Liesl ne veut pas

me dire au revoir, tant pis. Je ne peux attendre plus longtemps, c'est ridicule.

Elle essaya de se dégager, mais l'Autrichienne enfonçait ses doigts osseux dans la chair de son bras avec une inquiétante détermination. Trébuchant à moitié, elle fut contrainte de la suivre dans le sous-bois. Lorsqu'elles furent sous le couvert des chênes et des hêtres, dont l'épais feuillage filtrait les rayons du soleil, Gabrielle lâcha enfin le bras de la jeune femme. Celle-ci fit quelques pas, l'oreille tendue, dans l'espoir d'apercevoir enfin la fillette. Cette situation était ridicule !

Quand elle fut convaincue que Gabrielle s'était moquée d'elle, elle s'écria, folle de rage :

— Je ne sais pas à quoi rime cette petite comédie, je ne trouve pas ça drôle du tout ! Vous m'avez amenée jusqu'ici pour rien !

Derrière elle, Gabrielle répondit d'une voix menaçante :

— Détrompez-vous, chère amie, ce n'était pas pour rien...

Du coin de l'œil, Megan vit la veste corail de l'Autrichienne décrire un arc de cercle pour retomber ensuite sur l'herbe comme une fleur coupée. Et juste après, elle entendit un curieux déclic. Elle fit volte-face. Gabrielle pointait vers elle le vieux pistolet en argent qui avait servi jadis à défendre l'honneur de Marthe von Kleist.

Beaucoup plus tard, lorsqu'elle repensa à cette scène absurde, Megan devait se demander pourquoi elle ne s'était pas évanouie de frayeur. Car sur le moment, elle fut surtout frappée par l'aspect grotesque, presque comique, de la situation. Quand elle vit les mains tremblantes de Gaby serrées sur la crosse du pistolet, elle fut prise d'une soudaine envie de rire.

Cette envie lui passa dès qu'elle vit l'expression hagarde de celle qui la menaçait.

— Mais enfin pourquoi, Gabrielle? demanda-t-elle tranquillement. Que signifie ce petit jeu?

— Ce n'est pas un jeu, espèce de sotte! Je ne vais certainement pas vous laisser ruiner notre famille.

— Qui vous parle de...?

— Depuis le premier jour j'ai remarqué vos manœuvres, la façon dont vous vous y preniez pour séduire Kurt. Wilhelm aurait tout de suite deviné que vous n'étiez qu'une vulgaire aventurière, mais Kurt n'y a vu que du feu! Vous ne valez pas mieux que votre bâtard de mari! Et maintenant, vous êtes prête à vendre la prairie à Max Bachmann, un opportuniste qui s'est enrichi sur les décombres de son pays! Eh bien *non,* vous n'allez pas morceler les terres des von Kleist! Ce domaine représente pour moi la sécurité, la stabilité, je ne vous laisserai pas me l'arracher... Et si Kurt n'est pas capable de vous raisonner, c'est moi qui vous empêcherai de nous nuire.

Megan se félicita de ne pas avoir éclaté de rire. Gabrielle n'était qu'une malheureuse, acculée par la peur, malade.

— Ecoutez, je n'ai jamais cherché à vous nuire, Gabrielle. Il faut me croire. J'ai d'ores et déjà pris la décision de signer le contrat par lequel je renonce à mon héritage.

— Vous mentez!

— Non. C'est la vérité. Les papiers sont dans mon sac, devant le château, avec mes valises. Si vous venez avec moi, je vous les montrerai.

Les mains de Gabrielle étaient agitées de violents tremblements, elle ne se contrôlait plus.

— Lâchez ce pistolet, demanda Megan d'une voix douce, sans la quitter des yeux. Et venez avec moi.

Comme l'Autrichienne ne bougeait pas, elle tendit la main vers le pistolet.

— N'avancez pas ! hurla Gabrielle.

Et elle appuya sur la gâchette.

La balle partit dans une explosion assourdissante d'étincelles et de fumée, érafla la tempe de Megan en laissant sur son passage, à la racine des cheveux, une flamme orangée. Renversée par le souffle de la décharge la jeune femme s'écroula, et sa tête vint heurter le tronc noueux d'un vieux chêne.

Terrassée par le choc et la douleur lancinante, le visage exsangue, elle gisait à terre les yeux grands ouverts. Au-dessus d'elle se tenait Gabrielle, effarée, clouée sur place... Un cri d'oiseau s'étrangla dans la gorge de l'Autrichienne, puis elle se mit à hurler le nom de Kurt d'une voix éraillée, dissonante. « Je suis si fatiguée », songea Megan, « pourquoi ne se tait-elle pas » ?

Un voile apaisant obscurcit sa vue, et elle se laissa envelopper par ce cocon réconfortant, cherchant l'oubli. Une dernière pensée la traversa : elle regrettait de ne pas avoir eu l'occasion de montrer à Kurt comme elle savait bien jouer du piano. Puis elle perdit totalement connaissance.

10

Douleur. Le monde n'était qu'un univers de douleur, un brouillard rouge, opaque, et quelqu'un, tout près, hurlait. Qui était cette femme hystérique qui criait ? Megan se demanda où elle était. Comme le lit était dur ! Si seulement elle arrivait à tourner la tête elle pourrait regarder autour d'elle... Mais elle se sentait trop faible pour bouger. Autant rester tranquille. Des élancements lancinants lui martelaient les tempes, comme si un orchestre à percussion se déchaînait sous sa boîte crânienne... Elle ouvrit un œil, péniblement.

Etait-ce sa chambre ? Non, le plafond de sa chambre à Manhattan était bleu, et au-dessus d'elle, tout était vert, avec quelques traînées d'or aveuglantes. Des arbres, seraient-ce des arbres ? Quelle idée absurde ! Ce devait être la fougère qu'elle aimait tant, et derrière, le rideau en macramé qu'elle avait fabriqué pendant ses longues soirées d'hiver, quand Erich sortait avec Lavinia. Mais elle voyait flou ; elle avait quelque chose dans l'œil, quelque chose de tiède, de gluant. Si elle pouvait cligner la paupière, elle chasserait ce voile... Mais ses paupières étaient si lourdes !

Seigneur, pourquoi Lavinia ne se taisait-elle pas ? Sa voix perçante lui déchirait les tympans, elle aurait aimé pouvoir la gifler, l'étrangler, pour avoir enfin la paix... Et qu'avait-elle à crier de la sorte ? Elle avait la voix si rauque à présent, à force de s'égosiller, que Megan croyait entendre une langue étrangère, gutturale. Quelqu'un d'autre criait maintenant. Elle aimait cette nouvelle voix. Mais pourquoi l'homme criait-il, lui aussi ? Que disait-il ? Qu'Erich était *mort* ? Non, non, Erich était là, tout près, il se penchait vers elle, la prenait dans ses bras, la berçait comme une enfant. Erich, Erich, tendre comme il ne l'avait jamais été. Comme il était grand et fort, si séduisant... « C'est drôle », pensa-t-elle avec un sourire, « sous cette lumière, ses yeux gris ont l'air presque bleus... »

Kurt franchit le seuil du château, pénétra dans l'apaisante fraîcheur du grand hall dallé. Les domestiques s'attroupèrent autour de lui pour voir son étrange fardeau, puis reculèrent comme un seul homme, effrayés par le masque grave et terrifiant de leur maître. Liesl se fraya un passage à travers le groupe compact, mais son père lui cria de ne pas avancer, et cacha Megan à sa vue.

La fillette s'immobilisa, tourna vers lui son petit visage ruisselant de larmes.

— Je veux la voir, *Vati*..., implora-t-elle d'une voix suppliante.

— Non, ma chérie. Ce n'est pas beau à voir, crois-moi. Greta ! Greta, emmenez Fräulein Liesl dans sa chambre et restez avec elle.

— Mais *Vati*... !

— Je t'en prie, Liesl, pas maintenant. Le meilleur service que tu puisses rendre à Megan est de la laisser tranquille. Nous allons l'emmener à l'hôpital, et je te promets de te téléphoner dès que nous aurons des nouvelles. Je sais que tu es inquiète, mais tout ira bien.

La fillette regarda longuement son père, puis finit par céder, la lèvre tremblante.

— Bien, *Vati*, murmura-t-elle en se laissant conduire par Greta.

Kurt la suivit du regard et soupira. Dans ses bras, Megan fut secouée d'une toux déchirante.

— Avez-vous réussi à joindre l'hôpital ? demanda-t-il au majordome. Bien. Dites à Karl de venir immédiatement avec la voiture. Nous n'avons pas le temps d'attendre l'ambulance. Apportez-moi des couvertures au salon. Et faites vite !

Les serviteurs s'égayèrent dans le couloir tandis que Kurt se dirigeait vers le salon. Une jeune bonne le croisa ; elle n'avait pas eu vent du drame, et laissa tomber sur les dalles de marbre un plateau où étaient posées en équilibre deux douzaines de flûtes en cristal. Il n'entendit même pas son cri.

Gabrielle le suivait comme une ombre, défaite et hagarde, balbutiant des phrases décousues. Elle avait perdu toute dignité, et portait encore à la joue la marque des doigts de Kurt qui l'avait giflée pour la faire taire enfin.

Il allongea le corps inerte de Megan sur le canapé du salon, avec mille précautions, et pressa un mouchoir blanc sur sa tempe, dans l'espoir d'arrêter l'hémorragie. Le tissu se teinta de sang en quelques secondes. Kurt étouffa un juron désespéré.

Elle essayait maintenant de revenir à elle, de comprendre. D'une voix à peine audible, elle murmura :

— J'ai... mal...

— Je sais, répondit Kurt.

Quelqu'un lui tendit une couverture, dont il recouvrit le corps de la jeune femme.

— Doucement, Megan... Non, ne bougez pas. Ne

vous fatiguez pas. Nous allons vous soigner, tout ira bien.

Ces paroles de réconfort semblèrent l'apaiser, elle cessa de se débattre contre l'engourdissement qui l'envahissait. Elle avait moins peur.

Kurt se tourna vers la porte. Des visages inquiets l'observaient en silence, prêts à suivre ses ordres. Dans un coin de la pièce, Gabrielle continuait de débiter des mots sans suite, le regard absent. C'était un spectacle pathétique.

— Allez chercher Fraülein Adelaïde, ordonna-t-il à la servante la plus proche. Dites-lui de conduire Frau von Kleist dans ses appartements et de ne la laisser sortir sous aucun prétexte !

A cet instant, il y eut un mouvement de foule dans le couloir, des protestations étouffées, et Peter Swanson fit irruption dans le salon, repoussant au passage le jardinier qui tentait de s'interposer.

— Que se passe-t-il ? questionna-t-il avec autorité. Où est Megan ? J'ai trouvé ses bagages sur le perron, et je...

Ses traits se décomposèrent quand il aperçut la forme allongée sur le canapé, sans vie.

— Mon Dieu... Que lui avez-vous fait ?

Il se précipita vers Megan, mais Kurt l'arrêta.

— Ne la touchez pas. Il ne faut pas la brusquer.

Peter regarda avec mépris les mains tachées de sang qui s'agrippaient fermement à ses épaules. Il ne pouvait se débattre, mais marmonna haineusement :

— J'avais raison de me méfier de vous, von Kleist. Vous ne reculez devant rien pour arriver à vos fins, n'est-ce pas ?

— Oh, ça suffit, Swanson ! Ne vous ridiculisez pas davantage.

Sur le canapé, Megan bougea faiblement la tête et gémit :

— Kurt... Je vous en prie... ne criez pas... J'ai si mal à la tête...

Kurt alla s'agenouiller à son chevet, le visage dévoré d'anxiété. Elle seule pouvait l'entendre quand il murmura :

— Ne parle pas, mon amour. La voiture va arriver, nous allons t'emmener à l'hôpital.

Peter s'était approché à son tour du canapé, et avait saisi le dernier mot que venait de prononcer Kurt. Il se tenait derrière lui, les bras ballants, et le regardait éponger le sang qui continuait de couler le long de la tempe de la jeune femme.

— Oui, Megan, dit-il maladroitement, vous serez bientôt en sécurité, avec Ulrike. Riki va s'occuper de vous.

Les domestiques attroupés devant la porte du salon s'écartèrent de nouveau, cette fois pour laisser passer Adelaïde. L'adolescente se dirigea droit vers le canapé, et s'écria d'une voix altérée :

— *Gott im Himmel !* Qu'est-il arrivé ?

— Ce n'est pas le moment de poser des questions, trancha Kurt avec brusquerie. Fais ce que je te dis pour l'instant. Je veux que tu emmènes Gabrielle dans sa chambre et que tu restes auprès d'elle.

La jeune fille pâlit. Son regard horrifié alla de Megan à sa tutrice, effondrée sur une chaise.

— Oh, Gaby, murmura-t-elle tristement. Qu'avez-vous fait... ?

— Tu le vois bien, s'énerva Kurt. Elle a tiré sur Megan. Maintenant file, je m'occuperai d'elle plus tard.

Peter, qui observait Adelaïde d'un air intrigué, lui demanda soudain, alors qu'elle s'approchait de Gabrielle :

— Dites-moi, je ne vous ai pas déjà rencontrée quelque part ?

L'adolescente se raidit. Elle secoua la tête.

— Non, je ne pense pas... Venez, Gaby, vous êtes fatiguée. Je vais vous conduire dans votre chambre. Vous pourrez me montrer les échantillons de tapisserie que vous avez choisis pour...

Peter claqua des doigts et interrompit la jeune fille, qui ne faisait plus attention à lui.

— Mais bien sûr ! Ça me revient ! s'exclama-t-il. Je vous ai entrevue l'autre jour, dans le bureau de mon oncle Max, à Salzbourg ! Vous vous souvenez ?

— Non, non..., bredouilla l'adolescente, très pâle. D'ailleurs c'est impossible. Il y a longtemps que je n'ai pas mis les pieds à Salzbourg, sauf pour aller au cinéma. Vous faites erreur.

Mais l'ingénieur s'entêtait.

— Je suis pourtant certain de ne pas vous confondre avec une autre. Grande, jeune, mince, des cheveux châtains... il n'y a aucun doute ! Vous avez passé plus d'une heure dans le bureau de mon oncle, et à peine étiez-vous sortie, qu'il m'a annoncé la grande nouvelle : il avait enfin trouvé un moyen de venir à bout de l'obstination des von Kleist, nous allions donc pouvoir exploiter la prairie !

Le temps parut suspendre son vol. Un silence effrayant flottait dans la pièce. Tous les regards étaient tournés vers l'adolescente, et l'accusaient muettement. On aurait pu entendre voler une mouche si la respiration inégale de Megan n'avait ponctué le lourd silence. Et soudain Adelaïde revint à la vie ; elle tenta une échappée désespérée, signant ainsi sa condamnation. Ce fut Gabrielle qui la retint, enfonçant ses ongles rouges dans le bras nu de la jeune fille.

— Adelaïde, souffla-t-elle d'une voix brisée. Adelaïde, que dit cet homme ? Qu'as-tu fait, mon enfant ?

— Nous attendons tes explications, intervint Kurt d'un ton calme mais menaçant.

Elle recula, acculée au mur, trébucha sur le tapis, cogna un guéridon. Elle était affolée, prise au piège.

— Je ne voulais faire de mal à personne ! cria-t-elle. Comment aurais-je pu prévoir que Gaby allait tenter une chose pareille ? Je voulais seulement un peu d'argent pour pouvoir aller à Hollywood !

Kurt étouffa un juron, et la jeune fille se déchaîna, donnant libre cours à toute la rancœur accumulée depuis tant d'années.

— J'ai essayé de vous faire comprendre, mais vous refusiez de m'écouter ! Ma seule ambition dans la vie est de devenir actrice ! Vous m'avez toujours traitée comme si j'étais une idiote, une demeurée, incapable de mener ma vie. Mais vous aviez tort, et je l'ai prouvé ! Je suis allée voir Max Bachmann, comme une grande, et je lui ai parlé des papiers que vous vouliez faire signer à Megan. Vous auriez dû être plus prudent ! Mais vous en parliez devant moi, comme si j'étais trop bête pour comprendre…

Elle exultait, jubilait, prenait sa revanche. Kurt souligna d'une voix lasse :

— J'ai eu tort de te faire confiance. Je ne pensais pas que tu trahirais ta famille…

— *Ma* famille ? Vous voulez rire ! Vous n'êtes pas ma famille !

— Que veux-tu dire, ma petite fille ? intervint Gabrielle. Willi et moi ne t'avons-nous pas accueillie chez nous ? Ne t'ai-je pas toujours bien traitée ? N'ai-je pas tout fait pour que tu te sentes un membre à part entière de notre famille ?

— Vous oubliez que je ne suis pas une von Kleist, mais une Steuben ! Mon père et moi, nous aurions pu rendre le nom des Steuben célèbre dans le monde entier ! Mais vous étiez jaloux, tous, et vous avez voulu m'empêcher d'accomplir de grandes choses. Et vous voudriez que je vous sois reconnaissante ! Que je consacre le restant de mes jours à embellir ce mausolée dans lequel vous vivez ! Que j'oublie ce que mon père m'a appris !

— J'ai... j'ai essayé de te rendre heureuse, balbutia Gabrielle, le visage décomposé.

— Oh bien sûr, vous vous êtes toujours montrée généreuse... à condition que je respecte le contrat que *vous* aviez établi. Et si j'osais la moindre infraction... Le bal, par exemple : pendant des semaines je vous ai aidée à tout préparer, et au dernier moment vous m'interdisez d'y participer uniquement parce que je me suis absentée dans la journée !

Adelaïde s'interrompit pour ajouter avec un sourire diabolique :

— En fin de compte, je n'ai rien à regretter : hier matin, précisément, pendant que vous me cherchiez, j'étais à Salzbourg ! Je discutais avec Max Bachmann des derniers détails de mon plan pour convaincre Megan de lui vendre la prairie...

Peter semblait écœuré.

— Vous voulez dire que... mon oncle vous a encouragée à trahir les von Kleist ?

— Cela vous chagrine d'apprendre qu'un de vos parents n'hésite pas à recourir à des moyens, disons... peu orthodoxes, pour arriver à ses fins ? Ha, ha ! Les Américains sont bien puritains ! Rassurez-vous, il a été très correct avec moi et devait me dédommager *très* généreusement pour tout le mal que je me suis donné. De toute façon, même s'il m'avait offert une somme ridicule, j'étais prête à faire n'importe quoi pour ne pas devenir une chaste vestale dans le temple sacré des von Kleist ! J'aurais...

Megan gémissait de nouveau.

— C'est assez, Adelaïde, intervint Kurt.

— Ne jouez pas les petits saints, Kurt von Kleist ! Ni les redresseurs de tort ! Vous avez les mains sales,

vous aussi ! Vous n'aviez pas très envie de parler à
Megan des droits de Bachmann, n'est-ce pas ? Vous
vous apprêtiez gentiment à la...

— *Assez,* Adelaïde !

Elle défia Kurt un instant, prête à lutter jusqu'au
bout, et soudain la lumière s'éteignit dans ses yeux,
ses épaules s'affaissèrent.

— Oui, vous avez raison, murmura-t-elle, abattue. C'est assez... J'ai échoué. Vous avez acheté
Megan en lui donnant ce qui était pour elle plus
important que l'argent. Je n'avais pas prévu cela. Je
n'avais pas prévu qu'elle s'amouracherait de vous au
point de tout donner pour coucher dans votre lit.

— Tu le regretteras, grinça Kurt.

Ses poings se serrèrent comme s'il voulait l'étrangler, il fit un pas vers elle. Gabrielle s'interposa.

— Je t'en prie, Kurt, susurra-t-elle d'une voix
enjôleuse, Adelaïde n'a pas fait exprès. Elle est si
jeune...

Elle effleura tendrement le bras de sa fille adoptive.

— Dis-lui, ma chérie, dis-lui qu'il ne comprend
pas. Nous savons bien que tu ne ferais rien qui puisse
nous nuire. Comme toujours, ce sont les étrangers
qui sèment le désordre et la discorde. Ceux qui ne
font pas partie de la famille... D'abord Erich,
maintenant sa femme, et puis cet arriviste de Bachmann. Ce sont les gens comme eux qui constituent la
vraie menace contre...

L'adolescente n'y put tenir. Elle se dégagea violemment et cria d'une voix haineuse :

— Ne me touchez pas ! Vous ne comprenez donc
rien, espèce de vieille folle ? Je vous hais ! Je hais
tous les von Kleist, jusqu'au dernier ! Je déteste ce
qu'ils représentent, ce qu'ils...

Sa voix s'étrangla dans sa gorge, et avec un
pathétique sanglot elle s'enfuit de la pièce en cou-

rant, bousculant au passage les domestiques qui avaient assisté, médusés, à toute la scène.

Gabrielle se laissa tomber sur sa chaise, les épaules voûtées. Elle semblait avoir vieilli de vingt ans. Sa tête dodelinait doucement.

— Elle ne comprend pas, répétait-elle. C'est une erreur, ce n'est pas de sa faute. Adelaïde ne ferait rien contre nous, jamais... Elle ne nous veut aucun mal, elle...

Avec un sanglot, elle enfouit son visage dans ses mains osseuses.

— Mon Dieu..., murmura Peter.

Ce fut au milieu de ce naufrage qu'apparut le chauffeur ; il annonça que la voiture attendait devant le perron. Sans un mot, Kurt hocha la tête et souleva Megan dans ses bras. Peter, la tête basse, lui emboîta le pas.

— Alors, comment se porte ma patiente préférée, aujourd'hui ? interrogea Ulrike avec une sollicitude toute maternelle. Vos migraines ont disparu ?

— Pour le moment, oui, répondit Megan d'une voix morne, en posant le livre qu'elle essayait vainement de lire depuis une heure. Mais je me porterais beaucoup mieux si vous m'autorisiez à me lever.

Le médecin secoua la tête avec un sourire indulgent.

— Patience, patience... Vous avez avant tout besoin de repos, mon amie, je m'évertue à vous le répéter ! Vous avez perdu beaucoup de sang — les blessures à la tête sont toujours spectaculaires — et vous avez subi un sérieux choc en vous assommant contre cet arbre...

— Mais je me sens beaucoup mieux, maintenant ! protesta la jeune femme.

— Si vous mettiez le pied par terre, vous changeriez rapidement d'avis, croyez-moi ! Allons, soyez raisonnable. Quand Kurt et Peter vous ont amenée ici, il y a trois jours, vous étiez dans un bien triste état ! On ne se remet pas si vite d'une aventure pareille...

Megan ne se rappelait pratiquement rien du tragique épisode qui avait failli lui coûter la vie. Lorsqu'elle était revenue à elle après son premier évanouissement, elle n'avait retenu qu'une image au beau milieu de son délire : l'arc de cercle qu'avait décrit dans le soleil la crosse brillante du vieux pistolet, avant qu'il ne s'engloutisse dans le lac où l'avait jeté Kurt. Ensuite, quand Kurt l'avait portée dans le château, elle gardait le souvenir d'un bruit de verre brisé et d'un cri perçant. Et dans le salon, les sanglots de Gabrielle, les cris d'Adelaïde...

Ulrike interrompit sa rêverie.

— Je suis quand même venue vous annoncer une bonne nouvelle : aujourd'hui, je vais pouvoir vous enlever ces affreux bandages qui vous empêchent de tourner la tête. Bien sûr, vous aurez encore les points de suture...

Quelques minutes plus tard, Ulrike, aidée d'une infirmière, avait fini d'ôter les énormes pansements qui protégeaient la blessure de la jeune femme. Elle examina attentivement la plaie et conclut avec satisfaction :

— Parfait, la cicatrisation est en bonne voie. Et s'il vous reste une marque, ce sera juste à la racine des cheveux, personne ne la verra. En fin de compte, vous avez eu de la chance !

— Si on veut... C'est vrai, j'aurais pu mourir !

— Heureusement vous avez été trouvée presque tout de suite. Peter vous attendait, et Kurt et Liesl se promenaient à cheval dans le parc...

— Comment ? C'était donc vrai, ils étaient vrai-

ment sortis ? J'avais cru que... Oh, non ! mais alors
Liesl m'a vue quand j'étais...

— Non, son père l'a immédiatement envoyée
chercher de l'aide. Elle savait qu'il était arrivé
quelque chose, et elle a eu très peur, mais elle ne
vous a pas vue.

— Qu'est-il advenu de Gabrielle ?

— La malheureuse a complètement perdu la tête,
je le crains... Ce n'est pas étonnant, après qu'elle ait
découvert la trahison d'Adelaïde...

En quelques mots, Ulrike expliqua à Megan le
complot tramé par l'adolescente pour obtenir de
l'argent.

— Il fallait une certaine ingéniosité ! conclut amèrement la jeune femme, bouleversée par ce récit.
Comment cette idée a-t-elle bien pu germer dans sa
tête ? Comprendre que Bachmann paierait cher pour
avoir un moyen de pression sur Kurt... et vendre la
mèche en lui révélant que j'avais hérité de ce
terrain ! C'est à peine croyable... Mais dites-moi,
que vont devenir Adelaïde et Gabrielle, maintenant ?

— Ça, c'est à Kurt qu'il faut le demander.

— Ce sera difficile... Il n'est même pas venu me
voir !

— Il est resté à vos côtés jusqu'à ce que vous
soyez hors de danger, répliqua l'Autrichienne.

Comme Megan ne répondait pas, elle ajouta d'un
ton enjoué :

— Quels jolis œillets ! C'est Peter qui vous les a
apportés ?

— Oui... Il est venu me voir tous les jours...

— Je sais... Peter a été bouleversé d'apprendre le
rôle peu reluisant de son oncle dans cette triste
affaire. Il a menacé Max de repartir pour les Etats-
Unis et de le laisser tomber s'il essayait une seconde

fois d'opérer des tractations douteuses dans son dos. Le pauvre, il idéalise le monde des affaires...

Ulrike, en parlant, avait un sourire attendri. La jeune femme, mue par une impulsion soudaine, hasarda :

— Riki, vous aimez beaucoup Peter, n'est-ce pas ?

— Oui..., soupira l'Autrichienne.

— Et... vous êtes même amoureuse de lui, non ?

Riki eut un rire gêné, et elle esquiva la question.

— Vous ne mâchez pas vos mots ! s'exclama-t-elle.

Megan comprit qu'elle était allée trop loin, trop vite.

— Pardonnez-moi, Ulrike. Je... enfin, je pensais que vous accepteriez de m'en parler au nom de notre amitié. Je me suis trompée.

— Pourquoi remettre en cause notre amitié ? protesta gentiment Ulrike, amadouée. Ah, vous êtes un tout petit bout de femme, mais depuis que je vous connais vous m'avez amenée à... à réfléchir sur certaines choses. C'est drôle... Pour répondre à votre question, puisque vous êtes si têtue, oui, j'aime Peter. Il m'attendrit, il me fait rire alors que je ne riais plus depuis longtemps, j'adore sa tendresse impulsive..., Ses excès, aussi. S'il devait repartir pour les Etats-Unis, je crois que j'en mourrais.

Elle se leva soudain, arpenta nerveusement la pièce, bougea un vase.

— Oubliez ce que je viens de vous dire, murmura-t-elle avec découragement. Ce sont des bêtises.

— Parce que c'est bête d'aimer quelqu'un ?

— Non... Mais même si Peter reste en Autriche, il y aura des obstacles insurmontables qui empêcheront de toute façon notre union.

— Vous voulez parler de vos différences en matière de religion ?

— Oui. Je m'étais toujours dit que si un jour je tombais amoureuse de quelqu'un, ce serait d'un homme qui partagerait ma foi, mes croyances. Je ne savais pas que mon cœur me jouerait des tours, et serait si capricieux...

L'Américaine plissa le front.

— Ce genre de différend n'est pas insurmontable, observa-t-elle.

— Il ne devrait pas l'être... quand on s'aime. Seulement... Peter ne m'aime pas assez. Là est tout le problème. Il a de l'amitié pour moi, de la tendresse même, mais il me considère un peu comme sa tante préférée !

— Ne soyez pas si sotte ! protesta Megan. D'abord, vous n'avez même pas l'âge d'être sa tante. Il a à peine deux ans de moins que vous !

— Mais pour lui je ne suis pas une femme !

Cet aveu pathétique fit réfléchir Megan. C'était là le problème, comprit-elle. Ulrike s'était réalisée dans son difficile métier, mais elle avait négligé sa féminité. Peter, lui, la voyait avec les yeux d'un homme ; elle en était persuadée. Riki, en revanche, n'avait pas confiance en elle, elle se diminuait à ses propres yeux, sous-estimait sa valeur. Il lui fallait prendre conscience de son pouvoir de séduction et de son charme !

Un petit sourire sarcastique se dessina sur les lèvres de la jeune femme. « Bravo, Sherlock ! », se dit-elle intérieurement. « Mais toi, que fais-tu pour t'épanouir et trouver l'homme de ta vie ? »

Pour l'instant, l'important était d'aider Ulrike, si elle le pouvait.

— Riki, vous n'avez jamais envisagé d'avoir les cheveux courts et de trouver une coupe qui vous aille mieux ?

L'Autrichienne se tourna vers son amie en souriant. « Elle a un très beau sourire », songea Megan.

— Qu'est-ce que vous complotez, Megan ? D'un coup de baguette magique, vous allez opérer la transformation de Cendrillon, et Peter tombera à mes pieds, éperdument amoureux, ébloui par ma beauté ? Allons donc, rien, malheureusement, ne pourra faire de moi une Miss Monde !

— Qui vous parle de devenir Miss Monde ? Vous êtes une femme intelligente, pleine de qualités, et vous avez bien plus à offrir à un homme que ces poupées à la tête vide et aux mensurations impossibles ! Peter le sait, j'en suis convaincue.

« Je suis également convaincue qu'il vous aime », ajouta-t-elle en son for intérieur, « mais ça, c'est à vous de le découvrir toute seule ! »

— Vous savez, Ulrike, il n'est pas déshonorant d'avoir recours à d'innocents stratagèmes vieux comme le monde pour se sentir mieux dans sa peau. Une nouvelle coiffure, de jolies robes, une touche de maquillage... Vous n'avez vécu que pour votre hôpital, il est temps que vous vous dorlotiez un peu !

Ulrike éclata d'un rire léger, joyeux.

— La sagesse sort de la bouche des enfants ! Vous êtes adorable, Megan, mais votre romantisme vous perdra !

— Peut-être, murmura la jeune femme, soudain songeuse. En tout cas, je ne peux pas dire qu'il m'ait servi...

Sur la pelouse baignée de lune, Kurt ne l'avait-il pas accusée, lui aussi, d'être une « incurable romantique » ? Et avec quel dédain...

La conversation des deux amies fut interrompue par l'arrivée d'une infirmière qui resta à la porte de la chambre et fit signe à la directrice de s'approcher.

Après un rapide échange à voix basse, Ulrike revint vers sa malade.

D'un air dégagé, mais en guettant sa réaction, elle déclara tranquillement :

— Kurt von Kleist a téléphoné. Il voulait savoir s'il pouvait vous rendre visite. J'ai répondu par l'affirmative. Il sera là d'une minute à l'autre.

— Ulrike ! cria Megan en se redressant à moitié.

L'Autrichienne l'obligea tranquillement à se rallonger sur l'oreiller.

— Calmez-vous, ordonna-t-elle avec une douce fermeté. Vous êtes en état de le recevoir, et je crois que vous ne vous en porterez que mieux.

La jeune femme promena une main tremblante sur sa cicatrice et sur sa chemise de nuit d'hôpital..

— Mais Ulrike..., bredouilla-t-elle..

— Ce n'est pas le moment d'être coquette, Megan. Votre moral passe avant tout. Je sais que tant que vous ne vous serez pas expliqués, vous et Kurt, vous continuerez d'être déprimée. Et je ne vous laisserai pas quitter l'hôpital tant que vous ne serez pas complètement remise !

— Alors vous pensez que... je dois lui parler ?

— Absolument. Je suis médecin : peu de symptômes m'échappent !

Sur un sourire encourageant, Ulrike quitta la pièce.

Restée seule, Megan orienta le miroir de sa table de chevet de manière à pouvoir remettre un peu d'ordre dans sa coiffure. Elle n'avait plus la tête entourée de bandages, à présent, et elle se rendit compte que la balle qui avait éraflé sa tempe n'avait pas laissé une trop grande marque ; Ulrike avait raison : une fois refermée, la cicatrice se confondrait avec la racine de ses cheveux. Mais pour le moment la blessure était encore apparente, affreuse à voir. Et pour tout arranger, il avait fallu la raser juste au-dessus de la plaie, afin de pouvoir la nettoyer ! Toute vanité mise à part, Megan se trouvait pour le moment hideuse et défigurée.

Armée d'une brosse à cheveux, elle s'appliquait à réparer le désastre lorsqu'elle entendit frapper à la porte. Elle tourna la tête, apeurée, comme un petit animal pris au piège.

Kurt la regardait. Il semblait avoir beaucoup maigri, ses joues s'étaient creusées, accentuant l'originalité de ses traits aristocratiques. Jamais elle ne lui avait vu un regard aussi tourmenté.

— On m'a dit que vous alliez mieux, murmura-t-il d'une voix rauque, mais je vous trouve... on dirait que vous...

Il cherchait ses mots et la dévisageait avec une terrible inquiétude. Elle posa sa brosse. Elle aurait voulu lui crier son amour. Impossible.

— Je sais de quoi j'ai l'air, et cela me navre, mais je vais beaucoup mieux, effectivement. Quand une femme recommence à être coquette, c'est qu'elle est sur le chemin de la guérison. Vous ne le saviez pas ?

— Ne soyez pas si... caustique. J'étais fou d'inquiétude...

— Pas assez pour venir me voir, apparemment ! riposta-t-elle impulsivement.

— Je serais venu plus tôt — vous n'auriez pas pu m'en empêcher — mais j'ai eu de pénibles démarches à effectuer... pour Gabrielle.

Vexée de s'être trahie, Megan rétorqua d'un ton mordant :

— Ah, Gabrielle... Je suis certaine que vous lui avez déjà choisi un excellent avocat.

Devant l'expression étonnée de Kurt, elle ajouta précipitamment :

— Car elle va être jugée pour homicide volontaire, n'est-ce pas ? Votre famille est peut-être très

influente, mais même en Autriche, c'est un crime de
tirer sur quelqu'un, non ?

Kurt secoua lentement la tête. Son regard s'assombrit.

— Je vous croyais au courant, répondit-il. Gaby a
été internée dans une clinique, à Baden. C'est un de
mes amis qui s'occupera d'elle.

— Vous... vous plaisantez.

— Non, je suis très sérieux. Le Dr Weiss est un
psychiatre de renom, et étant donné les circonstances...

— Les circonstances ! Mais enfin, Kurt, elle a
tenté de me tuer ! Vous ne comprenez pas ?

— Megan, je vous en prie... C'est vous qui ne
comprenez pas. Gabrielle a toujours été... fragile,
émotionnellement instable. Elle a beaucoup souffert
pendant la guerre et ne s'en est jamais remise. Elle
s'est toujours sentie menacée. Avec Willi, elle avait
retrouvé une certaine sécurité ; à sa mort, tout s'est
écroulé. J'ai essayé de la sécuriser, peut-être à tort.
Je cédais souvent à ses lubies. Mais quoi que vous
pensiez d'elle, Megan, Gaby est presque une sœur
pour moi, et il est de mon devoir de la protéger.

— C'est sans doute pour la « protéger » que vous
avez été jusqu'à faire disparaître la preuve du
crime ?

— Qu'est-ce que vous racontez ? interrogea Kurt
en fronçant les sourcils.

— Vous ne vous souvenez pas ? Je vous ai *vu* jeter
le pistolet au fond du lac !

— Ah... Oui, en effet, je m'en souviens.

Il la regarda droit dans les yeux avant d'ajouter :

— Comment pouvez-vous penser à un geste prémédité de ma part, Megan ? J'étais fou de rage
quand je vous ai découverte évanouie, le visage
ensanglanté. J'ai craint le pire... Je ne savais plus ce

que je faisais… S'il s'avère nécessaire de fournir l'arme au dossier, je pourrai faire draguer le lac.

— Mais c'est une éventualité bien peu probable, si je comprends bien ?

— Peu probable, en effet, convint-il calmement.

— C'est hors de question, vous voulez dire ! s'exclama-t-elle d'un ton cinglant. Personne n'oserait assigner Gabrielle en justice simplement parce qu'elle a attenté à mes jours ! Après tout, c'est une von Kleist, une *vraie,* alors je ne suis que… Quels sont les mots qu'elle a employés ? Ah, oui « L'épouse indésirable d'un rejeton naturel ! » C'est cela ?

— Ce sont les termes qu'elle a employés.

Megan se renversa sur son oreiller.

— Je comprends qu'Adelaïde ait voulu s'échapper…, murmura-t-elle.

— Ne parlez pas de cette petite garce devant moi ! gronda Kurt. Tout est arrivé à cause d'elle !

— Allons, Kurt…

— Si vous l'aviez entendue, vous partageriez mon opinion ! Je l'aurais volontiers étranglée ! Après tout ce que Gaby a fait pour elle… Et elle ne manifestait pas la moindre trace de repentir… La seule chose qui l'intéressait était de réaliser ses folles ambitions, et de ne plus être sous la tutelle de Gabrielle.

— N'est-ce pas légitime ? Je serais la dernière à approuver ses méthodes, mais avouez quand même qu'Adelaïde n'est pas la seule fautive ! Elle n'est qu'une enfant étouffée par une femme que vous considérez vous-même comme instable. Quand elle est allée trouver Bachmann, elle croyait avoir enfin trouvé le moyen de se libérer de votre emprise. Elle a mal agi, soit, mais ce n'est pas elle la coupable : c'est plutôt cet amour obsessionnel de vos terres ! Si seulement vous acceptiez de…

— Megan, mes affaires de famille ne vous regardent pas.

Il n'aurait pu lui infliger plus cruel affront. Elle tourna vers lui ses grands yeux blessés où se formaient des larmes de fatigue ; elle les essuya d'un geste rageur quand elles se mirent à couler sur ses joues, mais elle tremblait de tous ses membres.

— Pardonnez-moi, Megan.

Elle baissa la tête. Au bout d'un moment, elle brisa le silence qui s'installait entre eux en demandant d'une toute petite voix :

— Alors, qu'avez-vous décidé pour Adelaïde ?

— Je l'ai mise à la porte, en quelque sorte. Je lui ai donné de l'argent pour qu'elle aille à Rome et tente sa chance auprès des producteurs. Si elle ne « perce » pas, ce sera une punition suffisante.

— Vous parlez d'une punition !

— Adelaïde fait partie de ma famille, répliqua-t-il simplement.

— Bien sûr. La famille, toujours la famille !

Elle s'allongea et regarda le plafond, incapable de soutenir le regard de Kurt. Tout en comptant les trous des plaques isolantes, elle énonça calmement :

— Le soir du bal, j'avais l'impression d'être complètement démunie devant vous, Gabrielle, et toutes les générations de von Kleist passées et à venir... Mais aujourd'hui, je sais que j'ai une arme contre vous. J'hésitais à m'en servir, et maintenant j'ai compris qu'il le fallait. Il est nécessaire que quelqu'un vous arrête avant que vous ne causiez davantage de torts à autrui... Quand Gabrielle ira mieux, vous pourrez la remercier de ma part : c'est elle qui m'a aidée à prendre ma décision. Je vais vendre la prairie à Max Bachmann. Je n'ai pas eu l'occasion de faire part à Peter de mon intention, qui au départ était de vous céder ce terrain. Je m'en félicite. J'aurai ainsi la satisfaction de mieux savourer ma victoire... Quand ils commenceront à creuser les tranchées, ce sera comme s'ils vous arrachaient les membres. Vous serez enfin terrassés, la gangrène s'installera progressivement...

Les mains de Kurt agrippèrent les montants métalliques du lit.

— *Mein Gott!* marmonna-t-il, comment pouvez-vous avoir tant de haine?...

Elle osa enfin tourner vers lui son regard vert enflammé de colère.

— Vous êtes-vous jamais demandé ce que j'avais enduré par l'intermédiaire de votre chère famille, à commencer par Erich? On m'a menti, on m'a trompée, bafouée, humiliée, violée, et presque assassinée! Vous ne croyez pas que j'ai le droit, maintenant, d'éprouver de la haine envers vous tous?

Kurt vit le visage livide de Megan, ses lèvres exsangues, la masse flamboyante de sa chevelure, l'éclat de ses yeux d'émeraude. Sa colère s'évanouit, et il se courba soudain comme sous le poids de sa défaite. Après un long moment de silence, il soupira d'une voix éteinte :

— J'aurais... j'aurais voulu être cet homme qui vous a découverte un jour dans votre conservatoire de New York. Je me dis parfois que tout aurait été différent si j'avais été à la place d'Erich.

Le cœur de la jeune femme se serra douloureusement. Si elle avait rencontré Kurt à dix-neuf ans... Elle lui offrit son visage nu où se lisait le regret, teinté d'un désir poignant. Elle aimait tant le regarder! Et pourtant, elle devait l'éloigner d'elle. Il le fallait. A quoi bon regretter ce qui n'avait pas été? Erich l'avait détruite à jamais, son amour pour Kurt n'y pourrait rien changer. Le passé les empêchait de se rejoindre, de se comprendre, de s'aimer... Ils étaient condamnés à se déchirer, à se faire mal. Et elle savait qu'elle lui faisait mal quand elle murmura d'une voix douce :

— Si vous aviez été le premier, cela n'y aurait rien changé. Voyez-vous, Kurt, par bien des côtés vous ne valez pas mieux qu'Erich.

Kurt resta pétrifié un long moment, parfaitement immobile. Puis il inspira avec difficulté. Il regarda son corps étendu sous les draps, s'attarda sur la courbe de ses seins, de ses hanches, et l'ombre d'un sourire se dessina sur ses lèvres, comme s'il se rappelait...

— Une chose, au moins, aurait été différente : si je vous avais épousée, mon amour, rien au monde n'aurait pu m'arracher de votre lit.

Une dernière fois il darda sur elle son regard sombre, puis il s'en alla.

Le vent s'engouffrait dans la voiture, ébouriffant la longue chevelure de Megan. La petite Audi blanche filait à vive allure dans la vallée, sur la voie qui reliait Kleisthof-im-Tirol à l'autoroute de Salzbourg. Le foulard jaune de la jeune femme lui fouettait le visage, elle l'écarta avec irritation. Mais il avait le mérite de cacher sa cicatrice, et elle ne voulait pas l'enlever.

Elle l'avait acheté la veille, quand elle avait fait des courses avec Ulrike. Elle en avait profité pour guider son amie dans ses emplettes, influencer judicieusement son choix vers des couleurs seyantes, des robes bien coupées. Le plus difficile avait été de la persuader d'entrer dans le salon de coiffure, mais Ulrike en était sortie rayonnante, complètement transformée...

Sans quitter la route des yeux, Peter décréta :

— Puisque vous ne répondez pas, j'en conclus que vous acceptez ma suggestion.

— Oh… Je suis désolée, Peter, je n'écoutais pas. Que disiez-vous ?

— Au lieu de prendre l'avion de Salzbourg à Munich, je vous proposais d'aller jusqu'à Vienne. De là, vous auriez un vol direct pour Los Angeles.

— Mais je suis déjà allée à Vienne, et puis c'est trop loin ! C'est à l'autre bout du pays !

L'ingénieur lui adressa un sourire narquois.

— Chère Megan ! Ce n'est pas comme si je vous proposais d'aller de Californie jusqu'à New York. Il nous faut trois heures par l'autoroute. Et si vous n'êtes pas particulièrement pressée de rentrer, nous pourrions faire un crochet par la Haute-Autriche ; je connais une charmante petite auberge à Traunkirchen, au bord d'un lac…

Il jeta un coup d'œil inquisiteur à sa compagne et poursuivit :

— En plus mon oncle Max sera à Vienne les deux prochaines semaines, et j'aimerais vous le présenter.

— Pourquoi voudriez-vous me présenter votre oncle ? questionna-t-elle, ébahie.

— D'abord parce qu'il est très sympathique, qu'il vous plaira beaucoup, et qu'il est certainement impatient de connaître la femme qui a su faire plier les von Kleist. Mais aussi parce que… enfin, pour ça, attendons.

Megan ne comprenait pas où il voulait en venir.

— Je croyais que vous vous étiez brouillé avec votre oncle… Vous parliez de rentrer aux Etats-Unis.

L'ingénieur haussa les épaules.

— Sur le moment j'étais furieux, je vous revoyais inanimée, avec tout ce sang… Mais vous savez, Max était tout aussi horrifié que moi en apprenant ce qui s'était passé. Quand cette gamine est venue le trouver et lui a fait miroiter une solution dans le différend qui l'opposait à Kurt von Kleist, il ne s'est pas imaginé une seconde des conséquences aussi dramatiques.

— Oh, ne me parlez plus de toute cette histoire, répliqua la jeune femme d'un ton las. C'est fini, enterré. Je n'en veux à personne.

— Vous êtes magnanime... A votre place j'aurais éprouvé une certaine rancune !

— Ce n'est pas par grandeur d'âme, je suis simplement fataliste. J'ai fini par comprendre que les êtres sont guidés dans leurs actions par des influences incontrôlables... On ne peut leur demander d'agir autrement.

Ils se turent. La voiture roulait à présent sur une petite route vaguement familière : Megan s'aperçut qu'ils se dirigeaient vers la prairie.

— J'ai besoin de passer à la remorque, expliqua Peter comme s'il avait senti que sa compagne s'étonnait de ce détour.

Il inhala profondément.

— Comme l'air est pur, dans cette région ! commenta-t-il d'un air guilleret. Ah, décidément j'aime ce pays. Quand je suis arrivé ici, il y a six ans, je m'y suis tout de suite senti chez moi. Peut-être parce que ma mère était autrichienne... Maintenant que j'ai une vie stable, je songe à me remarier, avoir des enfants...

Il gara la voiture non loin de la remorque, en bordure de route. Après avoir coupé le moteur, il se tourna vers la jeune femme et s'accouda au dossier de son siège.

— Megan, ma chérie... commença-t-il gravement.

Elle leva la main pour l'empêcher de poursuivre.

— Mon Dieu, Peter, vous n'allez tout de même pas me proposer le mariage !

Il parut étonné, puis se mit à rire avec bonne humeur.

— Non, rassurez-vous, mais j'admets que cet enchaînement un peu rapide était ambigu.

Quand il vit qu'il ne l'avait pas vexée, il poursuivit avec un clin d'œil amical :

— En fait j'avais à l'esprit quelque chose de moins... permanent. Que diriez-vous d'une semaine de tourisme dans une région idyllique en ma compagnie ?

— Pourquoi me faire cette proposition ?

— Parce que vous êtes très belle, répondit-il en toute simplicité.

Il la dévorait des yeux.

— C'est une proposition très sérieuse, ajouta-t-il. Je vous promets de faire en sorte de ne pas vous décevoir.

— C'est très gentil, Peter, mais... non merci. Notre amitié n'y survivrait pas, croyez-moi. Et puis vous êtes tout émoustillé parce que votre affaire va enfin marcher, mais nous savons tous deux que je ne suis pas celle qu'il vous faut.

— Ne vous sous-estimez pas, Megan... Dites-moi, qu'auriez-vous répondu si von Kleist vous avait soumis cette proposition ?

Elle baissa les yeux, et revit malgré elle une mèche de cheveux bruns désordonnés tomber sur un regard profond, incroyablement bleu. Un sourire nostalgique se dessina sur ses lèvres.

— Quel idiot, de vous avoir laissée partir... grommela Peter.

— Comment ? questionna-t-elle, car elle n'avait pas entendu.

— Rien.

Il descendit de voiture, ferma doucement la portière derrière lui pour ne pas troubler sa rêverie. Les mains dans les poches, il s'approcha de la remorque. Megan l'observait par la vitre baissée.

— Je me demande ce que vous leur trouvez, à ces

insupportables von Kleist, bougonna-t-il. Et Kurt est
le pire de tous! Mais s'il vous plaît tant que ça,
pourquoi ne pas avoir une liaison avec lui? Ensuite
vous n'y penseriez plus!

— C'est presque arrivé, soupira la jeune femme
en cachant sa tristesse derrière un pâle sourire. Mais
je vous en prie, ne me posez plus de questions.

— Très bien.

Il lui ouvrit la portière, l'aida galamment à
descendre. Ensemble ils suivirent les rails rouillés
qui menaient jusqu'au vieux chêne, à travers les
hautes herbes.

Megan embrassa du regard cette terre qui, pour
quelques heures, était encore la sienne. Avant de
prendre son avion à Salzbourg, elle signerait l'acte
de vente, et la propriété reviendrait à Max Bachmann. Elle retournerait aux Etats-Unis plus riche
qu'elle n'était venue! L'idée n'était pas désagréable,
et cependant, une part d'elle-même pleurait en
silence la perte de ce havre utopique; il eût été si
rassurant de pouvoir revenir sur cette terre paisible,
y trouver refuge, panser ses blessures...

— Venez admirer mon œuvre d'art! s'écria
joyeusement Peter.

Elle s'approcha de lui. Dans l'écorce d'un chêne
centenaire, il gravait consciencieusement ses initiales à l'intérieur d'un cœur au tracé maladroit:
« P.S. aime... »

— Quel idiot vous faites! sourit-elle.

— Je suis resté très boy-scout, plaisanta-t-il en
jouant avec son canif. Par quelles initiales dois-je
compléter ce chef-d'œuvre? M. H. ou M. von K.?

— Et si vous mettiez U. M.?

— Riki?

— Bien sûr!

Il rougit avec embarras.

— Je vois que je suis démasqué, marmonna-t-il avec un sourire penaud.

— Vous feriez un couple idéal, décréta tranquillement Megan.

— Je le pense aussi... Ulrike Müller est l'une des femmes les plus admirables, les plus extraordinaires que je connaisse. Et je l'aime. Mais je ne l'intéresse pas. Elle ne vit que pour son maudit hôpital !

— Je n'en suis pas si sûre... J'ai la nette impression qu'elle ne va pas tarder à quitter Ste Elisabeth.

— Vraiment ? Vous voulez dire qu'elle va s'en aller ?

— Demandez-le-lui...

— Ce n'est pas possible... Cet hôpital est toute sa vie !

— C'est peut-être là le problème. Il est temps pour elle de découvrir d'autres centres d'intérêt dans l'existence. Se marier et fonder un foyer, par exemple.

Peter semblait éberlué. Manifestement, il envisageait tout à coup sa relation avec Ulrike sous un autre angle.

— C'est drôle, murmura-t-il, ce matin j'avais envie de lui dire qu'elle était ravissante dans son nouveau tailleur. Avant, elle ne portait que des couleurs ternes, alors que le rose lui va si bien ! Et avec ses cheveux courts, tout brillants, elle a l'air si jeune !

Il se tut, songeur et soudain il déclara avec colère :

— Mais c'est insoluble ? Riki ne me pardonnera jamais de ne pas être catholique et d'avoir divorcé !

— Allons, Peter, il y a sûrement moyen d'en parler avec elle...

— Vous ne la connaissez pas. Je lui ai parlé une fois de ma première femme, elle a eu l'air horrifié ! Si seulement je pouvais lui expliquer... Annie et moi n'étions que des enfants ; elle s'est remariée il y a quatre ans, elle est heureuse... Riki et moi pourrions être heureux, nous aussi, si seulement...

— Oh, Peter, arrêtez donc avec vos « si seulement » ! Si vous aimez Ulrike, allez-le-lui dire. Pendant que vous y êtes, expliquez-lui que vous allez surmonter vos divergences d'opinion en matière religieuse, et que vous allez vous marier. Je doute fort qu'elle vous oppose quelque argument !

— Mais... Mais...

— Peter, reprit Megan d'une voix radoucie, vous êtes-vous jamais demandé ce qu'avait enduré Ulrike ? Pendant sept ans, elle a été responsable de la vie et de la mort des habitants de Kleisthof et de la région. Vous ne croyez pas qu'elle en a assez d'assumer de telles charges, et qu'elle aimerait maintenant voir quelqu'un prendre les décisions à sa place ? Si vraiment vous l'aimez, ne pensez-vous pas que c'est à vous de faire le premier pas ?

Comme Peter se taisait, perplexe, Megan se détourna et examina distraitement les inscriptions taillées dans le tronc d'arbre. Elle en avait assez dit, à lui maintenant de se décider.

— Je me demande quel âge à ce chêne, murmura-t-elle avec émotion. Et depuis quand les amoureux viennent y graver leurs initiales...

Elle caressa l'écorce noire et rugueuse, sa main descendit lentement le long du tronc jusqu'à une cicatrice ancienne, presque effacée. Avec précaution, elle enleva le lichen gris-vert qui tomba en poussière entre ses doigts. A un mètre du sol étaient gravées en lettres gothiques les initiales S. von K., suivies d'une date : 1763... Ce devait être un enfant de dix ans à peine pour avoir écrit si bas... Un petit garçon, car à cette époque, les fillettes ne couraient pas les bois, ni les champs. Il avait gravé son nom dans l'écorce, puis s'en était allé vers son destin. Quel destin ? Etait-il mort jeune, comme la plupart des enfants de ce siècle lointain, ou avait-il grandi pour devenir l'une de ces figures austères qui tapissaient la galerie de portraits des von Kleist ? Aujourd'hui, il était redevenu poussière, mais ses initiales témoignaient encore de son passage sur terre, et lui survivraient pendant des siècles, aussi longtemps que vivrait ce chêne. Si personne ne l'abattait...

Les yeux verts de Megan, s'embuèrent de nostalgie. Pour la première fois, elle comprenait pourquoi Kurt voulait transmettre à ses descendants un patrimoine intact. Et l'horreur de ce qu'elle allait faire lui apparut alors : si elle vendait la prairie, la personne qui en pâtirait le plus serait Liesl, la fille de Kurt. Or de tous les von Kleist, Liesl était la seule qu'elle ne voulait pas voir souffrir.

D'une vois enrouée par l'émotion, elle demanda avec appréhension :

— Peter, qu'adviendra-t-il de cet arbre quand vous commencerez à creuser la mine ?

L'ingénieur regarda autour de lui comme pour se situer par rapport à des plans d'exploitation, puis, le front plissé, il effectua un rapide calcul mental.

— Cela dépendra naturellement de l'endroit d'où partira le premier puits, expliqua-t-il. Mais si mes calculs sont exacts, et s'il n'y a pas d'erreur dans le relevé cadastral, il faudra sans doute abattre cet arbre.

— Dans ce cas pourquoi prendre la peine d'y graver vos initiales ? releva-t-elle avec pertinence.

Elle devina d'après son expression contrite qu'elle avait frappé juste. Elle enchaîna aussitôt, d'un ton ferme et résolu :

— Je ne peux pas. Je ne peux pas détruire tout cela. Cet héritage n'est pas le mien, même si l'absurdité de la loi en a décidé ainsi. Je n'ai aucun droit sur cette terre. Les seuls qui puissent décider ce

qu'il adviendra de cet arbre et de cette prairie sont
ceux qui sont nés sur ces terres, et dont les ancêtres y
ont vécu, souffert, aimé... C'est à Kurt de prendre
une décision, et surtout à Liesl.

Peter était abasourdi. Il la dévisagea en secouant
lentement la tête, puis dans un mouvement de rage
et de frustration il planta son canif dans le cœur du
chêne.

— Je le savais! fulmina-t-il. Je sentais que cela
devait arriver! Ah, tout allait trop bien...

Il agita un poing vengeur et donna un violent coup
de pied dans le tronc de l'arbre.

— Je ne suis vraiment qu'un imbécile! Pourquoi,
mais pourquoi ai-je eu l'idée de vous amener ici,
après tout ce que...

Sa voix s'étrangla dans sa gorge. Megan observait
ce déchaînement de colère avec consternation.

— Si je comprends bien, hasarda-t-elle sans
cacher sa déconvenue, vous avez joué le joli cœur
uniquement pour mieux m'amadouer? Pour achever
de me convaincre, pour être sûr que j'allais vendre
ces terres à votre oncle?

Il parut se calmer.

— Oh non, Megan... Non, ce n'était pas cela.
J'aurais vraiment aimé passer quelques jours dans la
montagne avec vous. Mais je voulais aussi la
prairie...

Il la saisit par les épaules et la dévisagea longuement. Aucune des expressions contradictoires qui
passèrent dans les yeux de la jeune femme ne lui
échappa. Il finit par murmurer d'une voix sourde :

— Alors ils ont fini par gagner... Vous êtes
décidée à vendre ces terres aux von Kleist pour une
bouchée de pain, alors que vous pourriez en tirer
bien plus. C'est bien cela?

— Je ne vais rien leur vendre. J'y ai réfléchi. Je
vais donner ce terrain à Liesl, car au fond, c'est elle

qui est la plus concernée dans l'histoire : c'est de son avenir qu'il s'agit. Et cet avenir, je m'apprêtais à en décider à sa place... J'ai encore sur moi les documents donnés par Kurt. Le transfert de titres devrait pouvoir s'effectuer facilement.

— Et ensuite ? demanda Peter.

— Ensuite ? répéta-t-elle d'une voix ténue.

Ses épaules se voûtèrent. Elle était vaincue.

— Ensuite, je ne sais pas. Je crois que... je rentrerai à la maison.

Peter sentit qu'elle n'était plus qu'une enfant au cœur blessé. Il la prit tendrement dans ses bras, et la laissa sangloter contre son épaule.

— Mais où est ta maison, Megan ?

— Je ne sais pas... A Los Angeles, je suppose... Mais pas ici. Oh non, certainement pas ici !

MEGAN ouvrit la porte à son amie et poussa un soupir de soulagement.

— Merci, Dorothy. Décidément, je ne sais pas ce que je ferais sans toi. Il faut évidemment que mon sèche-cheveux tombe en panne au moment où j'en ai besoin !

Elle fit signe à son amie de la suivre, traversa son minuscule salon, sa chambre, et entra dans la salle de bains.

Dorothy s'assit sur le lit, et par la porte laissée ouverte, elle regarda Megan se sécher les cheveux. Les boucles courtes et cuivrées de la jeune femme se gonflaient sous l'air chaud. Dorothy dut élever la voix pour couvrir le ronron de l'appareil.

— Alors raconte-moi, avec qui sors-tu ce soir ? Je le connais ?

La pianiste débrancha l'appareil et acheva de parfaire sa coiffure. Son rire cristallin résonna dans la pièce carrelée.

— Non, tu ne le connais pas, répondit-elle. Je l'ai rencontré hier dans un magasin de musique. Ou plutôt je l'ai bousculé, tellement j'étais pressée de passer à la caisse. Mes partitions se sont mélangées avec les siennes : vingt-cinq exemplaires du *Gloria* de Vivaldi. Pendant que nous réparions les dégâts, nous avons commencé à bavarder. Alors il est professeur de musique à l'univèrsité, et il dirige la chorale de cette grande église sur Wilshire Boulevard... tu sais, celle qui ressemble à une cathédrale gothique.

— C'est un bon parti, commenta Dorothy. Quel âge a-t-il ?

— Oh, je ne sais pas... Vingt-cinq, vingt-huit... Je lui ai raconté que je venais de m'inscrire à des cours pour passer ma maîtrise et pouvoir enseigner, et il m'a dit que j'avais raison de reprendre mes études. Il semble très gentil. Comme nous parlions musique, il m'a expliqué qu'il avait essayé d'avoir des billets pour le concert de ce soir, au Hollywood Bowl ; je lui ai dit que justement j'en avais un en trop, s'il le voulait...

— C'est toi qui l'a invité ? s'exclama son amie.

— Oui ! Pourquoi pas ?

— Ça alors... ! Eh bien le *Polynesian Paradise* va bientôt devoir trouver une nouvelle pianiste. Je vois mal la femme d'un directeur de chorale jouer dans un bar !

— Tu vas un peu vite en besogne, protesta Megan. Je le connais seulement depuis hier !

— Cela suffit parfois.

Dorothy regretta aussitôt ses paroles en voyant une expression de tristesse assombrir le regard de son amie.

— Ecoute, Megan, tu ne dois plus penser aux von Kleist. Ces gens ne t'ont fait que du mal ! Tu étais partie en Autriche pour te reposer, et quand tu es revenue, tu avais l'air de sortir d'un camp ! Oublie-les, voyons, et pense un peu à toi !

— Tu as raison... De toute façon, c'est du passé.

La jeune femme finissait de se maquiller. Elle se

mit ensuite des anneaux d'or aux oreilles et se soumit au verdict de son amie.

— Alors, comment me trouves-tu ? demanda-t-elle en virevoltant.

Elle portait un pantalon rouge, des sandales blanches et une tunique ample entièrement brodée de couleurs vives.

— Très bien ! Mais tu flottes un peu dans ton pantalon...

— Je sais, j'ai un peu maigri... Tant pis ! C'est la tenue la plus confortable que j'aie trouvée pour m'asseoir dans l'herbe ; tu sais que le Hollywood Bowl est un théâtre en plein air ! Et si j'ai froid pendant le concert, je mettrai ce poncho... Regarde, il est joli, non ? Je l'ai acheté en sortant de chez le coiffeur, l'autre jour. J'étais tellement triste de m'être fait couper les cheveux...

— Ils vont repousser, la consola Dorothy d'un ton maternel. Et puis c'était la seule solution pour cacher ces mèches rasées... Tu as de la chance, tu frises naturellement : on ne voit plus rien du tout !

Elle se leva et embrassa son amie.

— Allez, passe une bonne soirée. Je suis tellement contente de te voir reprendre goût à la vie... Mais je dois te quitter, sinon je vais être en retard. Tout le monde n'a pas la chance d'être de congé !

Megan lui sourit et la regarda partir sans un mot. Elle n'avait pas eu le courage de lui dire qu'elle ne se rappelait déjà plus le visage du fringant jeune homme rencontré la veille. Quand elle essayait de se le remémorer, elle voyait à la place des traits aristocratiques, des pommettes saillantes, des yeux incroyablement bleus et une mèche brune...

Quand donc serait-elle enfin délivrée des von Kleist ? Comment exorciser cette malédiction ? Des semaines s'étaient écoulées depuis qu'elle avait quitté l'Autriche, et elle ne parvenait pas à oublier Kurt.

A Salzbourg, avant son départ, elle avait signé l'acte par lequel elle renonçait à son héritage en faveur de Liesl. Peter avait tempêté, supplié, en vain. Max Bachmann lui-même l'avait appelée à son hôtel, elle n'avait pas cédé. Quelque temps plus tard un inconnu avait sonné à sa porte : c'était un homme de loi envoyé par Kurt von Kleist. Il lui avait présenté un chèque de la part de son client autrichien. Elle l'avait refusé.

Elle avait même été jusqu'à se couper les cheveux. Soi-disant, elle en avait assez de porter des foulards pour cacher les traces de sa blessure. Ce geste était surtout une mutilation symbolique... et vaine, comme tout ce qu'elle avait tenté pour chasser Kurt de son souvenir.

Un soupir lui échappa. Il était temps de tourner la page. Ce soir, elle avait un rendez-vous. Le premier depuis la mort d'Erich. Une certaine nervosité s'empara d'elle. Qu'attendrait d'elle cet inconnu ? Serait-il ennuyeux, entreprenant, comme tous les autres ?

La sonnette la fit sursauter. « Quelle ponctualité ! » pensa-t-elle en regardant rapidement sa montre ; « c'est bon signe... »

Le sourire aux lèvres, elle traversa le salon, et ouvrit la porte.

C'était Kurt.

Il la dévisageait tranquillement, comme si elle l'attendait. Dans son pantalon de coton beige, sa chemise bleue à col ouvert, il était plus beau que jamais... D'un doigt, il tenait une veste négligemment jetée sur son épaule. Megan le dévorait du regard, littéralement pétrifiée. Un délicieux tourment s'empara d'elle. Son cœur battait, battait... Elle voulut prononcer son nom, aucun son ne sortit de sa bouche. Elle se laissa alors submerger par le bleu de ses yeux, se noya éperdument dans son regard. Comment avait-elle cru pouvoir lui échapper en fuyant à l'autre bout du monde ?

Kurt esquissa un sourire.

— Bonjour, Megan. Je peux entrer ?

Elle dut s'humecter les lèvres pour retrouver sa voix.

— Je... J'allais sortir, balbutia-t-elle faiblement. J'ai un... un rendez-vous.

Le regard de Kurt s'assombrit.

— J'ai pris l'avion pour venir vous voir, Megan. Vous ne pourriez pas annuler votre soirée, exceptionnellement ?

Un bruit de pas se fit entendre dans l'escalier. Quelqu'un montait les marches quatre à quatre. Quelques secondes plus tard, un jeune homme apparut à l'extrémité du couloir.

— Bonjour, Megan ! lança-t-il. Désolé d'être un peu en...

Il s'immobilisa, coupé dans son élan à la vue de l'homme qui se tenait aux côtés de la jeune femme.

— J'ai dû mal comprendre, grommela-t-il. Je croyais que nous allions écouter un concert ce soir.

Sans laisser à Megan le temps de se justifier, Kurt décréta froidement :

— Je crains que Megan n'ait changé d'avis.

— Kurt ! protesta-t-elle.

Elle effleura le bras du jeune homme, ignorant le regard courroucé de l'Autrichien.

— Je suis vraiment désolée, je me réjouissais à l'idée de passer cette soirée avec vous. Kurt est... mon beau-frère. Il est arrivé à l'improviste, je ne me doutais pas que...

— Je vois, l'interrompit-il avec humeur.

— Mais ce sera pour une autre fois ?

Il hésita, la regarda longuement, puis se tourna vers Kurt.

— Je ne crois pas, marmonna-t-il.

Et il rebroussa chemin après les avoir salués d'un signe de tête maussade.

Megan écouta le bruit de ses pas décroître dans l'escalier.

— De quel droit avez-vous agi de la sorte ? s'indigna-t-elle en fusillant Kurt du regard. Pour qui vous prenez-vous ? Vous l'avez... renvoyé comme un malpropre !

— Erreur : c'est vous qui l'avez renvoyé. Mais si nous devons déjà nous disputer, pourquoi ne pas nous asseoir à l'intérieur ?

Sans attendre sa réponse il la poussa doucement dans le salon et referma la porte derrière lui.

— Depuis quand connaissez-vous ce type ? questionna-t-il aussitôt.

— Ce n'est pas un « type ». C'est un professeur de musique.

— Ah, vraiment... Vous avez couché avec lui ?

— Non !

— Non ? Il aurait bien voulu, pourtant.

— Je vous en prie, Kurt, cessez cette scène ridicule. Je ne le connais que depuis hier.

Kurt eut un rire sarcastique.

— Et vous vous apprêtiez à passer la soirée avec lui ? Vous ne perdez pas de temps.

— Nous devions assister à un concert au Hollywood Bowl, c'est tout.

Le regard de Kurt se fit menaçant.

— Petite innocente ! Vous n'avez pas encore compris qu'un seul regard suffit à un homme pour avoir envie de faire l'amour avec vous ?

— C'est faux, et même si c'était vrai, que vous importe ? Vous ne croyez pas que je suis assez grande pour me défendre ?

— D'après ma propre expérience, permettez-moi d'en douter.

Elle faillit le gifler, puis elle y renonça et se laissa tomber avec lassitude dans l'unique fauteuil de la pièce. D'un geste, elle indiqua le sofa.

— Asseyez-vous, Kurt, et expliquez-moi ce que vous venez faire ici. Vous n'avez tout de même pas fait six mille kilomètres uniquement pour le plaisir de m'insulter ?

Elle le regarda s'asseoir en silence, écarter de son front la mèche rebelle. Lui aussi semblait fatigué, remarqua-t-elle soudain.

— Quand êtes-vous arrivé à Los Angeles ? s'enquit-elle d'une voix radoucie.

— Il y a environ trois heures. Je pensais venir chez vous plus tôt, mais le temps de louer une voiture et de déposer mes bagages à l'hôtel, je me suis retrouvé dans les embouteillages. Cette ville est vraiment infernale. La circulation, la pollution... *mein Gott,* Megan comment supportez-vous de vivre ici ?

— On s'habitue, répondit-elle avec un haussement d'épaules. A quel hôtel êtes-vous descendu ?

Quand il lui donna le nom d'un luxueux hôtel à Beverly Hills, elle esquissa une moue désabusée.

— Bien sûr, quelle question ! railla-t-elle.

Il y eut un silence.

— Comment va Liesl ?

— Très bien, je vous remercie. Je l'ai laissée chez des amis. Vous lui manquez beaucoup.

— Elle me manque, elle aussi...

Un nouveau silence se fit.

— Kurt, pourquoi êtes-vous venu ?

— Je voulais... Je voulais savoir pourquoi vous aviez refusé mon chèque.

— Et vous êtes venu jusqu'ici pour me le deman-

der ? A votre place, j'aurais envoyé un télégramme.
Même un coup de fil aurait été moins coûteux.

— Je n'ai pas pensé à l'argent.

— C'est vrai, ce n'est jamais un problème pour
vous.

Il se pencha en avant, les yeux étincelants.

— Mais pour vous, si. C'est même un obstacle !
accusa-t-il. Depuis le début de notre relation, vous
me reprochez ma fortune, vous me haïssez d'être
riche ! Et cette haine aveugle vous empêche de me
voir tel que je suis !

— Ce n'est pas votre argent que je déteste, c'est
le pouvoir et l'arrogance qui en découlent. Vous
croyez pouvoir obtenir tout ce que vous voulez
uniquement parce que vous êtes riche !

— J'arrive généralement à mes fins, souligna-t-il
avec cynisme.

Megan se leva d'un bond, excédée.

— Pas toujours ! s'écria-t-elle rageusement. Vous
n'avez pas réussi à m'acheter avec votre argent, pas
plus que vous n'avez pu éviter à Gabrielle une
dépression nerveuse ! Et pour répondre à votre
question, sachez que j'ai refusé votre chèque par
orgueil, car les Halliday aussi ont leur fierté ! Maintenant que j'ai satisfait votre curiosité, sortez ! Vous
m'entendez ? Sortez !

Elle ouvrit la porte d'un geste large et attendit.

Il se leva lentement. Avec un soupir, il se dirigea
vers la porte. Quand il parla, ce fut d'une voix lasse,
presque résignée.

— J'ai une dernière chose à vous dire avant de
partir. Je n'ai pas pu venir plus tôt car j'ai parlé à
Max Bachmann. Désormais la prairie ne peut faire
l'objet de négociations avant que Liesl n'ait atteint
sa majorité ; mais Bachmann et moi avons envisagé
une sorte de bail par lequel il pourrait exercer ses

droits sur le terrain, et celui-ci resterait naturellement aux mains de ma famille.

— Vous allez les autoriser à creuser la mine ?

— Oui, si les recherches de Swanson sont
concluantes : il faut encore s'assurer que l'exploitation de ce gisement sera rentable. Si je suis arrivé à
prendre cette décision, c'est parce que c'est... iné-
luctable. Vous savez, j'ai été très agréablement
surpris par Max Bachmann. J'ai découvert, à ma
grande surprise, qu'il tenait autant que moi à
préserver le patrimoine historique et écologique du
domaine. Nous avons créé un comité, composé de
représentants du village, qui sera chargé de superviser les opérations et de veiller au respect de l'environnement. La mine fournira de nouveaux emplois
dans la région, et la vente du minerai permettra aux
von Kleist de conserver le Schloss pendant encore
deux générations au moins. Après...

Il se tut, haussa les épaules, et finit par conclure :

— Voilà, c'est tout. Je tenais à vous en informer.

Il pivota sur ses talons, prêt à partir.

Le cœur de Megan s'arrêta de battre. Celui qu'elle
aimait venait de parcourir six mille kilomètres pour
la voir, et elle le mettait à la porte après une scène
ridicule. S'il franchissait le seuil, elle ne le reverrait
jamais. Il fallait trouver un moyen de le retenir.

— Attendez... Ne partez pas comme ça. J'aimerais que pour une fois, nous nous quittions bons
amis, au lieu de nous déchirer.

Kurt la regarda et lui sourit. Un sourire dévasta-
teur.

— Ce n'est pas une mauvaise idée, convint-il.
Que suggérez-vous en guise de potion magique ?

« Embrasse-moi, prends-moi ! » songea-t-elle
éperdument.

— Eh bien... Justement j'ai deux billets de
concert pour ce soir. Nous pourrions dîner au

restaurant, et ensuite nous irions au Hollywood Bowl. La musique adoucit les mœurs !

— Nous pouvons essayer ! sourit-il.

Ils dînèrent dans le quartier japonais de la ville, assis sur une natte tressée en paille de riz, et devisèrent gaiement. Ils parlèrent politique, musique, peinture, évitant soigneusement toute discussion d'ordre personnel. C'était, il faut le dire, la première trêve qu'ils connaissaient.

« La dernière, sans doute », pensa tristement Megan. Mais elle était résignée. A la fin du concert, Kurt regagnerait son hôtel et repartirait le lendemain pour l'Autriche. Elle regretterait qu'ils n'aient pas connu une nuit d'amour, et pourtant, elle savait que c'était mieux ainsi. Au moins ils se quitteraient sur de bons souvenirs, puisqu'ils ne pouvaient s'aimer...

Lorsqu'ils arrivèrent devant le Hollywood Bowl, ils étaient tous deux parfaitement sereins et détendus. Main dans la main, ils traversèrent le gigantesque parking et se dirigèrent vers l'entrée de l'immense auditorium. Là, ils échangèrent leurs billets contre des programmes, et montèrent les marches qui menaient aux gradins. Mais la jeune femme entraîna son compagnon vers les pelouses où s'installaient déjà des spectateurs. Certains avaient apporté des sièges pliants et des sacs de couchage. Megan étendit sur l'herbe le plaid écossais qu'elle traînait à chaque concert.

— Je ne m'asseois jamais sur les gradins, expliqua-t-elle gaiement. On est tellement mal sur ces bancs, et on ne peut pas bouger !

Kurt lui sourit avec indulgence.

— C'est parce que vous êtes jeune, souligna-t-il en riant. Quand vous aurez mon âge, vous trouverez que la terre est basse !

Il effleura légèrement sa joue et ajouta :

— Vous êtes si jeune, Megan... Beaucoup trop jeune pour avoir ces cernes mauves sous les yeux... Avec cette coiffure, on ne vous donnerait pas plus de seize ans !

Un soupir lui échappa.

— J'aimais tellement vos cheveux longs...

— Je n'avais pas vraiment le choix, balbutia-t-elle timidement. En m'opérant, Ulrike a été obligée de me raser plusieurs mèches... Au début je portais un foulard, et puis j'ai voulu changer. Mes cheveux repoussaient n'importe comment, c'était affreux. Alors j'ai décidé de tout égaliser, et mes boucles recouvrent la cicatrice.

Kurt ne la quittait pas des yeux. Il finit par déclarer :

— Savez-vous qu'Ulrike Müller et Peter Swanson vont se marier ? Ils viennent de se fiancer. C'est curieux, je ne les imaginais pas ensemble...

— Ulrike m'a écrit pour m'annoncer la nouvelle. Elle m'a dit aussi qu'elle allait quitter l'hôpital et se faire une clientèle privée, pour être moins absorbée par son métier. Personnellement, je trouve qu'ils forment un bon couple. Ils... se complètent. Ulrike a besoin qu'on lui rappelle qu'elle est encore jeune et séduisante, et son influence sur Peter ne peut être que bénéfique ; il manque parfois de maturité...

— C'est curieux, je le croyais amoureux de vous, murmura Kurt.

— De moi ? feignit-elle de s'étonner. Oh pas du tout, il n'a jamais été épris de moi ! Nous étions amis, simplement.

Son compagnon haussa légèrement les épaules, l'air pensif, puis il parcourut le programme. Le concert était une sorte de gala au profit de plusieurs pays africains, frappés par la sécheresse. Des musiciens, des chanteurs d'opéra et des cantatrices de renommée mondiale et de toutes nationalités avaient accepté d'apporter leur concours à cette entreprise humanitaire qui constituait l'un des événements marquants de la saison musicale.

— Le programme est très varié ! observa Kurt. Quelques arias de Puccini, *la Cathédrale engloutie* de Debussy, une sonate de Halstead...

Megan redressa vivement sa tête rousse et frisée.

— Quoi ?

Kurt lui montra le programme.

— C'est là, tout en bas de la page, dans les derniers morceaux. Sonate en la mineur pour violon et piano, de Halstead. Je ne crois pas connaître cette pièce, bien que le nom me soit vaguement familier...

La jeune femme était blême.

— Je ne savais pas que ce morceau était au programme, articula-t-elle avec difficulté. Sinon je ne serais pas venue...

Son compagnon la détailla avec acuité.

— Il y a un rapport avec Erich, n'est-ce pas ? questionna-t-il enfin.

Elle hocha la tête.

— Megan, vous n'allez pas passer votre vie à fuir les orchestres à cordes... ni tous les violons de la terre.

— Je sais, mais...

L'intensité de la lumière commençait à baisser, et les projecteurs montaient lentement sur la scène. Un frisson d'impatience parcourut le public. Kurt caressa doucement la main de la jeune femme.

— Tranquillisez-vous, Megan. Tout ira bien.

Il enleva sa veste, s'installa sur la couverture, les jambes légèrement écartées, les bras repliés autour des genoux, et prêta l'oreille avec le sérieux et l'intensité d'un véritable musicien.

Dans l'obscurité de l'auditorium, les yeux rivés sur la scène inondée de lumière, Megan se mit à trembler. Elle fut sourde aux accents émouvants du discours d'ouverture, prononcé par un célèbre acteur. Elle ne reconnut pas les extraits de la *Bohême,* resta indifférente au talent et à la sensibilité du pianiste qui joua l'œuvre de Debussy. Tendue, les nerfs prêts à craquer, elle attendait l'instant redouté où le couple de musiciens latino-américains attaquerait l'obsédante sonate de Philip Hasltead.

Et ce moment arriva. Les premiers accords s'égrenèrent dans l'immense auditorium. Le pianiste annonça le thème, qui fut ensuite repris par la violoniste, son épouse. Megan se préparait au déchirement familier qu'elle ressentait toujours en entendant cette poignante mélodie.

Sous le dôme blanc et arrondi de la scène, les musiciens, de loin, ressemblaient à deux perles noires posées au creux d'une gigantesque coquille d'œuf. La jeune femme ne distinguait pas leurs traits, mais elle les devinait unis dans une même communion. Le morceau qu'ils avaient choisi d'exécuter n'était pas très connu ; il avait été composé par Philip Halstead, le fondateur du conservatoire new-yorkais où Megan avait étudié la musique. Lorsqu'Erich avait découvert cette œuvre méconnue, il avait été enthousiasmé et en avait fait son morceau-fétiche. Voilà pourquoi cette sonate symbolisait pour la jeune femme l'échec de son mariage... et de sa vie. Quand ils la jouaient ensemble, à chaque concert, elle croyait dans son innocence qu'ils étaient faits l'un pour l'autre, qu'ils arriveraient un jour à se rejoindre. Cet espoir insensé avait été irrémédiablement détruit lorsqu'un soir, après un récital donné en Pennsylvanie, elle avait trouvé Erich et Lavinia enlacés dans la loge. Encore emplie du bonheur que lui procurait cette sonate, avec laquelle ils terminaient leurs concerts, elle avait eu tout à coup l'impression que sa vie entière s'écroulait. Ce souvenir était resté gravé au fer rouge dans sa mémoire, dans son cœur meurtri, inséparable de cette subtile mélodie qui l'avait prise au piège...

Ecrasée par cette fatalité, Megan attendait. Les fantômes du passé allaient surgir.

Le morceau s'achevait presque. Elle n'avait rien senti. Elle n'avait pas eu mal. Au contraire, elle se surprenait à écouter sans passion la suite de la sonate qu'elle connaissait par cœur, à analyser l'interprétation des musiciens, à établir des comparaisons.

Une idée la traversa soudain : parmi les auditeurs, y en avait-il un seul qui se rappelât le nom d'Erich von Kleist ? Sans doute pas... Le jeune virtuose avait été fauché par la mort alors qu'il avait presque atteint la gloire. Il avait été privé de cette satisfaction suprême, l'unique but de sa vie. Pauvre Erich, si doué et si... tourmenté.

Megan comprit alors qu'elle n'éprouvait plus de haine à son égard. Elle avait été sa victime, mais il avait eu aussi sa part de souffrances, victime des difficiles circonstances de sa naissance, de son enfance solitaire. Les seuls moments de bonheur et de sérénité qu'il avait connus, la musique les lui avait procurés.

Des larmes brûlantes ruisselèrent sur les joues satinées de la jeune femme. Elle pleurait sur Erich, sur la tragédie qu'avait été sa courte vie. Elle le comprenait enfin, et l'absolvait. Les larmes qu'elle versait à présent étaient des larmes de pardon, et non de rancœur.

Et soudain Kurt l'enlaça dans le noir, l'attira contre lui sur la couverture. Une main sur ses reins, l'autre dans ses cheveux bouclés, il la serrait très fort sur sa poitrine ; elle n'entendait plus la musique, seulement les battements enfiévrés de leurs cœurs mêlés. Blottie contre lui, elle épancha librement son chagrin, ce poison qui l'avait si longtemps empêchée d'aimer...

Autour d'elle s'éleva un son assourdissant, comme les eaux d'un barrage enfin libérées, ou l'éboulement d'un immense mur de briques. Elle leva la tête, et s'aperçut avec étonnement que ce bruit était un tonnerre d'applaudissements. Le public enthousiaste se levait pour saluer les deux musiciens.

Megan se redressa, s'assit sur la couverture et sourit à travers ses larmes.

— Pardonnez-moi, Kurt. Cette musique est si... romantique.

Il sortit de la poche de sa veste un étui à cigarettes. A la lueur du briquet, elle distingua ses traits torturés ; mais quand la flamme s'éteignit il parla d'une voix neutre, impersonnelle.

— Allez-vous accepter de gâcher votre vie à cause du mal que vous a fait Erich ? Vous ne voulez donc pas vous libérer de lui, enfin ?

L'extrémité incandescente de sa cigarette décrivait dans l'obscurité une trajectoire nerveuse, agitée.

— Mais je *suis* libérée de lui, affirma Megan avec un sourire tranquille, sachant que c'était la vérité.

— Je ne vous crois pas. Vous pleuriez, à l'instant, parce que vous l'aimiez.

— Je l'aimais, oui. Imparfait du verbe aimer. Erich est mort, et j'en ai assez de m'apitoyer sur mon propre sort.

Kurt ne répondit pas. La jeune femme se tourna de nouveau vers la scène. Elle écouta les derniers morceaux du programme mais aurait été bien incapable de s'en souvenir. Elle n'entendait que son cœur. Elle fut surprise quand elle vit les derniers spectateurs se lever autour d'eux, ramasser leurs couvertures et leurs pliants. Près de la scène, les régisseurs s'affairaient tandis que le flot des auditeurs s'écoulait lentement vers les sorties.

Megan regarda son compagnon, attendant un

signal. Il ne bougea pas. Plusieurs mégots étaient écrasés dans l'herbe à côté de lui ; il prenait une autre cigarette. Un projecteur s'alluma à quelques mètres d'eux, pour faciliter le travail des équipes de nettoyage, et ses rayons obliques éclaircirent la pénombre. Kurt plissait le front, absorbé dans ses pensées. « Qu'attendait-il ? » se demandait la jeune femme sans oser le questionner.

— D'où vous vient cette conviction que vous êtes libérée d'Erich ?

Elle hésita avant de répondre.

— D'abord parce que... je comprends aujour-d'hui ma part de responsabilité dans l'échec de notre mariage. J'étais très jeune et... j'avais terriblement peur de la solitude.

Comme Kurt la dévisageait d'un air interrogateur, elle poursuivit :

— Quand j'ai rencontré Erich, je venais de per-dre ma mère. J'étais désorientée, seule au monde. Il m'a demandé ma main, et j'ai cru à un don de la Providence. Je n'allais plus être seule. Plus tard, quand j'ai découvert sa liaison avec Lavinia, je me suis tue par lâcheté : je préférais être son ombre plutôt que d'essayer de reconstruire ma vie sans lui. Il m'a fallu deux ans pour comprendre combien j'avais eu tort.

Megan se redressa pour conclure d'une voix ferme :

— Maintenant, tout cela appartient au passé. Je sais que je peux me prendre en charge. Si ma dignité est synonyme de solitude... tant pis ! Je préfère assumer cette solitude.

Il y eut un silence, puis Kurt murmura d'une voix étranglée, comme si les mots qu'il prononçait lui étaient arrachés :

— Moi je ne peux plus.

— C... Comment ?

— Je ne peux plus. Je ne supporte plus d'être seul. J'ai vécu ainsi des annécs, et je ne peux plus.

Il jeta sa cigarette et tourna vers la jeune femme son visage torturé.

— A part Liesl, j'ai perdu tout ce que j'avais de plus cher au monde : Elisabeth, ma famille, la musique, et maintenant, bientôt, une partie de mon domaine. Je me suis toujours targué d'être indépendant, solide, mais je n'ai plus le courage de continuer... Je t'en prie, Megan, j'ai besoin que tu m'aides.

Elle resta sans voix. Kurt l'aristocrate, Graf von Kleist, le seigneur arrogant, Kurt la suppliait, demandait...

Comme elle ne répondait pas, il poursuivit d'une voix brisée :

— Crois-tu donc que je ne t'aime pas ? Oh, Megan... Je t'aime depuis ce premier jour dans mon bureau, quand tu as failli t'évanouir après ton arrivée au Schloss. Tu étais là devant moi, avec tes grands yeux verts, ta chevelure de feu et cet air si pâle, si fatigué... et tu m'as tenu tête avec ton courage de petite lionne blessée, tu réfutais mes stupides accusations ! Comme je t'aimais, déjà...

Il sourit tendrement à ce souvenir, tandis qu'elle protestait :

— Mais... mais tout me portait à croire que...

— Je sais. Je me suis conduit comme une brute. J'étais terrorisé...

— Terrorisé ? Je ne te crois pas. Tu n'as jamais eu peur de ta vie. Tu es bien trop sûr de toi.

— J'avais peur de toi. Peur de ce que tu éveillais en moi. J'éprouvais des sensations inconnues. C'était la violence et la soudaineté de cet amour qui m'effrayait. Quand j'ai connu Elisabeth, le désir est venu tout doucement, comme une lente floraison. Avec toi... un regard a suffi. Je me savais perdu.

Alors j'ai voulu lutter. Je me disais qu'il s'agissait d'une simple attirance physique, et qu'après t'avoir possédée, mon désir s'éteindrait. Je n'admettais pas qu'une femme puisse avoir sur moi un tel pouvoir.

Tout en parlant, il l'avait saisie par les épaules, comme pour lui faire mieux comprendre. Il se rendit compte qu'il lui faisait mal et murmura avec dépit :

— Tu vois, je recommence. Je m'accroche à toi avec le désespoir d'un naufragé, et je te fais mal parce que j'ai peur que tu me repousses...

Megan lui posa un doigt sur les lèvres. Elle scruta son beau visage, certaine d'y découvrir une trace de moquerie, ou de cynisme. Ses traits tourmentés ne reflétaient que l'humilité, l'anxiété... et un sentiment dont elle l'avait cru incapable.

— Je t'aime, Kurt, murmura-t-elle.

Tendu, sur la défensive, il la regarda sans y croire.

— Je t'aime, répéta-t-elle en s'enivrant du miel de ses paroles. Je t'ai aimé... presque depuis le premier jour.

Il lui sourit, et ce sourire la transporta.

Ils se dévisagèrent longuement, sans un mot, puis Kurt allongea doucement la jeune femme sur la couverture et commença une lente et tendre exploration de son corps enfiévré de désir. Le ciel piqué d'étoiles les recouvrait tel un dais de velours. Et quand leur faim l'un de l'autre se fit plus pressante, Megan ouvrit un à un les boutons de la chemise de Kurt pour mieux sentir sa peau contre la sienne...

— Eh là, vous, les gosses ! Le concert est terminé !

Un gardien s'approchait d'eux, les prendrait bientôt dans le faisceau de sa lampe électrique. Kurt serra la jeune femme contre lui en étouffant un juron. Tous les projecteurs étaient éteints, les équipes de nettoyage étaient reparties depuis longtemps...

— Oh pardon, s'exclama le veilleur de nuit avec un rire gras. D'habitude, ce sont les jeunes qui traînent après la fermeture... Mais vous feriez mieux de vous trouver un hôtel, vous ne croyez pas ?

Il s'éloigna en ricanant. Kurt serrait les poings de rage.

— Ne te fâche pas, Kurt, c'est de ma faute. J'aurais dû penser que...

Elle se leva, remit de l'ordre dans ses vêtements. Tous deux éclatèrent de rire en même temps.

— C'est vrai, nous sommes des gosses, conclut Kurt avec un sourire contrit. Enfin, ce genre d'incident ne risquera plus de nous arriver quand nous serons mariés !

Megan s'immobilisa.

— Mais Kurt... je n'ai jamais dit que j'allais t'épouser.

— Quoi ?

— Je ne peux pas t'épouser, Kurt.

Elle le vit blêmir dans la pénombre. Son cœur se serra. Il voulut parler, mais à cet instant le gardien cria :

— La sortie est derrière vous, sur la droite !

Avec un juron Kurt tendit son sac à Megan et ramassa la couverture. Puis, sans l'attendre, il se dirigea à grands pas vers la sortie. Elle le suivit en trébuchant dans le noir. La voiture de location était le seul véhicule stationné dans le grand parking du théâtre. Kurt ouvrit la portière du passager, jeta le plaid sur le siège arrière et se mit au volant, le visage fermé. Quand il démarra, Megan lui effleura timidement le bras.

— Je suis désolée, Kurt, mais je...

— Tais-toi.

Elle s'enfonça dans son siège. Après avoir rapidement examiné une carte de Los Angeles, Kurt prit la direction des collines d'Hollywood. Malgré l'heure tardive, il y avait encore beaucoup de circulation sur les grandes avenues. Ils longèrent Sunset Boulevard, traversèrent les quartiers riches de la ville, puis Kurt se dirigea vers Beverly Hills.

— Où allons-nous ? questionna la jeune femme. Mon appartement est de l'autre côté...

— Je suis les conseils de cet imbécile de gardien. Il nous a dit d'aller à l'hôtel. Nous pourrons parler tranquillement. Et personne ne viendra nous déranger.

Après avoir donné les clefs de sa voiture au portier, Kurt prit Megan par le bras. Autour de la piscine du luxueux hôtel s'étageait un jardin de plantes tropicales éclairées par des spots de couleur. La chambre occupait tout un bungalow. Elle était meublée avec goût : moquette épaisse, bois clair de style suédois, plantes vertes. Kurt ferma la porte à clef et se tourna vers sa compagne. Elle feignait d'admirer un tableau abstrait qui occupait la moitié du mur blanc.

Il marcha vers elle d'un pas décidé, l'agrippant aux épaules.

— Alors maintenant explique-toi, grinça-t-il.

— M'expliquer ? se rebiffa-t-elle. Tu m'as parfaitement comprise ! Simplement tu n'admets pas qu'on puisse te dire « non » ! Je t'ai pourtant déjà dit non une fois, rappelle-toi ! Et ce n'est pas ton insupportable arrogance qui me fera changer d'avis ! Tu veux toujours tout décider sans consulter personne !

Il essayait de maîtriser sa colère, et articula d'une voix sourde :

— Tu viens de me dire que tu m'aimes...

— Oui ! Et je t'ai aussi déjà dit que je ne me remarierais jamais ! Je me suis mariée une fois. Ce fut une catastrophe.

Les doigts de Kurt s'enfoncèrent dans la chair de ses frêles épaules.

— Non ! Tu vas m'écouter, Megan. Ton expérience avec Erich ne compte plus. C'était une caricature de mariage qui n'avait rien à voir avec l'union de deux êtres qui s'aiment. Or nous nous aimons.

— Je t'aime, oui, admit-elle, et j'ai terriblement envie de toi... Mais nous sommes incapables d'établir une relation. Dès que nous cessons de nous embrasser, nous nous déchirons. Notre amour est trop... violent. Il ne signifie rien.

Elle s'était écartée de lui, il l'avait lâchée. Totalement abattue, déprimée, elle marcha jusqu'à la fenêtre, entrouvrit le rideau et regarda scintiller les lumières de la ville qui dormait au pied de la colline.

— En plus, Kurt, reprit-elle d'une voix lasse, tu ne te rends pas compte de ce que tu me demandes. Au Schloss, quand tu m'as proposé de t'épouser, la première fois, j'aurais dit oui, si tu avais agi différemment. Mon séjour en Autriche était si... magique, si irréel... Hormis les derniers jours, bien sûr. C'était pour moi un interlude, je découvrais la vieille Europe, une civilisation de conte de fées. Si j'avais su que tu m'aimais à ce moment-là, j'aurais peut-être cru que Cendrillon pouvait épouser le prince et vivre heureuse auprès de lui. Les désillusions seraient venues plus tard... Non, Kurt, laisse-moi terminer, je t'en prie... Quand je suis rentrée à Los Angeles, tout m'est apparu sous un angle différent, plus réaliste. J'ai compris qui j'étais, j'ai su qui était la petite Megan Halliday. Je suis née et j'ai grandi dans cette ville de fous, entre la plage et l'autoroute. Quelle autre ambition aurais-je que de rester ici, d'y construire ma vie ? Je suis pianiste dans un bar, et le soir, je rentre dans mon minuscule appartement. Oui. Je n'étais pas faite pour être concertiste, ni

pour vivre dans un château et devenir une... une...
Comment dit-on « comtesse » en allemand ?

— *Gräfin*...

— Merci.

Elle laissa retomber le rideau.

— J'oubliais ce détail : tu imagines la Gräfin von
Kleist ne parlant pas un mot d'allemand ?

— Arrête, Megan. Tu te cherches des prétextes et
tu le sais. Ça ne tient pas debout. Chérie... j'ai
besoin de toi.

Elle regarda ce beau visage qu'elle aimait tant, et
se demanda si elle allait pouvoir résister longtemps.
Pourquoi Kurt ne pouvait-il entendre la voix de la
raison ? Elle savait que pour former un couple
harmonieux avec lui, elle serait sans cesse obligée de
céder. Sinon, il y aurait des disputes incessantes, des
déchirements, encore... Mais si elle choisissait de
s'aplatir devant lui, elle perdrait sa dignité si chèrement conquise. C'était sans issue. Pour rien au
monde elle ne voulait renoncer à son indépendance.
Sans grande conviction, elle riposta en se raccrochant à ce qu'elle pouvait :

— C'est vraiment tout ce que tu vois, Kurt ? *Ton*
besoin, *ton* désir... Ce que *tu* veux...

— J'en ai assez de cette discussion ! explosa-t-il.
Je sais ce que nous voulons tous les deux depuis le
début.

Et il l'enserra dans ses bras.

— Non ! cria-t-elle.

Elle essaya de le repousser, mais ses doigts au lieu
de le griffer cherchaient déjà sa nuque, ses cheveux
bruns...

— Ne fais pas ça, implora-t-elle.

— Essaie de m'en empêcher ?

Elle luttait de plus en plus faiblement, Kurt riait
doucement.

— Ce n'est pas juste... gémit-elle.

— La vie n'est qu'une grande injustice, mon chéri. Maintenant tais-toi. Tu parles beaucoup trop.

Il la souleva sans effort dans ses bras et la porta jusqu'au lit. Comme par enchantement, leurs vêtements se retrouvèrent sur le tapis. Ils étaient nus et se regardaient sans oser encore se toucher, éperdus d'amour.

— Je... Je t'aime, Kurt, murmura-t-elle enfin.

Ils firent l'amour toute la nuit, s'aimèrent longuement, passionnément, avec une infinie tendresse. Megan découvrait, émerveillée, ce qu'était un homme, ce qu'était le bonheur.

Elle n'y crut qu'au petit jour, quand ils reposaient heureux et comblés sur les draps froissés. Des larmes de joie lui vinrent aux yeux. Kurt mordillait doucement ses cheveux odorants. Au bout d'un moment, il murmura :

— Comprends-tu, Megan, comment je vois la vie avec toi ?

— Oui.

— Et maintenant veux-tu m'épouser ?

Il y eut un long silence pendant lequel elle perçut sous sa joue les battements affolés du cœur de Kurt.

— Oui.

Il exhala un profond soupir et s'apaisa enfin.

— Alors endors-toi, *Liebling*. Nous avons toute la vie devant nous.

Le soleil s'engloutissait dans les eaux du Pacifique lorsque Megan mit le nez au hublot. Déjà sa ville natale s'évanouissait sous une couche de nuages d'une couleur incertaine... Elle se demanda avec un serrement de cœur si Dorothy pouvait encore apercevoir les lumières clignotantes de l'avion... Un soupir lui échappa quand elle renversa la tête en arrière.

A ses côtés, son époux murmura d'une voix tendre :

— Tu es fatiguée, ma chérie ?

Elle haussa légèrement les épaules.

— Oh, un peu. Nous avons été si bousculés, ces derniers jours...

Elle lui jeta un regard à la dérobée et ajouta en souriant :

— Et puis nous n'avons pas beaucoup dormi.

— Je te promets que maintenant tu peux te reposer un peu... au moins jusqu'à Londres.

Il lui prit la main, joua avec la bague d'émeraude qu'il venait de lui offrir. Megan avait été très étonnée lorsqu'il lui avait proposé de l'épouser tout de suite, en Californie ; elle pensait qu'il aurait aimé que Liesl assiste au mariage. Mais il avait insisté. « Ce sera plus simple pour toi, au lieu de t'embarrasser d'un visa de touriste pour l'Autriche », avait-il prétexté. Au fond de lui-même, Kurt connaissait la véritable raison de son empressement : il avait peur de la perdre une nouvelle fois. Un instinct atavique de possession... Il voulait serrer son bonheur, ne pas le laisser s'échapper.

Il se demandait maintenant s'il n'était pas trop égoïste, s'il n'exigeait pas trop de sa bien-aimée. Elle quittait son pays pour aller vivre en terre étrangère...

Il avait suggéré cette lune de miel en Angleterre en guise de transition, mais il savait qu'il lui faudrait toute sa vigilance pour ne pas étouffer Megan, ne pas l'enfermer... Il souhaitait tellement la rendre heureuse ! Et son premier devoir était d'effacer ces cernes violets sous ses grands yeux verts, de lui faire oublier les fantômes du passé...

Il contempla son visage songeur.

— *Liebling*, j'ai une surprise pour toi. Un cadeau.

— Encore ?

— A dire vrai, tu ne l'auras pas avant Noël, mais j'ai envie de te dire ce que c'est... J'ai parlé à ton amie Dorothy. Elle viendra passer les fêtes chez nous, à Vienne.

Le visage de Megan s'illumina. Elle poussa un cri de joie et voulut se jeter dans les bras de son mari. La ceinture de sécurité la retint brutalement.

— Allons, mon âme, un peu de tenue, plaisanta Kurt en la repoussant gentiment. Une *Gräfin* doit savoir se contrôler en toute occasion. Il va te falloir beaucoup de patience : nous n'arriverons à Londres que demain matin. C'est un long voyage...

Des larmes de bonheur perlaient dans les yeux de la jeune femme.

— Oh, Kurt... je suis si heureuse ! Je... je craignais de ne jamais revoir Dorothy.

Il mesura l'ampleur du sacrifice qu'il lui demandait en l'arrachant à son pays. Il lui faudrait en être digne. Déjà il avait appris à la respecter, à ne pas exiger d'elle plus qu'elle n'était disposée à lui donner. « L'école de l'amour », songea-t-il avec une humilité que jamais il n'avait éprouvée auparavant.

— Petite sotte, on n'abandonne pas ses amis, murmura-t-il d'une voix enrouée par l'émotion.

Un éclat amoureux brillait dans ses yeux bleus. Il embrassa la main de Megan, déposant un baiser sur chacun de ses doigts.

— Et puis nous retournerons de temps en temps à Los Angeles.

Elle sentait sur ses doigts la chaleur de son souffle, la texture de ses lèvres tièdes.

Il ajouta enfin, avec un sourire taquin :

— Après tout, il faudra bien qu'un jour nos enfants découvrent le patrimoine de leur mère !

Leurs visages s'étaient imperceptiblement rapprochés, et malgré les ceintures de sécurité qui les gênaient, ils s'embrassèrent longuement...

LE PETIT LEXIQUE

Auf wiedersehen; auf wiederhören!	Au revoir!
Bitte! Bitte?	S'il te plaît! Pardon?
Danke!	Merci!
Einen Moment	Un moment
Entschuldigung	Mes excuses
Es tut mir leid	Je suis désolée
Feuer!	Au feu!
Frau	Madame
Fraülein	Mademoiselle
Guten Tag!	Bonjour!
Gnädige Frau	Belle dame
Gott im Himmel!	Dieu du ciel!
Herr von Kleist	Monsieur von Kleist
Hier	Ici
Hier ist	Voici
Ich bin	Je suis
Ich heisse	Je m'appelle
Ich spreche wenig Deutsch	Je ne parle pas bien l'allemand
Ihr Vater	Votre père
Ja; Jawohl	Oui
Küss die Hand	Embrasse-moi la main
Liebling; Liebchen	Mon (ma) Chéri(e)
Mein Gott!	Mon Dieu!
Mein Herzensfreund	Mon cher ami
Mein Schatz	Mon trésor
Natürlich	Bien sûr
Nein	Non
Nicht wahr	Pas vrai
Schloss	Château
Sie sind Engländerin?	Vous êtes Anglaise?
Sind Sie. . .	Etes-vous. . .
Vati!	Papa!
Verdammt!	Maudit!
Verstehen Sie?	Comprenez-vous?
Warum?	Pourquoi?
Was machst du hier?	Que fais-tu ici?
Was willst du jetzt?	Que veux-tu encore?
Was wollen Sie jetzt?	Que voulez-vous encore?
Wer ist das, bitte?	Qui est-ce, je vous prie?
Wie geht's?	Comment ça va?

LE SAVIEZ-VOUS?

L'Autriche est un petit pays situé au coeur de l'Europe, entre l'Allemagne, l'Italie et la Suisse. Son charme alpin est un ravissement pour l'oeil. La région du Tyrol, à l'ouest de l'Autriche, est particulièrement séduisante avec son paysage boisé d'un vert intense, parsemé de lacs et de petits villages coquets et fleuris au pied de montagnes majestueuses toujours enneigées.

Pays historique à souhait, maintes fois bouleversé par les guerres et les annexions, l'Autriche est aujourd'hui un endroit serein, réputé pour son hospitalité et la courtoisie de ses habitants.

Pays romantique aussi, l'Autriche chérit de grands noms de la musique: Mozart, que la merveilleuse cité de Salzbourg célèbre chaque année, mais aussi Strauss dont les valses célèbres sont encore dansées dans la grande Vienne, capitale autrichienne.

Une musicienne comme Megan ne pouvait résister à une telle source d'inspiration!

Egalement, ce mois-ci . . .

EN ATTENDANT L'OUBLI

Au souvenir de son bref mariage, Sarah se sentit pleine de désarroi. Elle se demanda si elle serait toujours condamnée à vivre comme une ombre parmi les ombres, simplement parce qu'elle avait eu l'insouciance de se livrer corps et âme à un amour qu'elle avait cru éternel.

Luke. La simple évocation de son nom et la voici tremblante d'émotions confuses. Oh Dieu, qu'elle l'avait donc aimé!

Malgré tout, elle continuait d'aimer cet homme étrange qui avait perdu sa foi en elle. Le moment était venu de décider, elle le savait—allait-elle persister à se défendre seule—ou se rendrait-elle et rejoindrait-elle Luke?

HARLEQUIN SEDUCTION

Ne manquez pas, le mois prochain...

UN MUR DE SOLITUDE

Le nouveau travail de Denise était idéal—
le projet de recherche dans les Bahamas serait
passionnant. Un nouvel environnement
l'aiderait sans doute à oublier le passé.

En outre, travailler avec Jake Barstow était
sans aucun doute une chance inespérée!

Pourtant, l'enthousiasme de Denise allait
bientôt céder la place à l'affolement. Le succès
du projet était menacé et ses relations avec
Jake devenaient de plus en plus tendues.

Elle n'avait pas le choix—elle devait dire la
vérité à Jake, même si cela devait lui coûter
son respect, et son amour...

HARLEQUIN SEDUCTION

Ne manquez pas, le mois prochain . . .

DANS LA VALLEE DES AIGLES

Le projet archéologique sur une hacienda mexicaine ravissait Robin Hamilton. Ce serait une aventure extraordinaire. Très vite, cependant, elle se trouva plongée dans une situation aussi confuse que dévastatrice.

Elle n'aurait jamais dû se mettre à l'aimer. Il était son patron, le fier et intense Ernesto Lopez. Il allait épouser la belle et aristocratique Ynez ainsi que les traditions familiales l'exigeaient, tout cela pour obtenir un héritage de précieux jade.

Robin n'avait pas le choix—elle devait combattre cet amour sans espoir. Car elle ne voulait pas être la maîtresse d'Ernesto . . .

LE FORUM DES LECTRICES

Chère lectrice,

Vous venez de lire un de nos premiers romans de la collection Harlequin Séduction. J'espère qu'il vous a plu et que vous êtes prête à en lire bien d'autres!

Mais je suis impatiente de recevoir vos commentaires, vos idées, vos suggestions. Je serais heureuse de pouvoir même les publier chaque mois, sur cette page, avec votre approbation, bien sûr.

Pour vous faciliter la tâche et pour m'aider aussi à établir un contact avec vous, lectrices d'Harlequin Séduction, veuillez répondre au questionnaire—cela ne prend que quelques minutes—et renvoyez-le moi dès que possible.

N'hésitez pas à m'écrire aussi personnellement et devenez une amie de notre ''forum des lectrices''!

D'avance, un grand merci pour votre collaboration!

Mondoulet

Dominique Mondoulet
Editrice

Voici quelques questions pour vous servir de guide...

Que pensez-vous des romans Harlequin Séduction?
Sont-ils assez longs ☐, pas assez longs ☐, trop longs ☐?

L'illustration de la couverture vous plaît-elle? Dites-nous pourquoi: _____
_____
_____

Quels sont les titres de romans Harlequin Séduction que vous avez déjà lus? _____
_____

Avez-vous aimé ces romans? Dites-nous pourquoi:
_____
_____
_____
_____

Que pensez-vous du degré de sensualité des histoires? Sont-elles assez sensuelles ☐, pas assez sensuelles ☐, trop sensuelles ☐?

Si vous lisez déjà les romans Harlequin, quelles différences trouvez-vous entre Harlequin Séduction et les autres romans Harlequin? _____
_____
_____

Nous aimerions bien connaître votre âge.

☐ 15 à 20 ans   ☐ 30 à 45 ans
☐ 20 à 30 ans   ☐ Plus de 45 ans

Et merci de votre collaboration!

_____

Si votre lettre est susceptible d'intéresser d'autres lectrices, accepteriez-vous qu'on la publie? Si oui, écrivez clairement vos nom et adresse ci-dessous.

NOM _____
ADRESSE _____
VILLE _____ PROVINCE _____ CODE POSTAL _____

Et adressez votre lettre à:
Dominique Mondoulet
Service des Lectrices Harlequin
649 Ontario Street
STRATFORD, ONTARIO N5A 6W2

Laissez-vous séduire...

 **HARLEQUIN SEDUCTION**

Tout ce que vous attendez d'une grande histoire d'amour!

Excitant... l'action vous tient en haleine jusqu'à la dernière page!

Exotique... l'histoire se déroule dans des pays merveilleux aux charmes innombrables!

Sensuel... l'amour est passionné, le désir incontrôlable!

Moderne... l'héroïne est une femme épanouie, qui a de la personnalité!

Dès maintenant...
2 romans Harlequin Séduction chaque mois.

Ne les manquez pas!

Chez votre dépositaire ou par abonnement.
Ecrivez au
Service des livres Harlequin
649 Ontario Street
Stratford, Ontario N5A 6W2

A PARAITRE

HARLEQUIN SEDUCTION vous réserve des histoires d'amour aux intrigues encore plus captivantes! En voici quelques titres évocateurs:

Maura MacKenzie	UN MUR DE SOLITUDE
Rachel Palmer	DANS LA VALLEE DES AIGLES
Meg Hudson	COMME UN SEUL ETRE...
Abra Taylor	UN MONDE SANS SAISONS

LE MONDE D'HARLEQUIN

Un monde d'évasion

...quand l'hiver s'éternise
et que vous rêvez du soleil des tropiques
lisez Harlequin!

Un monde d'aventure

...parce que vous voulez de l'action
des intrigues passionnantes qui vous captivent
lisez Harlequin!

Un monde de tendresse

...si vous aimez les héroïnes attachantes
et que vous partagez leurs sentiments,
leurs émotions
lisez Harlequin!

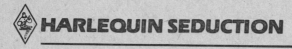

HARLEQUIN SEDUCTION

De grandes histoires d'amour
de passion et de sensualité
dans un univers de rêve
vécues par des femmes d'aujourd'hui!